D0495551

CLARA HUGHES

CLARA HUGHES

Cœur ouvert, esprit ouvert

Traduit de l'anglais (Canada)
par Pénélope Bourque

Libre Expression
Une société de Québecor Média

Catalogage avant publication de Bibliothèque et Archives nationales du Québec et Bibliothèque et Archives Canada

Hughes, Clara

[Open heart, open mind. Français]
Clara Hughes : cœur ouvert, esprit ouvert
Traduction de : Open heart, open mind.
ISBN 978-2-7648-1140-5
1. Hughes, Clara. 2. Femmes athlètes olympiques - Canada - Biographies. 3. Athlètes olympiques - Canada - Biographies. 4. Patineuses de vitesse - Canada - Biographies. 5. Patineurs de vitesse - Canada - Biographies. 6. Coureuses cyclistes - Canada - Biographies. 7. Coureurs cyclistes - Canada - Biographies. 8. Femmes dépressives - Canada - Biographies. I. Titre. II. Titre : Open heart, open mind. Français. III. Titre : Cœur ouvert, esprit ouvert.

GV697.H84A3 2015b   796.092   C2015-941223-4

Traduction : Pénélope Bourque
Édition : Miléna Stojanac
Révision et correction : Sophie Sainte-Marie, Féminin pluriel
Couverture et mise en pages : Clémence Beaudoin
Photo de l'auteure : Timothy Archibald
Photos intérieures : Clara Hughes, collection personnelle, sauf identification particulière

Remerciements
Nous reconnaissons l'aide financière du gouvernement du Canada par l'entremise du Fonds du livre du Canada pour nos activités d'édition.
Nous remercions le Conseil des Arts du Canada et la Société de développement des entreprises culturelles du Québec (SODEC) du soutien accordé à notre programme de publication.
Gouvernement du Québec – Programme de crédit d'impôt pour l'édition de livres – gestion SODEC.

Nous reconnaissons l'aide financière du gouvernement du Canada par l'entremise du Programme national de traduction pour l'édition du livre, une initiative de *la Feuille de route pour les langues officielles du Canada 2013-2018 : éducation, immigration, communautés*, pour nos activités de traduction.

Tous droits de traduction et d'adaptation réservés ; toute reproduction d'un extrait quelconque de ce livre par quelque procédé que ce soit, et notamment par photocopie ou microfilm, est strictement interdite sans l'autorisation écrite de l'éditeur.

© Clara Hughes, 2015
Publié avec l'accord de Transatlantic Literary Agency Inc.
© Les Éditions Libre Expression, 2015, pour la traduction française

Ce livre est publié indépendamment par l'auteure et l'éditeur ici nommés, et n'a aucune association ni affiliation avec les organismes corporatifs, sportifs ou des individus auxquels il peut faire référence, pas plus qu'il n'endosse aucun produit de ces derniers.

Les Éditions Libre Expression
Groupe Librex inc.
Une société de Québecor Média
La Tourelle
1055, boul. René-Lévesque Est
Bureau 300
Montréal (Québec) H2L 4S5
Tél. : 514 849-5259
Téléc. : 514 849-1388
www.edlibreexpression.com

Dépôt légal – Bibliothèque et Archives nationales du Québec et Bibliothèque et Archives Canada, 2015

ISBN : 978-2-7648-1140-5

Distribution au Canada
Messageries ADP inc.
2315, rue de la Province
Longueuil (Québec) J4G 1G4
Tél. : 450 640-1234
Sans frais : 1 800 771-3022
www.messageries-adp.com

Diffusion hors Canada
Interforum
Immeuble Paryseine
3, allée de la Seine
F-94854 Ivry-sur-Seine Cedex
Tél. : 33 (0)1 49 59 10 10
www.interforum.fr

J'ai écrit ce livre pour tous ceux qui ont connu des moments difficiles ou qui en connaissent présentement, et aussi pour tous ceux qui sont de près ou de loin associés à ces moments. Je l'ai écrit dans l'espoir que mon cheminement de vie, que ce qui se trouve réellement derrière mon sourire public, puisse inspirer d'autres personnes à s'engager sur la voie de leur propre libération.

Sommaire

Les Jeux olympiques de Vancouver 2010 11
Des plus brillants exploits 13
Les courses 19

Winnipeg 1972-1990 33
Notre maison 35
La rébellion 47
Un rêve interrompu 57

Le vélo 1990-2000 61
S'échapper 63
Prendre la route – brutalement 75
Les Jeux olympiques d'Atlanta 1996 89
Le point de rupture 101
Freiner 117
Les Jeux olympiques de Sydney 2000 131

Le patin 2000-2010 141
Vivre le rêve 143
L'oiseau du mariage 151
Les Jeux olympiques de Salt Lake City 2002 159
Au sommet du monde 169
La gloire, avec un budget serré 185
Les Jeux olympiques de Turin 2006 201
Le droit de vivre et de jouer 215

Un nouveau cycle 2010-2012 233
La boucle est bouclée 235
Les Jeux olympiques de Londres 2012 247

Une perpétuelle saison morte 261
Ce sourire qu'on voit sur les panneaux publicitaires 263
Laisse couler tes belles larmes 277
L'arrêt complet 287

Les faits saillants 293

Remerciements 297

LES JEUX OLYMPIQUES
DE VANCOUVER 2010

Des plus brillants exploits

Ça a commencé lorsqu'on m'a demandé de porter le drapeau. J'étais certaine que j'aurais la capacité de le faire tout en continuant à être performante. Ma première course se déroulerait trente-six heures après la marche dans le stade BC Place, mais je n'étais pas inquiète. J'ai accepté sans hésiter.

Aux Jeux d'hiver de Vancouver, en 2010, c'était la cinquième fois que je participais aux Olympiques. Je croyais être déjà passée au travers de tout ce que je pouvais vivre dans ce contexte-là, mais concourir dans mon propre pays a porté mon stress à un tout autre niveau. J'étais propulsée hors de la bulle hermétique de l'entraînement pour devenir, pendant quelques jours, le principal centre d'attention du plus grand événement sportif de l'histoire canadienne.

L'hôtel de ville de Richmond était le lieu de rassemblement pour toutes les conférences de presse des Olympiques. Le secret entourant l'identité du porte-drapeau a pris fin le 29 janvier 2010. Je me tenais au sommet d'un escalier décoré qui plongeait vers une mer de journalistes, d'équipes de télévision, de politiciens, de représentants du Comité olympique, de coéquipiers et de citoyens. J'ai été prise d'une euphorie égale à celle que je ressens lors de mes meilleures performances athlétiques. Pour la première fois de ma vie, j'ai senti cette allégresse sans avoir à patiner ou à pédaler jusqu'à atteindre une souffrance indicible.

La conférence de presse a transformé mon euphorie en désespoir. Toute ma confiance et mon excitation ont volé en éclats aussitôt que j'ai été obligée d'entrer dans la mêlée médiatique. Des journalistes m'ont posé des questions à propos de la malédiction du porte-drapeau, des coûts de l'événement et des gens qui manifestaient dans la rue. La chef d'antenne Wendy Mesley m'a présentée comme «une fautrice de trouble… qui boit trop» à l'émission *The National,* sur les ondes de CBC.

Je n'avais pas la moindre idée qu'en acceptant de porter le drapeau de mon pays les gens s'imagineraient que j'avais une connaissance absolue de tout ce qui concerne les Olympiques, mais j'ai essayé de répondre à toutes les questions controversées du mieux que j'ai pu.

J'ai quitté la conférence de presse en état de choc. J'avais fait une erreur en acceptant, et une grosse. Je savais qu'il n'y avait aucun moyen de m'en sortir. Mes cinquièmes Jeux olympiques avaient commencé.

Je me suis assise seule dans l'appartement qui m'avait été fourni parce que je faisais partie de l'équipe locale. Avec Peter, mon mari, je l'avais aménagé afin de m'assurer d'avoir tout ce qu'il me fallait pour réussir, mais je savais que rien de tout ça n'allait m'aider à me sentir mieux. J'ai ouvert mon ordinateur portable pour écrire un courriel à mon entraîneuse, pensant qu'elle aurait un conseil judicieux à me donner. C'est à ce moment-là que j'ai vu le courriel de mon bon ami Tewanee Joseph.

Tewanee était le directeur général des quatre Premières nations hôtes (QPNH), soit Lil'wat, Musqueam, Squamish et Tsleil-Waututh. L'entièreté des Olympiques allait avoir lieu sur leurs terres ancestrales. J'avais rencontré Tewanee quelques années auparavant, alors que je cherchais à approfondir mon rapport aux Olympiques en allant au-delà du sport. Je lui avais envoyé un mot pour lui demander de m'aider à entrer en contact avec des jeunes des Premières nations. Je voulais partager les Olympiques avec eux et, en retour, ressentir une certaine appartenance avec leur magnifique territoire.

Son courriel était une invitation à une cérémonie de purification. Pendant que tous mes adversaires se retiraient de plus en plus dans leur bulle, isolés de tout ce qui était étranger au sport, mon mari Peter, quelques membres de mon équipe de soutien dont j'étais très proche et moi-même avons fait le voyage pour découvrir exactement quelle était cette cérémonie.

La demeure de Tewanee se trouvait sur la petite parcelle de terre de la réserve des Premières nations Squamish, sur la rive nord de Vancouver. On est entrés dans la chaleur de la maison, accueillis par une abondance de nourriture et de sourires. Ils nous ont tous serrés affectueusement dans leurs bras. Ils souhaitaient nous faire sentir qu'on était les bienvenus. Après avoir été plus ou moins coupée du reste du monde en suivant un programme d'entraînement de haut niveau, sans compter toute la pression que je m'étais imposée, j'étais heureuse de pouvoir me détendre et oublier mes responsabilités.

Ce sentiment est devenu encore plus fort lorsque la femme de Tewanee, Rae-Ann, m'a offert un pendentif en argent en forme de colibri, que son fils était allé chercher pour moi. Elle m'a dit qu'il me donnerait des ailes pour m'envoler. Je l'ai porté tout le long des Jeux.

La cérémonie de purification s'est déroulée au milieu de bougies, de chants et de musique spirituelle, avec des enfants qui riaient et qui jouaient tout autour. Un aîné s'est adressé à nous dans sa langue natale. Ses gestes et sa voix apaisante, semblable aux sonorités de Mère Nature, m'ont donné l'impression qu'il racontait l'histoire de la terre, du vent, du soleil et de la pluie. Je me suis assise avec les autres, souriante, et je me suis imprégnée de l'énergie et du calme de sa voix, me sentant absolument présente, dans l'instant.

Un autre aîné s'est adressé à chacun d'entre nous à tour de rôle, en ouvrant nos cœurs à l'énergie de la flamme pour faire disparaître notre énergie négative. Il m'a dit : « Je ne peux pas guérir ta souffrance. Toi seule peux te guérir en ayant le cœur ouvert et l'esprit ouvert. »

À un moment donné, la fille de treize ans de Tewanee s'est levée au milieu de la pièce, en pleurs. Même si mes amis et moi ne savions pas ce qui se passait, nous avons écouté respectueusement lorsque les aînés lui ont dit : « Merci de partager tes belles larmes avec nous. Laisse-les couler. »

Comme je savais que je portais en moi quantité d'émotions brutes et de larmes refoulées, je me suis sentie reconnaissante de voir un tel désespoir accueilli comme quelque chose de puissant et de bon.

L'un des aînés m'a parlé en anglais : « La seule façon dont tu peux attirer le succès, c'est en souhaitant que chacun de tes adversaires soit bon et fort. Lorsque tu souhaites de bonnes choses aux autres, elles te reviennent ensuite. On nous demande rarement d'avoir la force d'être bienveillants. Pourtant, c'est peut-être la force la plus importante qu'on puisse avoir. »

L'aîné s'est ensuite adressé à Peter et à mon équipe. « Vous êtes le champ de force de Clara, son cercle d'énergie. Vous êtes là pour la soutenir. Elle a besoin de vous. » Ils ont tous tourné les yeux vers moi. Je me suis sentie aimée inconditionnellement.

Le stress d'avoir à porter le drapeau et à affronter des adversaires s'est envolé. Je suis partie armée de clarté, prête pour les Jeux, nos Jeux.

Étant celle de la nation hôte, l'équipe du Canada serait la dernière à faire son entrée dans le stade à la cérémonie d'ouverture. Ça signifiait que l'attente serait longue et pénible. Nous étions 206 en vestes rouges à regarder impatiemment l'événement sur nos téléphones portables. Nous entendions les acclamations pleines d'entrain de la foule qui accueillait chaque équipe – l'Albanie, le Ghana et l'Éthiopie, qui avaient un seul membre, et les États-Unis, avec leurs 215 membres.

Maintenant, c'était au tour d'Équipe Canada de franchir le seuil de la vaste étendue que constituait le BC Place. Je pouvais voir de petites bulles de savon tomber du ciel comme de la neige, un paysage de faux hiver magique dans l'immensité insondable du stade.

J'ai observé l'étui de mon drapeau, préoccupée par une question tardive : devrais-je utiliser une ou deux mains pour l'insérer dans son poteau ? Personne ne m'avait expliqué quoi que ce soit à ce sujet. À mesure que la distance grandissait entre le reste de l'équipe et moi, je me sentais abandonnée, mais les visages qui m'entouraient étaient illuminés par l'émerveillement du moment.

Un bénévole a crié : « Prends le drapeau ! » Il l'a poussé dans ma main et a commencé à compter : « Cinq, quatre, trois, deux… »

On m'a donné l'ordre de défiler, mais, avant de le faire, j'ai pris un moment pour lever les yeux vers la perfection de la feuille d'érable rouge sur fond blanc. Elle flottait comme flottent les feuilles dans les arbres un jour de fin d'automne au Manitoba.

J'ai soulevé notre drapeau avec fierté pour le montrer au monde entier, sachant qu'en tant que porte-drapeau du pays j'étais devenue quelque chose de bien plus grand, plus fort et plus beau que ma simple personne. Je me suis rappelé la devise des Jeux de Vancouver : *Des plus brillants exploits*. Et je me suis rendu compte que c'était exactement ce qui se produisait.

Les courses

Le 13 février
Après la cérémonie d'ouverture, j'étais redevenue une athlète comme les autres. Je me suis concentrée sur ma principale mission : exceller pour le Canada, pour mes coéquipiers et pour moi-même.

J'étais loin de patiner à la hauteur de mes capacités, depuis quelque temps. Après avoir gagné l'or à la course de 5000 mètres aux Olympiques de Turin, j'avais tout juste réussi à me qualifier pour l'équipe canadienne. Je savais que je pouvais accomplir quelque chose d'unique. Il fallait simplement que je découvre quoi.

L'enjambée qui caractérise le style de chaque patineur de vitesse est une chose bien fragile. Parfois, on trouve son enjambée et on la garde pendant une journée, une semaine, un mois, voire une saison. Puis on la perd et on passe une journée, une semaine, un mois, voire une saison à tenter de la retrouver, en luttant contre soi-même jusqu'à ce qu'un brouillard de doute se répande sur sa vie entière.

À ce moment-là, chaque fois que je mettais les pieds sur la glace, je cherchais cette forme précieuse et insaisissable qui donne au patin toute sa beauté. Je voulais être comme ma coéquipière Kristina Groves, dont les grandes enjambées sont aisées dans les virages, ou comme Christine Nesbitt, dont l'abandon téméraire lui permet de se propulser, de la tête aux pieds, avec chaque parcelle de fibre musculaire.

Je me sentais déconnectée de la perfection qui, j'en étais sûre, sommeillait en moi, ce qui éliminait toute possibilité de me déplacer librement sur mes lames de dix-sept pouces. Je cherchais une solution magique et j'oubliais que tout ce que je devais faire, c'était arrêter de *suranalyser* chacun de mes mouvements pour laisser aller mon corps, tout simplement.

Afin de ne pas être déstabilisée par l'intensité de la foule, je me suis rendue à l'anneau pour assister au 5000 mètres masculin. Depuis mon siège, tout en haut du stade, les patineurs, dans leurs combinaisons colorées et brillantes, ressemblaient à des personnages qui bougeaient à toute vitesse dans un jeu vidéo. Lorsque j'ai vu Lee Seung-hoon, le patineur sud-coréen, danser autour de l'anneau pour remporter l'argent, j'ai été stupéfiée par sa technique. Mon entraîneuse, Xiuli Wang (prononcer Ju Li Wong), l'était tout autant. Elle a agrippé mon bras en s'exclamant : « Regarde-le. On dirait qu'il court ! »

Après que la foule a eu quitté l'anneau et que les projecteurs des caméras se sont éteints, ceux d'entre nous qui allions participer à la course le lendemain ont commencé leur séance d'entraînement. Lorsque j'ai foulé la glace, je me suis souvenue de Lee, si détendu alors qu'il patinait, et j'ai tenté de superposer l'empreinte de ses mouvements à mon schéma corporel habituel. Je me suis mise à glisser rapidement et sans effort.

Xiuli a crié : « Bouge les bras comme si tu courais ! » L'écho de sa voix a résonné dans le stade vide, que la clameur de la foule avait fait vibrer quelques heures plus tôt. « Peu importe ce que tu es en train de faire, continue ! Fais-le sans y penser. »

14 février : ma première course – le 3000 mètres
Lorsque je suis arrivée à l'anneau, quelques Canadiens un peu fous se trouvaient déjà dans les gradins. Pendant les

dix-sept jours que duraient les Jeux, les amateurs de hockey se transformaient en amateurs de patinage de vitesse, de luge, de bobsleigh, bref, de tous les sports olympiques confondus. Certains avaient peint des feuilles d'érable sur leurs visages. Quelques-uns criaient : « Go Clara ! »

Je ne pouvais pas leur prêter attention, parce que je ne voulais pas prendre le risque de transformer cette course de 3000 mètres en activité sociale. Je devais me concentrer sur le moment présent.

Dans le vestiaire, je me suis débattue pour entrer dans la combinaison high-tech conçue exclusivement pour moi – ce qui n'est pas chose facile ! –, puis j'ai mis ma tuque et les lunettes qui empêchent mes yeux de larmoyer.

Entre mon pouce et mon index, j'ai inscrit les mots percutants que m'avait offerts l'aîné Squamish : *cœur ouvert, esprit ouvert.* Je voulais pouvoir lire ces mots en faisant mes étirements. En jetant un coup d'œil à ma montre. En m'échauffant au vélo stationnaire. En attachant le capteur de mouvement à ma cheville pour enregistrer l'instant où je franchirais la ligne d'arrivée.

J'étais nerveuse lorsque j'ai mis les pieds sur la glace, mais je me sentais prête et combative. J'étais jumelée avec la Norvégienne Maren Haugli par tirage au sort. Nous allions patiner pendant sept tours et demi en sens inverse des aiguilles d'une montre sur l'anneau de 400 mètres. Pour équilibrer la distance, nous allions passer du couloir extérieur au couloir intérieur à la fin de chaque tour. Même si nous allions physiquement courir l'une contre l'autre, en réalité, c'est une course contre la montre que nous nous apprêtions à faire.

La patinoire est devenue silencieuse au moment où nous prenions position à la ligne de départ. Je sentais une telle force que ma confiance atteignait des sommets presque terrifiants. Plus tard, mon massothérapeute, Shayne Hutchins, m'a dit que je ressemblais alors à une criminelle des rues de Winnipeg, un couteau de poche à la main, prête à attaquer quelqu'un.

Le coup de feu a retenti.

Un immense cri d'encouragement a surgi des gradins, un cri qui allait nous suivre tout autour de l'anneau. Comme nous savions à quel point la foule pouvait être bruyante, Xiuli et moi avions élaboré un code. Elle devait bouger les bras dans une direction ou une autre selon ce qu'elle voulait me dire.

L'anneau olympique de Richmond était tellement vivant que j'avais l'impression de sentir les battements de tous les cœurs. Même si je n'osais pas lever les yeux vers les gradins, je pouvais entendre chaque voix, chaque cri d'encouragement, chaque pied qui frappe, chaque applaudissement. Ces sons me stimulaient.

Lorsque la cloche qui indiquait le commencement du dernier tour a retenti, j'ai pensé: «Non, j'en veux plus! Je ne veux pas m'arrêter!»

J'avais obtenu 4:06, ce qui me plaçait en deuxième position. Et je ne me sentais même pas épuisée. Lorsque ma coéquipière Kristina Groves a foulé la glace, je l'ai encouragée tout le long des sept tours et demi, parce que je voulais qu'elle excelle, même si elle risquait de m'empêcher de grimper sur le podium. C'est ce qui est arrivé. Après la splendide performance de Kristina, elle détenait le troisième rang, alors que j'étais au quatrième. Nous nous sommes serrées l'une contre l'autre sur le banc en observant le tableau d'affichage, à la fois heureuses et tourmentées. J'ai glissé à la cinquième place, mais ça ne me dérangeait pas. J'avais trente-sept ans, et j'avais fait l'une de mes meilleures courses à vie.

Kristina a gagné la médaille de bronze par un centième de seconde. La foule a éclaté de joie pour elle. Je savais que je n'aurais pas pu patiner plus rapidement, mais je savais aussi que j'aurais pu patiner plus longtemps. J'aurais voulu avoir cinq tours de plus. Dans onze jours, je les obtiendrais. Ce serait *ma* course, *ma* distance – le 5000 mètres.

15 au 23 février
Lorsque je n'étais pas en train de m'entraîner, je profitais des Jeux avec mon mari, Peter, qui restait avec moi dans l'appartement situé en face de l'anneau. Lorsqu'on se promenait

dans la ville, on pouvait sentir l'adrénaline dans l'air. La grandeur de ces Olympiques devenait tangible. Les gens m'arrêtaient dans la rue pour me dire qu'ils étaient fiers d'être canadiens grâce à moi. Et j'avais seulement fini à la cinquième place ! Ils nous avaient vues, Kristina et moi, partager la joie de sa médaille de bronze, et ils s'étaient identifiés à nous à cet instant.

Les yeux rivés à l'écran de télévision, j'ai regardé le skieur acrobatique Alex Bilodeau, debout au sommet de sa montagne, si déterminé et si pur, prêt à gagner la première médaille d'or du Canada à Vancouver. J'ai regardé Britt Janyk skier la meilleure descente de sa vie, mais terminer sixième. J'ai regardé le gagnant du skeleton, Jon Montgomery, ce bûcheron manitobain barbu, complètement fou, se pavaner dans les rues de Whistler en avalant sa bière d'une traite. Puis il y a eu Joannie Rochette, qui a patiné courageusement pour le bronze à la mémoire de sa mère, décédée d'une crise cardiaque quelques jours plus tôt.

Ces Jeux ont offert tant d'occasions d'applaudir, de s'enthousiasmer, d'aimer. Pourtant, je n'arrivais pas à oublier Nodar Kumaritashvili, le jeune lugeur géorgien qui avait eu un accident lorsqu'il descendait une piste à haute vitesse au cours d'une séance d'entraînement, avant la cérémonie d'ouverture. L'image du corps sans vie de Nodar, que j'avais vu en direct à la télévision, étalé comme une poupée de chiffon sur la barrière de sécurité, était restée gravée dans mon cœur et dans celui de bien des gens. J'ai eu envie d'honorer Nodar en portant en moi son esprit et en faisant les meilleures courses de ma vie.

Peter et moi étions devenus tellement absorbés par les Jeux – les victoires et les défaites, les tensions, les célébrations et les déchirements – qu'on a dû sortir de notre appartement. Après être allés marcher dans le parc de l'autre côté de la rue, on a été attirés, encore une fois, par la télévision dans le hall d'un hôtel. Tessa Virtue et Scott Moir flottaient sur la glace, en route vers une autre médaille d'or pour le Canada.

J'ai alors remarqué un visage familier dans le hall d'entrée : Gaétan Boucher !

C'est Gaétan qui m'avait donné envie de me mettre au patinage de vitesse. À l'âge de seize ans, je l'avais regardé à la télévision chez ma mère, envoûtée, alors qu'il prenait d'assaut sa dernière course des Olympiques de 1988 à Calgary. On pourrait difficilement exagérer l'influence qu'a eue ce moment déterminant dans ma vie. J'étais une adolescente turbulente, une vraie fautrice de troubles. Je fumais un paquet de cigarettes par jour, je consommais des drogues douces, je buvais n'importe quoi comme une ivrogne et je faisais énormément la fête. En assimilant l'intensité de Gaétan, sa puissance, son élégance, j'avais compris la beauté du mouvement du patin et j'avais acquis cette certitude : *Un jour, je vais patiner pour le Canada.*

À présent, j'étais rendue là, vraiment en train de le faire, vraiment en train de vivre ce rêve.

Gaétan m'a interpellée : « Alors, es-tu prête, Clara ? »

C'est avec ma voix impressionnée d'adolescente rebelle de seize ans que je lui ai répondu : « Je suis crissement prête ! »

24 février

Mes nerfs m'ont réveillée plus tôt que je l'aurais souhaité. Ma chambre avait été arrangée spécialement pour moi. Peter y avait installé des rideaux qui ne laissaient passer aucune lumière, et j'avais un lit suédois à une place, alors jusqu'à présent j'avais peut-être eu les meilleures nuits de sommeil de toute ma vie. J'ai jeté un coup d'œil au réveil : 5 h 40. Comme ma course ne commençait pas avant 13 heures, j'allais devoir endurer les sept prochaines heures, d'une manière ou d'une autre. J'avais l'impression que les 565 pieds carrés de mon appartement rétrécissaient autour de moi, ce qui me rendait claustrophobe.

Après quatre Jeux olympiques, je n'aurais pas dû être nerveuse, mais plus j'essayais de me calmer, plus je me sentais paniquer. Le tirage au sort de la veille m'avait appris que je patinerais avant toutes mes adversaires les plus rapides. Ce serait moi qui allais donner le rythme, puis je devrais attendre de voir si je garderais ma place.

Les yeux larmoyants, je me suis fait un quadruple espresso allongé dans ma machine à café Saeco, mais je n'arrivais pas à l'avaler. Tous ceux qui savent à quel point j'aime boire mon café comprendront que la situation était grave. J'ai essayé de manger du gruau avec une banane tranchée, mais je n'y parvenais pas non plus. Je m'ennuyais de Peter, qui demeurait à l'appartement. La préparation mentale à une course importante est un exercice solitaire.

Les entraîneurs nous recommandent de considérer les courses olympiques comme n'importe quelle autre course, mais elles ne sont pas comme les autres et, de plus, toutes les courses sont pénibles. Même si je suis une créature d'endurance, je tremble encore devant l'angoisse terrible que je ressens lorsque je dois tout donner pour patiner un 5000 mètres. Je redoute particulièrement le moment où je dois faire face à l'obstacle de la souffrance, dans le dernier tiers de la course. Peu importe avec quelle vigueur je m'entraîne dans la salle de musculation, peu importe à quel point je cours ou je patine, je ne suis jamais préparée à l'intensité du moment où je serai forcée de piger dans mes réserves. Ainsi, pendant les heures encore sombres qui précédaient ce que je savais être mes derniers Olympiques en tant que patineuse de vitesse, j'ai marché de long en large, tourmentée, puis j'ai dormi par intermittence jusqu'à ce qu'un rai de lumière se faufile entre les rideaux, à 7 h 40.

Plus que cinq heures. Cinq heures pour trouver l'équilibre. Pour me sentir motivée tout en restant détendue. Pour me reposer suffisamment, mais pas trop. Pour manger convenablement, sans exagérer. Pour regarder les Olympiques juste assez pour demeurer connectée, mais pas au point de perdre ma concentration.

J'avais vu des concurrents olympiques s'effondrer sous une pression qui leur avait détruit le moral de façon irrémédiable. Je savais aussi que, à n'importe quel moment de ma carrière, renoncer à essayer m'aurait donné le droit de tout laisser tomber à la moindre difficulté.

Ma démarche – mon succès – consistait à m'obliger à faire face à mes propres doutes, puis à me fournir les moyens de les vaincre. Ça signifiait que je devais plonger dans les plus obscurs recoins de mon esprit pour me demander : *Possèdes-tu ce qu'il faut pour réussir ? Possèdes-tu encore ce que les autres pensent que tu possèdes ?* Ces questions, bien que terrifiantes, n'en sont pas moins inspirantes. Elles m'ont souvent sortie d'un certain pessimisme, me permettant de prendre mon envol. Elles déclenchent une réaction profonde dans mon cerveau, comme si j'appuyais sur un bouton. Ensuite, je suis prête à faire l'impossible.

Alors que je cherchais une façon de trouver la concentration dont j'avais besoin, je me suis rappelé un courriel que mon ami Hubert Lacroix, le président de la CBC, m'avait envoyé :

« *Ça y est. Tu arrives à la fin d'un autre voyage de quatre ans vers la course parfaite, en quête d'un lieu, d'un état de corps et d'esprit, de vitesse et de force, de concentration et d'exécution que toi seule peux trouver grâce à la préparation méticuleuse que tu as mise dans chaque journée des quatre dernières années. En fait, dans chaque instant, depuis aussi longtemps que tu patines. Tu le sais. Les femmes qui patinent contre toi le savent. Elles savent que tu peux supporter la douleur sans flancher. Elles le voient dans tes yeux. Laisse-les regarder. Ça leur fait peur. Et c'est là l'avantage que tu possèdes.* »

J'ai retranscrit le courriel au complet – six pages dans mon carnet de notes – en laissant les mots s'imprégner en moi. J'ai bu mon café. J'ai déjeuné. J'ai fait une sieste. J'ai regardé encore un peu les Olympiques, puis je me suis rendue à la patinoire.

En fermant la porte de l'appartement derrière moi, je me souviens d'avoir pensé : *Lorsque je reviendrai, tout sera terminé. Qu'est-ce qui m'attend ?*

Chaque jour depuis le début des Jeux, j'avais signé des programmes, bavardé avec des bénévoles et pris la pose pour des photos, comme on me l'avait demandé. Ce jour-là, tout le monde gardait le silence, car personne ne voulait me déranger. J'ai salué quelques personnes et elles m'ont répondu par un grand sourire. Un agent de la GRC s'est exclamé : « C'est aujourd'hui que ça se passe, ma petite. Tu vas les avoir. »

Je lui ai assuré que c'est ce que je ferais, tout en m'en convainquant moi-même.

Après un échauffement complet sur la glace, puis une période de récupération, j'ai suivi l'horaire écrit sur un morceau de papier déchiré que j'avais mis dans ma poche.

12 h 25 massage

12 h 35 échauffement à vélo

13 h enfiler ma combinaison

13 h 08 me rendre dans la zone intérieure

13 h 10 exercices d'échauffement dans la zone intérieure

13 h 26 mettre mes patins

13 h 30 aller sur la glace

13 h 40 patiner!

J'ai exécuté ma routine, en tentant de savourer chaque moment pour en garder le souvenir. Je me répétais : *Après aujourd'hui, fini le patinage de vitesse. Ça y est!*

La glace venait tout juste d'être nettoyée et arrosée. Je ferais partie de la première paire de patineuses à concourir. *La surface aura-t-elle assez durci ? Sera-t-elle plus dure pour les dernières paires, leur donnant un avantage ?* Peu importait : j'étais prête à patiner sur de la glu ou du béton.

Une fois arrivée dans la zone intérieure, j'ai été frappée par le tumulte de la foule qui criait : « Go Canada ! Go Clara ! » Le Canada était déchaîné, après avoir gagné plus de médailles à Vancouver que lors de n'importe quels autres Jeux.

Pendant mon dernier échauffement, j'ai senti que mes milliers d'heures d'entraînement se propageaient en moi sans effort. Lorsque le sifflet de l'arbitre a retenti pour que je me rende à la ligne de départ, j'ai jeté un coup d'œil à ma main pour voir les mots que j'y avais inscrits : *cœur ouvert, esprit ouvert,* comme un enfant qui triche avant un examen. Je me sentais féroce, comme si j'étais prête à entrer sur un champ de bataille, mais ce n'était pas contre un autre adversaire que j'allais devoir me battre. J'allais devoir convaincre mon corps d'endurer un degré insupportable de souffrance que j'allais moi-même lui infliger.

J'étais jumelée avec Masako Hozumi, du Japon, exactement comme ça avait été le cas l'année précédente, en Russie, lors d'une épreuve de la coupe du monde. Je me suis rappelé le croisement rapide de ses lames – touc, touc, touc, touc. C'était un son similaire à celui du métronome qui m'obligeait, enfant, à jouer mes gammes de plus en plus vite au piano, ce qui me rendait anxieuse. C'était ainsi que je m'étais sentie tout le long de la course, même si Masako était toujours demeurée derrière moi. Mon propre rythme était plus volontaire – douc, douc, douc. J'ai arrêté de me tracasser. *C'est comme ça, je n'ai pas le choix.*

Sur la ligne de départ, Masako m'a dit : « Bonne chance, Clara. »

Je me suis rappelé le message de l'aîné : *Tu peux seulement t'attirer le succès si tu souhaites que tes concurrentes soient fortes.* J'ai souhaité bonne chance à Masako, et je l'ai fait avec sincérité.

J'ai planté ma lame avant perpendiculairement à la ligne de départ, j'ai aligné ma lame arrière sur la ligne, puis je me suis mise en position repliée, prête à foncer comme je l'avais fait des milliers de fois auparavant, en utilisant mes abdominaux pour me soulever et pour me stabiliser. Un patineur de vitesse n'est jamais aussi seul que lorsqu'il attend le coup de feu. Malgré le soutien de toute une nation, je me suis sentie seule à cet instant.

Je n'oublierai jamais le son du pistolet de départ.

Habituellement, j'ai besoin de deux tours avant d'atteindre une bonne vitesse. Cette fois, lorsque j'ai trouvé mon rythme, j'ai été étonnée de me sentir très détendue, tout en fluidité, comme si le mouvement se produisait en moi. Je pouvais voir le temps à chaque tour, mais les chiffres ne signifiaient rien pour moi. Ce n'étaient que des formes. Les encouragements de la foule enterraient le son des patins de Masako, mais je ne me laissais pas complètement atteindre par les spectateurs, car je savais que j'aurais besoin d'eux plus tard.

Après trois tours, j'étais seule : Masako se trouvait loin derrière. Vers la fin de la course, j'ai commencé à entendre la foule devenir de plus en plus bruyante. Xiuli, en mimant ses instructions, ressemblait à un oiseau qui essayait de s'envoler. J'ai souri intérieurement. *C'est bien mon entraîneuse !*

La foule lançait un tonnerre d'applaudissements. Comme je n'avais pas mal, je me suis dit que j'allais pousser plus fort, sans aller jusqu'à saboter mon style et mon rythme, avec lesquels je me sentais encore bien et libre. Je vivais une étrange bataille intérieure. J'étais tellement habituée à la douleur de la course qu'à présent je devais me battre contre moi-même pour accepter de me sentir bien, tout simplement, sans pour autant entrer en transe. J'existais à l'intérieur de chaque enjambée. Patiner était devenu une danse. J'avais atteint l'état d'esprit que j'appelle « la vitesse facile », ce qui signifiait que j'avais l'impression d'avancer lentement, tout en patinant au maximum de ma capacité.

Lorsqu'il m'est resté trois tours à faire, je me suis nourrie de la clameur de la foule. Rendue au dernier coin de la piste extérieure, avec un seul tour à faire, j'ai laissé échapper un : « Yeahhh ! » C'est sorti de moi, tout simplement – presque un cri primal.

J'ai filé, les yeux fixés sur la ligne d'arrivée, avec ces mots qui résonnaient dans ma tête : *Tu as réussi !*

J'ai franchi la ligne, complètement plongée dans l'instant présent, au point d'en oublier le temps final. Ça m'avait peu importé pendant la course, mais voici ce qu'il en était : 6:55,73. J'avais battu le dernier record de piste de trois secondes et j'avais onze secondes d'avance sur la meilleure performance de la journée.

En ralentissant avant de m'arrêter, j'ai hurlé à pleins poumons. Il fallait que je laisse sortir la course – cette course qui était demeurée en moi à l'état latent toute ma vie. Elle était enfin sortie. J'ai ressenti une telle extase, une telle joie, une telle satisfaction d'avoir accompli mon but, soit de sentir chaque cellule de mon cerveau et de mon corps travailler en harmonie pour atteindre cette perfection synchrone, pure et efficace. Ça m'a rappelé le moment où j'ai vu Gaétan Boucher pour la première fois, lorsque j'ai été hypnotisée par son enjambée d'une puissance et d'une élégance brutes. J'avais moi aussi finalement réussi à saisir ce rythme.

Les gens dans les gradins criaient, bondissaient de leurs sièges et se tapaient dans les mains. J'ai serré dans mes bras tous ceux qui se trouvaient à proximité – des bénévoles, des amis, Xiuli et d'autres entraîneurs. En même temps, je me disais : *Je vais vraiment avoir l'air stupide si je finis en neuvième place, après ça.*

Ce qui me semblait le plus étrange, c'est que je n'avais pas eu à me pousser jusqu'à l'épuisement total. J'avais ressenti ce genre de perfection insaisissable seulement quatre ou cinq fois dans ma vie, et c'était arrivé aux Olympiques, dans ma terre natale, pendant ma dernière course de patinage de vitesse. Avais-je assimilé l'énergie de chaque Canadien qui assistait aux Jeux ?

Après m'être calmée, j'ai regardé les autres paires patiner. Je suis tombée au deuxième, puis au troisième rang. Et j'y suis restée.

Le bronze.

Quelqu'un m'a tendu un drapeau canadien. J'ai couru autour de la zone intérieure, en brandissant une fois de plus le drapeau rouge et blanc à la vue de tous. Même si la patineuse tchèque Martina Sáblíková avait gagné l'or, je savais que c'était moi que tout le monde applaudissait.

J'ai aperçu ma mère dans la foule, avec Peter. Je leur ai soufflé un baiser à tous les deux. Ma mère a souri, les larmes aux yeux. Plus tôt cette année, elle m'avait fait cette promesse : « Je serai là pour ta dernière course à Vancouver, peu importe ce qui arrive. » Elle avait manqué toutes mes épreuves olympiques de patinage en raison de l'état de santé de mon père, même s'ils ne vivaient plus ensemble depuis trois décennies et qu'ils étaient à présent divorcés.

Après la cérémonie des fleurs, j'ai eu quinze minutes pour retourner à mon appartement – escortée par deux gardes militaires – et me changer avant la cérémonie de remise des médailles. En faisant irruption dans l'appartement, j'ai crié dans les pièces vides : « Je suis revenue ! Et je l'ai eue ! »

J'ai décroché le téléphone pour appeler mon père à Winnipeg.

Il a répondu après quelques sonneries : « Ouiiii ? »

Il semblait un peu perdu.

«Papa, c'est Clara.

— Qui? C'est qui? Vous êtes qui?

— Papa, c'est ta fille, Clara.

— Ah, OK, OK, OK.

— As-tu regardé la course?

— Quoi? De quoi tu parles?

— Les Olympiques. Je viens de patiner. As-tu vu comment ça s'est passé?

— Non, je viens d'aller marcher. J'étais sorti.

— J'ai gagné la médaille de bronze, papa. J'ai vraiment eu une bonne course. C'était ma meilleure course.

— Ah, OK, OK, OK, a-t-il marmonné. Oui, bien sûr. »

J'ai raccroché, déçue. Puis j'ai pris une grande inspiration, en me répétant une fois de plus: *Tu ne peux rien y changer. Ça ne sert à rien d'essayer.*

Comme mon père était un alcoolique chronique, j'étais habituée à son incohérence. Je ne m'étais pas aperçue que cet homme autrefois très intelligent souffrait désormais de démence gériatrique. Mon père était désorienté, il n'était pas soûl.

WINNIPEG 1972-1990

Notre maison

Kenneth Hughes ne savait pas comment être un père parce que, pendant son enfance, son propre père avait toujours été soit dans les mines de charbon en train de travailler, soit à la taverne. Lorsqu'il devait entrer en relation avec nous, sa famille, mon père avait souvent l'alcool agressif. L'alcoolisme avait été présent longtemps dans ma famille, mes deux grands-pères en étaient affligés. Lorsque mon père buvait, la moindre chose pouvait déclencher sa mauvaise humeur et, si ma mère le contredisait, il se fâchait encore plus. J'ai grandi en entendant mon père engueuler ma mère constamment. Il nous a laissées tomber deux fois à Noël.

Enfant, tu essaies simplement de survivre. Tu effaces complètement toutes les expériences malheureuses à mesure que tu les vis. Parfois, je me cachais dans le noir au fond d'une garde-robe, les mains sur les oreilles, les yeux bien fermés. Je ne comprenais pas que mon père était alcoolique, ni même qu'il était soûl. Tout ce que je savais, c'est qu'il était fâché. Il était fâché pour des raisons que je ne connaissais pas et, comme il engueulait ma mère, je présumais que c'était sa faute.

Un soir, ma mère avait préparé un superbe souper – du rôti de bœuf, des pommes de terre, de la sauce, des carottes – et mon père est rentré à la maison en retard. Il lui a crié après. C'était un cri sombre et viscéral, comme je n'en avais jamais entendu auparavant. Cette fois, lorsqu'il a menacé de s'en aller, ma mère a ouvert la porte : «D'accord, va-t'en.»

Je crois que mon père pensait qu'elle changerait d'idée, mais elle a tenu parole. Ma mère était finalement arrivée au bout d'une patience qui avait semblé infinie. Elle lui a dit : «C'est assez.»

Quand mon père a déménagé dans son propre appartement, j'avais neuf ans, et ma sœur, Dodie, avait deux ans de plus que moi. Mes parents ne nous ont jamais expliqué pourquoi ils s'étaient séparés. C'était toutefois évident qu'ils devaient se quitter, compte tenu de la rage qui sévissait chez nous. Maman nous a annoncé qu'on pourrait voir notre père aussi souvent qu'on le souhaiterait, et on s'est dit : «Génial, on va avoir deux maisons!»

J'étais soulagée de voir mon père partir, mais, après son départ, rien n'a plus jamais été comme avant.

* * *

Je suis née le 27 septembre 1972 et j'ai grandi sur l'avenue Riverton à Elmwood, un quartier résidentiel ouvrier de Winnipeg. Nous avions un modeste bungalow en stuc, semblable aux autres maisons du quartier, avec un grenier aménagé dans lequel se trouvaient ma chambre et celle de ma sœur. La sienne donnait sur la rue, et la mienne sur le cimetière d'Elmwood, le parc de notre quartier.

Mon père était un homme imposant dans tous les sens du terme, avec ses six pieds quatre et sa tête énorme, toute poilue. Il avait aussi de grandes mains et une solide poigne. Il n'était peut-être pas un athlète, mais il était comme un ours polaire dans l'eau, nous soulevant joyeusement, ma sœur et moi, au-dessus des eaux tumultueuses du lac Winnipeg. C'était l'époque heureuse de Winnipeg Beach, où notre famille louait parfois une cabane – on ne pouvait pas vraiment appeler ça un chalet, encore moins une maison d'été.

Mon père était professeur d'anglais au Collège St. John's, qui faisait partie de l'Université du Manitoba. Il a gardé cet emploi pendant vingt-trois ans. Pour Ken Hughes, la littérature était une religion. Il en couvrait tous les aspects, de l'art à la psychologie. Il a également publié un paquet de livres, dont plusieurs exploraient le langage : la façon dont on utilise les mots et la raison pour laquelle on les emploie ainsi, et d'autres sur le Manitoba et ses artistes. Tout ce que je savais, quand j'étais petite, c'est qu'on avait des milliers de livres cachés partout dans la maison.

Ma mère, Maureen, était très belle, avec ses longues tresses qui lui descendaient jusqu'à la taille et ses lunettes rondes, comme une artiste un peu hippie. Une Diane Keaton du temps de Woody Allen. Avant le départ de mon père, elle était une mère au foyer qui faisait tout à partir de rien : des baguettes, des brioches à la cannelle, des croissants, tous nos gâteaux d'anniversaire. Je ne savais pas que les aliments précuisinés existaient jusqu'à ce que j'aperçoive une étrange boîte dans la cuisine, chez un ami. *Quoi ? Ça existe, du « mélange à brownies » ?*

À la maison, pour Dodie et moi, la règle consistait à nous faire voir sans nous faire entendre. On évitait les problèmes à tout prix, même si on finissait toujours par en causer secrètement. La mentalité de mon père était tout à fait britannique : il nous était interdit de faire du bruit, de crier, voire de rire fort, ainsi que de dire des mauvais mots, même si lui-même en disait tout le temps lorsqu'il était soûl. Dans notre famille, la punition ultime était la Ceinture, administrée par mon père – ça n'arrivait pas souvent, mais la possibilité était toujours présente. On vivait donc dans la peur, d'une certaine manière. Je me souviens d'une fois où ma sœur et moi avions été prises d'une crise de fou rire incontrôlable dans un restaurant du centre-ville où ma famille avait commandé à manger. Comme on était incapables de s'arrêter, mon père a insisté pour qu'on rentre à la maison. On n'a même pas pu manger nos hamburgers et, oui, on a subi la Ceinture.

L'heure des repas était souvent chargée de tension. Comme mon père aimait cuisiner, c'est souvent lui qui préparait à souper. Dodie et moi adorions qu'il prépare un rôti de bœuf avec du Yorkshire pudding, mais on détestait sa mixture de foie, de haricots de Lima et de poivrons verts. Parfois, on devait rester assises à table pendant des heures, sans avoir le droit de se lever avant d'avoir tout mangé. On cachait souvent de la nourriture entre les livres qui se trouvaient sur les tablettes de la cuisine, alors, quand mon père devait les changer de place pour entamer une de ses nombreuses rénovations, il découvrait des repas ratatinés entre les pages.

Dodie et moi n'aimions pas davantage la cuisine de ma mère. C'était trop santé. Ce qu'on voulait absolument manger, c'était des cochonneries. Notre chien berger, Chaucer, le chef de la meute dans la rue, nous aidait parfois à manger les restes de table, tout comme notre deuxième chien berger, Molly. Molly a disparu un jour après nous avoir mordues au visage, Dodie et moi. Ma sœur avait eu besoin de points de suture. On avait eu ce qu'on méritait, toutes les deux, parce qu'on embêtait souvent Molly. Je me souviens d'avoir déjà placé le visage très près de sa face en grognant férocement. Ma mère maintient, encore aujourd'hui, que Molly a été amenée dans une ferme.

En raison des règles de la maison, ma sœur et moi étions habituées à jouer ensemble en silence. Bien que nos parents aient été plutôt avares de jouets vendus en magasin, ma mère s'assurait qu'on avait tous les matériaux nécessaires pour construire des forts, pour peindre et pour dessiner, nous encourageant toujours à faire preuve de créativité. Elle nous faisait la lecture, avant qu'on apprenne à lire. Je me rappelle qu'on avait plusieurs poupées Barbie, pour lesquelles je construisais de petites maisons. Un jour, à Noël, ma mère a donné à chacune d'entre nous une boîte de vêtements qu'elle avait confectionnés elle-même pour nos poupées. Je me souviens également que ma sœur et moi leur avions toutes deux coupé les cheveux et teint la tête à l'aide de marqueurs. Notre environnement changeait constamment, alors réinventer Barbie nous semblait aller de soi.

Dodie et moi avions aussi une bonne collection de costumes pour nous déguiser, une activité qui s'était répandue partout dans notre quartier. Même si la circulation était intense autour de chez nous en raison de la route Henderson, l'autre bout de notre rue était calme, et on pouvait y parader dans nos costumes. Je me rappelle m'être battue pour le costume que tout le monde préférait : le déguisement de « génie » de la série télévisée *Jinny*.

Je ne me souviens pas très bien de mon école primaire, Lord Selkirk, hormis le fait que j'avais passé toutes les matières et que j'y avais beaucoup d'amis, étant donné que j'arrivais facilement à m'adapter. Je n'étais pas très respectueuse envers mes professeurs. L'un d'eux m'avait dit, l'air dégoûté : « Tu vas devenir exactement comme ta sœur. » C'était l'époque où Dodie commençait à se rebeller, et j'ai pensé : *Tu cherches les problèmes ? Tu vas en trouver.* Je n'arrivais toutefois jamais à être aussi désobéissante que je l'aurais voulu, même en prenant exemple sur Dodie.

Je me suis mise à pratiquer certains sports à l'âge de six ans, généralement en me joignant aux équipes de quartier, comme celles de balle molle, de soccer et de ringuette, sport qui ressemble au hockey, à la différence qu'on utilise plutôt un bâton léger pour contrôler un anneau de caoutchouc bleu. Je jouais parce que j'aimais ça, mais également parce que ça me permettait de sortir de ma bulle et de la maison. Je me débrouillais assez bien dans tous les sports que j'essayais, mais je n'étais toutefois jamais la meilleure.

Mes parents m'ont toujours encouragée dans ce que j'ai entrepris, mais ils préféraient de loin que je m'adonne aux arts plutôt qu'aux sports. Enfant, j'ai suivi des cours de piano, de ballet et d'arts plastiques. J'étais trop grande pour le ballet, et mes ongles étaient trop longs pour le piano. C'était du moins l'idée que je me faisais. Mon professeur de piano voulait tout le temps que je me coupe les ongles.

Mon père écoutait de la musique classique et du jazz à la radio de la CBC, souvent accompagnés par le chant de Shakespeare, notre canari. Dodie et moi étions autorisées à regarder une seule émission de télévision par jour, et ma préférée était *La croisière s'amuse*. Ouaip. *La croisière s'amuse*.

Notre famille achetait deux abonnements pour le ballet, l'orchestre symphonique et l'opéra, et on y allait à tour de rôle. Comme mon père avait cessé de conduire après son huitième accident, on voyageait en autobus. Je me sentais fière de me tenir à ses côtés à l'arrêt, vêtue de mon gros manteau de fourrure et de mon petit béret. J'avais énormément d'admiration pour lui, malgré ses défauts. J'aimais beaucoup me retrouver seule avec mon père, parce que je voulais tellement être comme lui.

Lorsqu'on était dans la salle de spectacle, je n'étais pas particulièrement emballée par la musique ou par la production, mais ça m'amusait d'observer la scène à l'aide de mes jumelles de théâtre vert et or. Ce qui me plaisait par-dessus tout, c'était la distributrice de boissons gazeuses et le fait que je pouvais remplir mon verre à l'entracte. À la maison, on n'avait jamais droit à des gâteries aussi décadentes. Après le concert, quand j'allais manger au restaurant Chez Junior avec mon père, j'avais presque l'impression de mener une vie normale. Par contre, comme les réactions explosives de mon père pouvaient survenir à tout moment, je ne savais jamais comment la journée se terminerait.

Les artistes adoraient mon père en raison de sa passion pour les arts, et il ajoutait sans cesse de nouvelles œuvres à son immense collection. J'ai donc grandi en assistant régulièrement à des vernissages, comme ceux de Bill Lobchuk au centre culturel ukrainien. Encore là, c'était davantage l'idée de mettre la main sur une bouteille de 7UP qui m'obsédait, mais, dans tous les cas, le fait d'observer des créateurs totalement dévoués à leur passion a joué un rôle crucial dans ma vie.

Compte tenu de l'éducation de mon père, l'amour dévorant qu'il éprouvait pour la culture demeurait un mystère. Il était né en 1932 dans les Midlands de Langold, près de Worksop, Nottinghamshire. Son père, qui avait travaillé dans les mines de charbon à partir de l'âge de douze ans, voulait éviter que ses fils aient à descendre à leur tour dans la carrière. Bien qu'il n'y ait eu aucun livre et aucune œuvre d'art dans la maison de mon père, lorsqu'il était adolescent, il s'asseyait seul dans leur petit salon – qui ne servait généralement qu'à l'occasion de funérailles ou de mariages – et écoutait l'opéra à la radio en imaginant un autre monde. Sa famille le prenait pour un fou.

Après avoir servi cinq ans en tant que mécanicien dans la Royal Air Force, majoritairement au Moyen-Orient, Kenneth Hughes a émigré à Montréal en 1956, à vingt-trois ans.

Ma mère a grandi à Montréal sous l'emprise de sa mère Dodie, une artiste animée et exubérante qui a vécu jusqu'à quatre-vingt-seize ans. Après la Première Guerre mondiale, Dodie a étudié à l'École des beaux-arts de Montréal, avant de travailler comme dessinatrice publicitaire. Le père de ma mère – Thomas Walton McBride, surnommé Tommy ou TW – était un vendeur charmant et convaincant qui travaillait pour l'entreprise de lithographie Rapid Grip and Batten. Il était aussi alcoolique. Un jour, à la veille de Noël, il a mis le feu à sa voiture dans l'allée menant au garage. Ma mère se souvient de l'avoir regardée brûler par la fenêtre de sa chambre, avant de retourner au lit attendre le père Noël.

En 1938, lorsque ma mère est née, Dodie a divorcé d'avec Tommy. Elle a célébré cet événement en peignant le salon en fuchsia et en turquoise, et en installant un immense tapis rose. Dodie a ensuite déménagé à Toronto en laissant ses trois enfants avec Tommy et sa mère. Ma mère a étudié à la Montreal West High School. Par la suite, elle a appris la sténographie et la dactylographie, puis a obtenu un emploi au sein d'une grosse agence de publicité new-yorkaise, où son père avait une certaine influence. C'était en 1959.

Dix ans après son divorce, ma grand-mère s'est remariée avec un marin de l'Alabama beaucoup plus jeune qu'elle. Elle a ensuite exigé de ma mère qu'elle l'appelle dorénavant Dodie, croyant que ça la ferait paraître plus jeune. Tommy s'est aussi remarié et a divorcé de nouveau, puis il a suivi deux traitements de désintoxication. Ces cures n'ont pas fonctionné, alors il est devenu sans-abri et est mort dans la cinquantaine, seul, dans une maison de chambres. Il n'était pas religieux, mais avait souvent aidé à amasser des fonds pour des œuvres de charité chrétienne, et il était aimé, alors de nombreuses personnes ont assisté à ses funérailles.

Big Dodie (à ne pas confondre avec *Little* Dodie, ma sœur) est la seule de mes quatre grands-parents que j'ai connue. Sa présence colorée a eu beaucoup de poids dans ma vie. En 2005, elle est venue habiter la maison familiale pour que ma mère puisse prendre soin d'elle. À l'occasion d'une de mes visites, j'ai proposé à Big Dodie de peindre avec moi.

On a peint les mêmes tulipes.

Big Dodie, qui était aveugle depuis plusieurs décennies, a créé une magnifique abstraction, pleine de liberté, de légèreté et de grâce. Pour ma part, en artiste amateur ayant suivi quelques cours d'aquarelle à l'âge adulte, j'ai essayé de réaliser une reproduction parfaite, plutôt que de laisser les couleurs se répandre sur la toile sans retenue. Ça a été une de mes expériences préférées avec Big Dodie. Je pense à elle chaque jour de ma vie. C'est en partie parce que Peter et moi possédons tellement de plats et de poteries qu'elle a fabriqués, en partie parce que j'ai hérité de ses cheveux roux, en partie parce que c'est elle qui m'a appris comment être séduisante, et en partie parce qu'elle était une femme absolument originale et irrévérencieuse.

Ma mère et mon père se sont rencontrés lors de l'une des nombreuses fêtes organisées par Big Dodie après son retour à Montréal. Ma mère, venue en visite de New York, s'est retrouvée en train de converser gentiment avec un grand homme mince très en forme qu'on lui avait présenté comme étant Kenneth Hughes. Il travaillait chez Dun & Bradstreet, où il soutirait des informations en matière de crédit pour le compte d'entreprises. Il avait eu toutes sortes d'emplois, dont celui-là. Mon père avait sept ans de plus que ma mère, et tous deux étaient très beaux. Mon père a été attiré par la nature créative de ma mère, ainsi que par sa culture artistique. Ma mère l'a trouvé amusant et a été charmée par sa curiosité pour le monde. Mon père conduisait également une vieille motocyclette Triumph.

Ma mère est retournée vivre à Montréal, surtout parce qu'elle était intéressée par mon père, et elle y a rapidement obtenu un emploi de secrétaire. Ils se sont mariés après une brève période de fréquentations. La cérémonie, plutôt simple, a été suivie d'une réception dans la maison de mon père, à Brossard, sur la Rive-Sud de Montréal. Un soir, ma mère a remarqué que mon père avait le moral extrêmement bas en raison de son travail. Lorsqu'elle lui a demandé ce qu'il aimerait faire de sa vie, il a répondu avec reconnaissance : « Personne ne m'a jamais posé cette question-là auparavant. » Il lui a dit qu'il voulait poursuivre ses études. Elle l'a assuré qu'elle le soutiendrait dans la réalisation de son rêve.

Mon père a étudié au secondaire pendant un an pour reprendre tous les cours qui lui manquaient, puis a étudié quatre ans à l'Université Concordia à titre d'étudiant adulte. Après avoir fait sa maîtrise à McGill, il s'est inscrit à un programme de doctorat à Durham, en Angleterre. Comme c'était en 1967 – l'année du centenaire du Canada –, notre pays organisait des événements culturels en Grande-Bretagne, où mes parents ont rencontré la romancière Margaret Laurence, qui venait du Manitoba. Elle les a présentés au poète Al Purdy et à sa femme, Eurithe, ce qui a donné lieu à une amitié qui a perduré après leur retour au Canada.

La dernière soirée avant que mes parents quittent l'Angleterre, leurs amis leur ont organisé une grande fête d'adieu. C'était le 20 juillet 1969, le jour où Neil Armstrong a posé le pied sur la Lune.

Selon ma mère, l'alcoolisme de mon père s'est déclaré lorsqu'ils étaient en Grande-Bretagne. Il était attiré par l'ambiance des pubs et il a pris l'habitude de boire tous les soirs. Ma mère, une femme modérée en tout, était à cette époque plus ennuyée qu'alarmée.

Au moment de ma venue au monde, l'alcoolisme de mon père était déjà bien enraciné. Une confusion au sujet de sa thèse de doctorat semblait être au cœur de son mécontentement. Au cours de l'été 1969, il avait été avisé par l'Université de Durham que sa thèse avait été rejetée. Après révision, elle avait été refusée une seconde fois. Comme Kenneth Hughes avait la conviction qu'il était véritablement un érudit, il s'était senti victime d'une profonde injustice. Il s'est mis à boire davantage, se métamorphosant en une tout autre personne.

Avec le recul, je crois que mon père avait un trouble de la personnalité. Il était peut-être bipolaire ou souffrait de dépression fonctionnelle, mais c'étaient là des sujets dont personne ne parlait à l'époque. Des années plus tard, je me souviens de lettres et de colis adressés au «Dr Hughes», alors je présume qu'il avait commencé à se faire appeler ainsi. J'ignore s'il croyait simplement mériter ce titre ou s'il délirait.

Mon père était passé maître dans l'art de la destruction à bien des égards. Il faisait constamment des rénovations – c'était le résultat d'un esprit fébrile qui le poussait à réarranger sans arrêt, jusqu'à ce que tout soit sens dessus dessous. Il construisait, puis reconstruisait, et reconstruisait encore. Une garde-robe devenait une chambre, qui devenait une salle de bain. Il a transformé le garage en bureau. Il a bâti une plate-forme pour son lit, a posé des portes et des cloisons pour ensuite les retirer. Ses milliers de livres devaient être empilés et rempilés chaque fois qu'il sortait son marteau. Tout ça créait une agitation et des interruptions continuelles dans notre espace vital. C'était à la fois le reflet de notre instabilité familiale et l'une de ses causes.

Des années plus tard, lorsque Peter et moi avons emménagé dans notre première maison au Québec, j'ai arraché un escalier, puis je l'ai laissé traîner avec d'autres objets provenant de projets de construction inachevés et irréfléchis. Peter a fini par me dire: «Arrête, s'il te plaît. Si tu décides de commencer quelque chose, il va falloir que tu le termines.» Ça m'a permis de me rendre compte que je faisais exactement la même chose que mon père. Heureusement, Peter a coupé court à mon élan.

Enfant, j'aimais cuisiner avec mon père et, pendant un certain temps, j'étais convaincue que j'allais devenir chef. Même lorsqu'il faisait quelque chose pour aider, mon père finissait par déranger. Il préparait assez de nourriture pour dix. Il réveillait ma mère pour lui offrir à déjeuner lorsqu'elle ne demandait qu'à dormir. Il utilisait toute l'épicerie de la semaine d'un seul coup – toutes sortes de choses de ce genre.

Mon père avait une conception de la vie qui sortait du cadre, et ça avait fait de lui une figure controversée à l'université. Étant donné qu'il détestait toute forme d'autorité, il percevait les établissements d'enseignement comme des carcans qui limitaient l'esprit des gens en leur imposant des règles. Il exigeait plutôt d'avoir le droit d'enseigner à ses étudiants à sa manière. Comme la littérature était sacrée à ses yeux, il était prêt à se battre comme un forcené pour n'importe quelle idée, aussi insignifiante soit-elle. Comme le disait ma mère : « Ken Hughes ne peut tout simplement jamais rien laisser aller. » Il écrivait constamment au recteur de l'université au sujet d'un problème quelconque, chaque fois prêt à se battre à mort. Certains de ses amis avaient parfois été prêts à le soutenir, alors il devait bien avoir eu raison au moins en certaines occasions. Au cours des derniers jours de sa vie, alors qu'il pouvait à peine parler, mon père, très émotif, sortait de temps à autre de vieilles lettres d'une grosse pile de papiers pour nous les montrer. De toute évidence, il sentait qu'il avait obtenu gain de cause, mais lui seul savait pour quoi. Malgré les inconvénients des obsessions de mon père, j'admirais son jugement critique et sa pensée à contre-courant. Il m'a inculqué ces qualités, et c'est pourquoi je n'accepte jamais une injustice et je ne laisse personne me mépriser ou malmener mes amis.

La rébellion

Quand j'étais en troisième année du primaire, j'ai imité l'écriture de ma mère pour rédiger une note qui disait : « Je donne la permission à ma fille d'acheter un paquet de 25 cigarettes Benson & Hedges DeLuxe Ultralégères. » J'ai tendu le bout de papier à la caissière du IGA avec une poignée de pièces de dix cents, de cinq cents et de un cent, puis j'ai retenu mon souffle pour voir si elle accepterait. Elle a pris l'argent et m'a tendu des cigarettes.

J'étais également en troisième année lorsque j'ai commencé à voler. J'étais forte, et ma sœur Dodie était vilaine. On était un duo impitoyable, mais assez rapidement elle s'est mise à faire bien pire toute seule. Dodie sortait du Zellers avec des fers à friser, des tonnes de maquillage et toutes sortes d'autres choses. De mon côté, je me suis fait prendre dès la première fois que j'ai essayé de commettre un vol. Mon amie et moi nous tenions devant le comptoir de bonbons en remplissant nos poches de gommes et de chocolats. On n'était pas subtiles du tout. Un agent de sécurité nous a attrapées dans le stationnement : « Vous ne pouvez pas sortir comme ça sans payer. »

Lorsqu'il nous a obligées à vider nos poches devant le conteneur à ordures, j'ai eu l'audace de m'exclamer : « Je ne peux pas croire qu'on s'est fait prendre ! » C'était vrai. J'étais tellement habituée à voir mon père faire tout ce qu'il voulait sans jamais avoir à en subir les conséquences que je pensais que le monde fonctionnait comme ça. Même si cette attitude-là m'a parfois attiré des ennuis. Quand j'y réfléchis, je me dis que c'est cette même attitude, à l'âge adulte, qui m'a dotée de la confiance, de la capacité et de la volonté nécessaires pour atteindre des buts qui m'auraient semblé inaccessibles autrement. Mais, à ce moment-là, tout ça était encore très loin. Je n'étais qu'une petite fille qui venait de se faire prendre la main dans le sac par un homme en uniforme. Lorsque les responsables du magasin ont appelé mes parents, j'ai eu peur d'avoir à subir la Ceinture. Je me souviens seulement que mon père, furieux, a dit : « Je ne laisserai certainement pas mes filles devenir des voleuses ! »

Ça a dû avoir un certain effet sur moi, car je n'ai plus jamais volé dans les magasins. Plus tard, mes amis et moi avons volé de l'alcool et des cigarettes à nos parents – j'ai commencé à fumer régulièrement en sixième année. J'ai également volé ma grand-mère, et je me suis encore une fois fait prendre, et je me suis encore une fois sentie mal. Ça ne m'a toutefois pas empêchée de voler quand j'ai pu le faire. Je n'avais pas eu accès à des valeurs morales très précises, et ma compréhension des notions de bien et de mal était plutôt floue. Je me souviens également d'avoir entendu mon père clamer : « Je ne laisserai certainement pas mes enfants mettre les pieds dans une maudite église ! »

Notre quartier, Elmwood, était un échantillon représentatif de l'humanité. J'ai grandi avec des amis qui venaient du Chili, de la Jamaïque, de l'Inde, du Pakistan, des Philippines, de la Chine, en plus de plusieurs jeunes des Premières Nations. Mon père me disait parfois : « Clara, ne considère personne comme étant inférieur à toi, et ne considère personne comme étant supérieur à toi. Il y a de bonnes et de mauvaises personnes – inutile de se faire des illusions –, mais ça n'a rien à voir avec l'origine ni avec le salaire qu'elles gagnent. »

Je suis heureuse qu'Elmwood m'ait donné la chance de voir la vie dans toute sa diversité, mais c'était aussi un quartier pauvre et difficile, où on pouvait facilement s'attirer des ennuis si on en cherchait.

Après que mon père a déménagé dans son propre appartement, il a laissé la maison à ma mère, ainsi que la tâche de nous élever, Dodie et moi. À quarante-six ans, ma mère a appris à conduire. Elle s'est également trouvé un travail de jour comme secrétaire à l'hôtel de ville. Elle a gardé sa mainmise sur la situation autant qu'elle a pu, mais quand nous avons été délivrées de la sévérité de mon père, ma sœur et moi avons grandi très vite. Trop vite. Quand ma mère essayait de nous donner la fessée avec une cuillère, on riait. C'était méchant, et je me sentais très coupable après coup, mais ça ne semblait pas du tout affecter Dodie.

D'après ma mère, Dodie a toujours préféré se tenir loin de la maison, alors que, de mon côté, j'invitais souvent des amis chez moi. Lorsque Dodie était fâchée, elle partait, comme mon père le faisait lorsqu'il habitait encore avec nous. Elle était une énigme pour moi, et pour le reste de la famille aussi. Un jour, lorsqu'elle était toute petite, elle s'était coupée avec du verre, à la plage, et elle s'était mise à rire comme une folle au lieu de pleurer. Je me souviens également qu'elle avait déjà frappé une de nos camarades à coups de pied et qu'elle lui avait presque cassé la jambe. Lorsque ma mère a dit à un médecin qu'elle croyait que Dodie était peut-être hyperactive, celui-ci lui avait répondu : « Ne vous inquiétez pas. Tout va bien aller. »

Mais ça n'allait jamais bien. Notre famille dysfonctionnelle nous avait perturbées toutes les deux, mais Dodie est rapidement devenue incontrôlable. À treize ans, elle prenait de la drogue et traînait avec des gens peu recommandables. Elle est aussi devenue agressive avec ma mère, s'attribuant le rôle que notre père avait cessé d'occuper. Je me rappelle avoir déjà noté tous les jurons qu'elle avait hurlés à ma mère, à la fois fascinée et horrifiée. J'ai rempli toute une feuille de papier de huit et demi sur onze, puis je l'ai retournée et j'ai noirci la moitié du verso avant que Dodie sorte en trombe de la maison. Je savais que c'était mal, mais je ne savais pas comment réagir, ou même si je voulais faire quoi que ce soit. Comme Dodie détournait l'attention de ma mère, j'avais la liberté de faire à peu près tout ce que je voulais. Après coup, ma mère m'a dit : « Dodie était toujours en train de me chercher, alors que, toi, tu trouvais des moyens plus simples d'obtenir ce que tu voulais. »

Lorsque ma mère a commencé à s'inquiéter pour la vie de ma sœur, elle est devenue plus sévère à son égard. Après avoir trouvé de la drogue dans la chambre de Dodie, elle a appelé la police. Tout à coup, en plein milieu de la nuit, j'ai entendu d'étranges pas lourds dans la noirceur de notre maison. S'est ensuivi un horrible hurlement en provenance de la chambre de ma sœur, puis le claquement métallique d'une portière de voiture qui se fermait dans la rue. Enfin, le silence.

C'est ainsi qu'a commencé le terrifiant périple de ma sœur, une série d'épreuves qui s'est poursuivie sur plusieurs décennies. Bien qu'elle ait emménagé avec mon père pendant un certain temps, elle n'a jamais remis les pieds dans notre maison d'Elmwood, où ma mère vit encore. Maintenant que je comprends mes propres troubles émotifs, je suis plus sensible aux facteurs qui ont mené ma sœur à connaître ces difficultés, que je n'ai pour ma part connues qu'à un degré plutôt superficiel. Même si nous avons vécu certaines périodes de séparation, Dodie tient une part essentielle dans mon cœur.

Toutefois, à Elmwood en 1985, Dodie était encore la grande sœur modèle. À treize ans – l'âge qu'avait Dodie lorsqu'elle a quitté la maison –, j'ai bu pour la première fois. De l'Extra Old Stock, parce que c'était la bière qui contenait le plus d'alcool. La bouteille était lourde et l'alcool avait un goût fort et sirupeux, mais je buvais pour la défonce, pas pour le goût. J'ai bu environ onze bières d'une traite, probablement en un temps record, et j'ai mangé un sac de chips au ketchup. J'ai ensuite téléphoné à ma mère et l'ai réveillée pour lui demander si je pouvais rester à dormir chez une amie. Je ne voulais pas qu'elle me voie soûle.

Ma mère m'a donné une des réponses patientes dont elle avait l'habitude : « D'accord, ma chérie, on se voit demain matin. »

Je me suis endormie, puis j'ai vomi partout sur mes vêtements et sur le plancher de la salle de bain de mon amie. Si j'avais été couchée sur le dos, je serais peut-être morte étouffée. Je n'étais absolument pas consciente des conséquences de mes actes. Même après ça, j'ai tout de suite recommencé à boire.

À treize ans, avec mes cinq pieds neuf, je pouvais passer pour dix-huit ans, surtout si je m'étais beaucoup maquillée. Ça signifiait que je pouvais acheter de la bière en utilisant une fausse carte d'identité qu'un garçon m'avait fabriquée à l'école, dans son cours de dessin industriel. Je l'ai prêtée à une amie, qui s'est fait prendre dans un bar. Comme mon nom y figurait, l'escouade de la moralité a alerté ma mère, puis m'a interrogée. Ils m'ont demandé où j'avais obtenu cette carte d'identité, qui était de bonne qualité. Je leur ai répondu que c'était un Amérindien au centre-ville qui me l'avait fabriquée. Je savais que c'était juste assez vague et juste assez plausible pour que personne ne soit tenu responsable.

De douze à quatorze ans, j'étais fascinée par des groupes de heavy métal comme Judas Priest, Iron Maiden et Mötley Crüe. Je portais leurs t-shirts avec un kangourou Harley-Davidson. J'étais une *headbanger* : je balançais violemment la tête de l'avant vers l'arrière, mais je n'aurais absolument pas pu dire si la musique était bonne ou mauvaise. J'essayais encore d'être comme ma sœur, que je ne connaissais presque plus, désormais.

Quand j'ai eu quinze ans, environ, mes goûts se sont transformés, et je me suis mise à écouter des groupes de musique électronique et de new wave britannique, comme Depeche Mode. J'ai aussi commencé à boire énormément. Je prenais surtout des alcools forts, et particulièrement de la vodka, que je buvais directement à la bouteille. Le but était toujours de me soûler. J'avais l'alcool joyeux et j'étais de bonne compagnie, jusqu'à ce que j'atteigne le point de non-retour et que je vomisse partout ou que je m'effondre sous un lampadaire.

Eh oui, ça m'est déjà arrivé. J'ai eu tellement d'intoxications alcooliques, sans jamais être allée à l'hôpital, que l'alcool fort me fait maintenant l'effet du solvant à peinture, alors j'évite d'en boire. À l'époque, je buvais simplement pour être avec mes amis, pour faire la même chose que tout le monde, et je n'avais aucunement conscience qu'ingérer ces substances pourrait avoir des répercussions à long terme sur mon corps. Au fond, je crois que l'alcool et la drogue étaient ma façon de refouler tout ce que je n'étais pas prête à affronter : ma confusion, mon sentiment d'échec, mon manque d'estime de soi, mon incapacité à régler les problèmes de ma famille.

Au début, mes compagnons de boisson étaient des amis de l'école ou du quartier, mais j'ai ensuite commencé à faire la fête avec des groupes de jeunes qui se tenaient au centre-ville. On allait dans les cages d'escalier des stationnements pour prendre un coup. On s'asseyait à même le sol en béton et on partageait de la vodka ou n'importe quel alcool que l'un d'entre nous avait apporté. On buvait sans ménagement et on achetait systématiquement du *pot*, sans se soucier de sa provenance. Je ne fumais toutefois qu'occasionnellement, parce que j'hallucine facilement. J'entends des sons et je vois des choses qui grossissent ou qui rétrécissent. Ça me donnait l'impression de perdre le contrôle, et je n'aimais pas ça.

On prenait l'autobus, complètement défoncés, jusqu'à un club 14-18, le Changes, où il était interdit de boire. Je ne saurai jamais pourquoi ils nous permettaient d'entrer.

Pendant cette période, je passais sans cesse d'un groupe à l'autre. Je changeais également de style vestimentaire tous les six mois, pour m'habiller comme mes amies. Si les autres filles portaient des jeans serrés, du rouge à lèvres rouge et de l'ombre à paupières noire, ça devenait automatiquement mon uniforme. Si elles avaient une permanente ou un dégradé, moi aussi. À un moment donné, je me suis rasé la moitié de la tête, laissant mes cheveux à la hauteur de l'épaule de l'autre côté. J'étais une rebelle, mais je n'avais aucune originalité – je préférais suivre les autres plutôt que de choisir par moi-même. Je n'ai jamais cru que je pouvais être séduisante. J'ai eu plusieurs copains, mais toutes mes relations ont été de courte durée. J'étais attirée par quelqu'un lorsque je m'imaginais qu'il pouvait me faire sentir bien. Comme ça n'arrivait jamais, je me tannais, je décidais que ce n'était pas la bonne personne pour moi, et je voulais que ça se termine.

À l'adolescence, ma mère m'avait donné un livre sur les menstruations et la sexualité, en suggérant qu'on le regarde ensemble. Pas question ! J'avais commencé à coucher à droite et à gauche vers l'âge de treize ans, ce qui était aussi normal que de boire, dans mon groupe d'amis. Je ne savais pas ce que je faisais – j'étais jeune, j'avais des aventures maladroites un peu au hasard lorsque j'étais soûle, et j'étais complètement détachée de la réalité. Le sexe n'était jamais marquant, ni même lié à l'amour. Ce n'est que beaucoup plus tard dans ma vie que le sexe est devenu lié à l'expérience amoureuse.

Nombreux sont les athlètes de haut niveau qui n'ont presque pas eu d'expériences de vie avant de participer à des compétitions sportives, mais, pour ma part, j'en avais déjà eu plusieurs. Si je n'en garde pas les meilleurs souvenirs, elles font néanmoins partie de ma propre expérience, et celle-ci est probablement plus normale que celle d'enfants qui sont coupés du monde en bas âge pour commencer à s'entraîner pour les compétitions. Malgré tous mes problèmes, je suis reconnaissante de n'avoir pas été cette athlète de haut niveau qui s'aperçoit soudainement qu'elle n'a jamais rien fait d'autre de sa vie que s'entraîner. Je savais comment on se sent lorsqu'on boit, fête et prend de la drogue, alors quand je suis devenue bonne en sports, je n'ai pas ressenti le besoin de découvrir ce que j'avais manqué, même si j'ai régressé un moment lorsque j'ai fait une dépression. Même à l'âge adulte, je n'ai pas su qui j'étais pendant de longues années, mais j'ai toujours eu l'intuition que je serais capable de canaliser mon énergie de façon positive, et cette intuition demeure intacte à ce jour.

Ma vie sociale était si intense que l'école secondaire d'Elmwood n'était plus qu'une arrière-pensée. Si je n'avais pas envie d'y aller, je n'y allais pas, et aucun membre de la direction de l'établissement n'a jamais appelé chez moi. Je n'aimais aucun des sujets à l'étude, surtout pas les maths et les sciences, et lorsque je n'aimais pas un enseignant, je le lui faisais savoir. Je me rappelle avoir envoyé chier un professeur, au premier cycle.

J'aimais l'écriture et l'art, et j'appréciais particulièrement mon professeur d'arts plastiques, M. Stevens. Il voyait toujours du bon chez ses élèves. Non seulement il nous encourageait à développer notre créativité, mais il nous incitait également à prendre soin de nous-mêmes en évitant de fumer ou de consommer de la drogue. Bien que ça n'ait fait aucune différence pour moi, sa façon de croire en chacun d'entre nous a eu une grande influence dans ma vie. Je savais qu'il était une bonne personne.

En ce qui a trait aux sports de compétition, notre école n'avait pas grand-chose à offrir. J'ai joué au volley-ball, puis je me suis inscrite une année en athlétisme. Je ne me suis jamais entraînée. Je n'ai jamais été la meilleure. Je ne nourrissais pas de grands rêves de réussite et je ne tenais pas à gagner autant que les autres. En cinquième secondaire, j'ai obtenu une note de seulement 60 % en éducation physique.

* * *

Mes parents n'ont divorcé que dix-huit ans après s'être séparés. Mon père venait nous voir à la maison d'Elmwood, généralement à vélo. Ma mère le conduisait à l'épicerie. Elle faisait pratiquement office de chauffeuse de taxi pour lui. Parfois il était gentil avec elle, mais il était le plus souvent désagréable. Ma mère était – et est toujours – une très bonne personne, une pacificatrice. Comme elle était l'enfant du milieu d'une famille éclatée dont le père était alcoolique, elle tentait toujours de faire en sorte que tout se passe bien pour les gens autour d'elle. C'est aussi elle qui a apporté cette capacité d'adaptation – et de prise en charge, je présume – à notre famille.

Mon père blâmait tout le temps les autres. Tout ce qui se passait mal, tout ce qu'il n'aimait pas existait par la faute de quelqu'un d'autre – de ma sœur, de ma grand-mère, de ma mère. Surtout de ma mère. Il disait sans cesse : « Ta mère a fait ci, ta mère a fait ça, ta mère-ta mère-ta mère… »

Malgré les preuves accablantes qui faisaient de mon père le principal responsable du caractère dysfonctionnel de notre famille, je prenais son parti. Je blâmais moi aussi ma mère. Ma sœur avait tendance à faire la même chose. Notre mère était une cible tellement facile. Je ne voyais pas son côté humain. Je ne voyais pas sa souffrance. Je ne voyais pas son courage. Je ne me sentais pas triste pour elle – peut-être que je m'en foutais. Pour pouvoir m'en préoccuper, il aurait fallu que je fasse quelque chose à propos de la situation à un moment où je ne savais pas comment. J'avais peut-être besoin de toute mon énergie pour survivre.

Lors de certains événements, comme Noël, ma famille éclatée se réunissait et faisait semblant que tout était normal. Parfois, ça allait, mais la plupart du temps mon père explosait et quittait la maison en furie. Un jour, quand je vivais déjà ailleurs, alors que j'étais en visite, je l'ai battu à ce jeu en m'en allant en plein réveillon de Noël.

Enfant, je rendais visite à mon père à son appartement, et comme il avait renoncé à toute responsabilité à l'égard de ma sœur et moi, c'était plaisant. Je pouvais manger ce que je voulais, maintenant qu'il ne cuisinait plus. Je pouvais rire et faire du bruit, plutôt que de vivre selon l'idée qu'il avait de la façon dont les enfants devaient se comporter. Il était plus ou moins d'accord avec l'attitude méprisante que j'entretenais envers l'école, parce qu'il disait que les notes et les bulletins enfermaient les élèves dans des boîtes en leur imposant des limites au lieu de les inspirer.

Je voyais encore mon père à travers des lunettes roses, même s'il buvait tout le temps. Lorsque je le regardais s'écrouler sous l'effet de l'alcool, en attendant que ma mère me ramène à la maison, je me demandais parfois : *Papa, pourquoi fais-tu toujours ça ? On ne pourrait pas simplement être ensemble, parler et être heureux ?* Je n'ai jamais compris ce que signifiait être alcoolique, et je ne voyais pas le lien entre ce que mes amis et moi faisions et ce que mon père faisait.

Apprendre à refouler, à compartimenter et à refuser d'admettre ce qui était en train de se produire m'a sans aucun doute aidée à devenir une athlète olympique. Ça a aussi fait de moi une athlète qui portait un bagage personnel extrêmement lourd.

Un rêve interrompu

Lorsque j'étais très jeune, mon père a construit une petite patinoire dans la cour arrière – une simple plaque de glace de la taille d'un tapis, autour de notre chêne. C'était une patinoire très rudimentaire, faite avec un tuyau d'arrosage, mais elle était parfaite pour moi. J'avais un talent naturel pour le patin. J'ai joué à la ringuette de six à seize ans, et au hockey pendant un an, à douze ans. J'étais la seule fille de la ligue. Je jouais à la défense, mais après avoir été mutée à l'attaque lors d'une partie, j'ai marqué trois buts, réussissant ainsi un tour du chapeau.

À l'école secondaire, j'ai gagné une compétition de patinage de vitesse à l'aréna de Winnipeg, alors que je portais de gros patins de hockey qui étaient parfaits pour tourner, mais moins extraordinaires lorsque venait le temps de faire de grandes enjambées qui glissent à merveille… Pour ça, j'aurais eu besoin de lames plus longues, plus droites et mieux affilées. J'aimais aller à la patinoire, mais ce n'est qu'un jour de février, à seize ans, que j'ai vécu l'expérience qui a transformé ma vision du patin : ce n'était plus une simple activité enfantine, c'était devenu un rêve que je devais absolument réaliser.

J'étais assise au salon, blasée, et je sautais d'une chaîne à l'autre, lorsque je suis tombée sur les Olympiques de 1988 de Calgary. Soudainement, je n'arrivais plus à quitter des yeux le médaillé d'or en patinage de vitesse, Gaétan Boucher, qui se préparait pour la course qui constituerait sa dernière chance d'accéder au podium pour le 1500 mètres masculin. Je le regardais, fascinée, alors qu'il glissait sans effort. Son corps était en parfaite coordination, ses lames touchaient à peine la glace pendant qu'il effectuait des mouvements qu'il avait dû passer sa vie entière à apprendre. Et il faisait exactement ce qu'il aimait, de toute évidence.

J'ai pensé : *C'est ça que je veux faire.* Le fait que ça avait lieu tout juste deux provinces plus loin rendait mon rêve possible, me permettant d'être encore plus déterminée : *Je vais* vraiment *faire ça !* C'était un moment exceptionnel, révélateur. Je *savais* hors de tout doute que ma vie allait être influencée par cet instant, et ce n'était pas comme si c'était une scène de triomphe qui avait capté mon attention, puisque Gaétan avait fini la course en neuvième place.

Le lendemain, j'ai dit à ma mère : « Je veux faire du patinage de vitesse aux Jeux olympiques. »

Ma mère n'a pas perdu une seconde et a appelé le Club de patinage de vitesse de Winnipeg. Elle a appris que le Club tiendrait un camp d'entraînement au printemps. C'était Peter Williamson, entraîneur de l'équipe provinciale du Manitoba et membre de l'équipe olympique canadienne de 1968, qui dirigerait ce camp. J'ai été acceptée, et Peter est devenu mon entraîneur.

J'ai commencé à faire du patinage de vitesse avec mes patins de hockey, et je croyais que j'étais assez bonne jusqu'à ce que je voie les autres, qui glissaient si vite et avec tant de fluidité sur leurs longues lames. J'ai loué une paire de patins au Club de patinage de vitesse. Ils étaient vieux et leurs bottines usées offraient peu de soutien, ce qui me faisait mal aux chevilles. Ça a pris un certain temps avant que je sois capable de me déplacer avec fluidité sur ces longues lames, et pourtant je me sentais comme une championne, guidée par le spectacle envoûtant de ce que j'avais vu à la télévision.

À dix-sept ans, j'ai acheté ma première paire de patins. Ils étaient nouveaux pour moi, mais je les ai achetés usagés. Ils m'ont coûté 800 dollars, que j'avais amassés en vendant ma vieille voiture déglinguée pour 700 dollars. C'étaient des patins de vitesse Viking, la marque qu'utilisaient les meilleurs patineurs du monde. Les bottines cirées noires, avec des garnitures en cuir de couleur crème, allaient à mes pieds comme des gants de cuir bien serrés, et les lames de dix-sept pouces, séparées par des supports fini miroir, brillaient comme de l'argent pur. Ils me faisaient tout de même extrêmement mal, car mes pieds ne s'étaient pas encore endurcis, mais ça ne me dérangeait pas.

Peter Williamson était un homme plus grand que nature, un être humain formidable, un chef qui exigeait que nous donnions le meilleur de nous-même, mais qui était aussi toujours prêt à rire pour détendre l'atmosphère. Peter a été le premier à me motiver à canaliser l'énergie négative que j'avais en abondance pour la transformer en énergie positive. Sans lui, ma carrière sportive n'aurait jamais eu lieu. Il nous a poussés à nous entraîner à vélo et en patins à roues alignées, ainsi que sur la glace, et à travailler plus fort que ce que je croyais possible de faire. J'adorais ça. Peter m'a également encouragée à fumer et à boire plus modérément, m'expliquant que ça faisait partie de mon engagement envers le sport. Sa propension à intégrer l'éducation aux activités sportives a même eu pour effet que je suis retournée étudier après des mois sans aller à l'école, pour convertir mes F en A.

Au début, je voulais seulement faire des sprints, parce que ça signifiait que je n'avais pas autant besoin de m'entraîner. Peter était déçu que je refuse de m'investir pour effectuer de plus longues distances, mais je redoutais l'épuisement et la douleur, ce qui est plutôt ironique, puisque l'endurance est devenue ma marque de commerce.

Pour la première fois de ma vie, j'étais entourée d'athlètes déterminés à patiner de leur mieux, plutôt que par des âmes qui noyaient leur peine dans l'alcool. J'avais d'autres buts que de me soûler. J'étais connectée à quelque chose de plus grand que moi, j'évoluais en tant qu'être humain et j'apprenais à me respecter. Le sport me fournissait le système de valeurs et le soutien moral qui m'avaient fait défaut. Je souhaitais exceller pour Peter, et cette année-là – en 1989 –, j'ai gagné l'argent au championnat national de Calgary à l'épreuve du 800 mètres en départ groupé. Même si ce n'étaient pas les Olympiques, ça m'a vraiment motivée. Je voulais recevoir les éloges de Peter et savoir que je les méritais.

Malheureusement, cette excitation n'a pas duré. Peter Williamson a obtenu un emploi dans le domaine des sports à Ottawa, ce qui m'a anéantie. Je me suis retrouvée à tourner en rond sur mes longues lames, sans équipe, sans but et sans intérêt.

Ma vision, dans laquelle je flottais sur la glace en la frôlant à peine, était devenue un rêve interrompu…

LE VÉLO 1990-2000

S'échapper

J'ai reçu ma première bicyclette lorsque j'avais six ans. Elle était orange et n'avait pas de petites roues stabilisatrices, ce qui était le plus important. Les adultes m'ont dit: « Tu vas devoir apprendre comme ça. » Je l'ai tout simplement enfourchée, puis je suis partie. C'était facile. Vers l'âge de douze ans, je me suis acheté un vélo de course BMX blanc et rose. Il avait l'air ridicule. Dans l'entrée de garage, je me rappelle avoir essayé de me tenir en équilibre un instant sur la roue arrière, être tombée sur les fesses et en avoir ri, parce que j'imaginais que je réussirais mieux la prochaine fois. .

J'avais un talent naturel pour le vélo.

Ce que j'ignorais, c'était que la course sur route allait dominer ma vie pendant les deux décennies à venir et que, oui, j'allais tomber sur le derrière encore à de nombreuses reprises, et me faire bien plus mal.

Lorsque Peter Williamson est parti pour Ottawa, j'avais dix-huit ans, je me sentais un peu perdue et j'avais envie d'un nouveau défi. Mirek Mazur, l'entraîneur manitobain de cyclisme, m'avait déjà vue patiner, et il souhaitait me faire participer aux essais pour son équipe. Les Jeux d'été de l'Ouest canadien de 1990 allaient avoir lieu à Winnipeg. Le gouvernement du Manitoba avait donc accordé une subvention pour que davantage de femmes soient recrutées en cyclisme. J'ai été invitée à participer à un camp d'entraînement dans les Black Hills, au Dakota du Sud.

Sur le chemin du retour à la maison, dans le véhicule de l'équipe, Mirek m'a prise à part. À trente ans, il paraissait bien, était très en forme, portait ses cheveux blonds courts et avait des yeux bleus perçants, qu'il a posés sur moi. Il avait remarqué que j'étais la fille qui arrivait à suivre le plus longtemps le rythme établi par les garçons, alors il voulait maintenant que j'abandonne le patinage de vitesse pour le cyclisme.

Il m'a dit : « Je peux faire de toi une championne du monde. Si tu fais ce que je te demande, tu pourrais remporter le Tour de France féminin. Est-ce que ça t'intéresse de porter le maillot jaune ? »

Avant de participer au camp dans le Dakota du Sud, je ne savais même pas que le cyclisme était considéré comme un sport. Lorsque j'apercevais des jeunes qui se promenaient à travers Winnipeg en maillots d'équipe, je me disais qu'ils les avaient probablement tous achetés à la même boutique, comme les membres d'une même chorale. Toutefois, Mirek dégageait un certain pouvoir. Lorsqu'il m'a dévisagée, avec une intensité sans remords, il a déclenché ce dévouement envers le sport, envers la compétition, qui avait sommeillé en moi jusqu'à ce jour. Son but était de former des cyclistes qui deviendraient des athlètes inconditionnellement investis et motivés, en employant des méthodes rigoureuses et impitoyables tout droit sorties du bloc de l'Est. En tant que natif de la Pologne, pour lui, le travail d'entraîneur était une vocation qu'il a poussée jusqu'aux limites, même si je l'ignorais encore à cette époque.

Pour le meilleur et pour le pire, Mirek a changé ma vie. Après avoir terminé mes études secondaires, je me suis consacrée au vélo. Mirek me donnait envie d'être bonne, très bonne. Comme patineuse de vitesse, je n'avais jamais été motivée à me dépasser autant que ce que Mirek exigeait de moi, à présent. Mirek a fait de moi une athlète plus entière, beaucoup plus orientée vers l'endurance. Patiner m'avait donné la passion, mais le cyclisme allait m'apprendre la discipline.

Je me suis entraînée avec acharnement – nous nous sommes entraînées avec acharnement. Nous étions six, un groupe de jeunes femmes talentueuses qui faisaient tout ensemble. Nous étions motivées à la pensée de nous rendre aux Jeux de l'Ouest de 1990, et cette motivation serait grandement récompensée.

Le premier choc pour nos adversaires est survenu lorsque notre équipe a remporté la médaille d'or au contre-la-montre lors de ces Jeux. Pour cette course, les équipes de quatre personnes débutent à quelques minutes d'intervalle, et l'équipe gagnante est celle qui complète le parcours le plus rapidement. Comme une équipe a le droit d'abandonner un de ses membres, son temps de course est déterminé lorsque le troisième membre franchit la ligne d'arrivée. Pour un résultat optimal, les membres de l'équipe doivent travailler en étroite collaboration, l'un derrière l'autre, le cycliste en tête de peloton luttant contre le vent, pendant que les autres bénéficient de l'espace dans son sillage où la résistance est moins importante, ce qui préserve leur énergie. Au bout de trente secondes ou d'une minute, le meneur se retire vers l'arrière et cède sa place à celui qui est juste derrière, et ainsi de suite. L'équipe ne semble alors former qu'un seul cycliste, huit roues courant à l'unisson vers la ligne d'arrivée.

J'ai récolté ma deuxième médaille d'or des Jeux de l'Ouest en poursuite individuelle. Pour cette course, deux cyclistes amorcent le parcours de trois kilomètres à partir de points de départ opposés situés de chaque côté du vélodrome. Au signal de départ, les cyclistes s'élancent à la poursuite l'un de l'autre sur la piste ovale à forte inclinaison, tentent de gagner une avance, ou du moins de compléter la course le plus rapidement. Bien que les cyclistes soient tentés de maintenir un certain rythme afin d'avoir suffisamment d'énergie jusqu'à la fin de la course, j'étais à l'époque tellement en forme que je pouvais pédaler à toute vitesse et garder pratiquement la même cadence du premier au dernier tour.

J'ai remporté ma troisième médaille d'or de ces Jeux lors de la course aux points. Les concurrents partent au même moment, chacun se tenant en équilibre d'une main posée sur un support. Au signal de départ, chaque cycliste se donne une poussée et commence à pédaler autour du vélodrome. Comme le vélo n'a qu'une seule vitesse et n'a pas de freins, il n'y a pas d'arrêt à l'intérieur de cette longue course où il faut compléter plusieurs tours. Les points sont accordés en fonction des sprints effectués pendant la course et des tours gagnés sur les autres. Le gagnant est le cycliste qui cumule le plus de points – ce que j'ai fait.

J'ai remporté une quatrième médaille d'or lors d'une course de un kilomètre sur piste, ainsi qu'une médaille d'argent pour un critérium.

Le succès de notre équipe des Prairies, jusque-là encore inconnue, a créé une énorme surprise. Je me rappelle avoir roulé au centre-ville de Winnipeg, où des gens sortaient la tête de leur voiture pour crier : « Go, Équipe Manitoba ! » C'était la première fois que je me sentais spéciale. Nous avions remporté quelque chose en l'honneur de notre ville, ma ville. J'ai eu envie de m'abandonner à la course, de me dépasser comme jamais je ne l'avais fait auparavant.

Cette détermination a été récompensée une fois de plus aux Championnats nationaux de 1990. J'y ai remporté trois médailles d'or dans la compétition sur piste.

Même si j'ai cessé le patinage, j'ai reçu une bourse du gouvernement manitobain pour m'acheter de nouveaux patins. Il me paraissait stupide de ne pas les utiliser. J'ai participé aux courses de sélection du champion junior de la Coupe Canada à Regina, où j'ai remporté le 3000 mètres, alors que je n'avais pas patiné depuis un an. Cela m'a permis de me qualifier pour le Mondial Junior, mais j'ai refusé d'y participer. Je préférais me concentrer sur le cyclisme.

J'avais toujours été une grande enfant qui jouait pour le plaisir de le faire, et à présent, avec la motivation que Mirek m'avait inculquée, ma vie prenait tout son sens. J'ai même cessé de fumer pour être présente cœur et âme dans mon nouveau sport.

* * *

En 1991, Mirek a été recruté par l'Ontario à titre d'entraîneur provincial de cyclisme. Puisque j'avais perdu Peter Williamson dans des circonstances similaires, je savais ce que
ça signifiait d'être une athlète seule avec elle-même, de
lutter sans but contre la force du vent, et je ne voulais pas
qu'une telle situation se reproduise. Lorsque Mirek m'a proposé de déménager en Ontario avec lui, j'ai tout de suite
accepté. À dix-neuf ans, j'étais une adulte responsable de ma
vie, contrairement à plusieurs athlètes dont la carrière était
dirigée par leurs parents. Mes deux parents m'ont encouragée à tous les instants. Comme mon père l'illustrait avec
force détails imagés : « Sauve-toi de ce trou-là et ne reviens
pas. Tu t'enfoncerais dans la merde et ne pourrais jamais en
sortir. »

Même s'il parlait de sa propre vie, mon histoire personnelle tumultueuse en faisait un avertissement digne d'être
entendu.

Mirek est arrivé à un moment charnière. Tous mes entraîneurs sont devenus des figures paternelles pour moi et ont
rempli un vide dans ma vie. Même lorsque mon père a été
physiquement présent, je n'ai jamais reçu de sa part le renforcement positif dont j'étais comblée lorsque je remportais des
victoires. Mirek m'a fourni une structure et des buts précis. Je
souhaitais être bonne pour quelqu'un, et cette personne était
Mirek. Peu importe à quel point notre relation allait devenir
mauvaise, je me sentais alors libérée des peurs, de la confusion et des incertitudes qui m'avaient maintenue cachée au
fond d'une garde-robe quand j'étais enfant, puis amenée à
boire dans des cages d'escalier jusqu'à m'abrutir. Je voulais
me libérer de tous mes démons, laisser toute cette noirceur
derrière moi. Même si, évidemment, c'était impossible.

Mirek et son fils habitaient une maison à l'extérieur de
Hamilton, où une autre cycliste et moi avons aussi emménagé. L'épouse de Mirek, Eva, était demeurée à Winnipeg
afin de terminer ses études universitaires en pharmacologie.

J'étais financée en partie par le programme de brevets de Sport Canada, qui offre du soutien aux athlètes admissibles. En ce qui me concerne, cela représentait 650 dollars par mois au départ. Big Dodie m'avait généreusement offert mon premier vélo de route – un vélo de base Cannondale de couleur blanche qui avait probablement coûté près de 700 dollars. Pour mon deuxième vélo, j'ai payé environ 1500 dollars. Par la suite, mes vélos m'étaient fournis par des commanditaires, à commencer par l'équipe de course Pedal-Specialized.

Le reste de mon revenu provenait de mes victoires lors de critériums cyclistes qui avaient lieu à travers l'Ontario. Ces courses étaient habituellement des parcours de 1 à 1,5 kilomètre, exécutés de trente à trente-cinq fois sur des routes à l'intérieur et à l'extérieur des villes et des villages. Les trajets étaient fermés à la circulation, encadrés par une voiture-guide à l'avant, une autre voiture à l'arrière, ainsi que des policiers. Comme les critériums s'exécutaient à une grande vitesse, avec des foules de cyclistes prenant les virages au même moment, ils pouvaient être dangereux.

Ce sont les bourses qui m'attiraient. Si je pouvais remporter 350 dollars pour une course de quarante-cinq minutes, pourquoi est-ce que je m'en priverais ? Il était hors de question pour moi de demander de l'argent à Big Dodie, à ma mère ou à mon père, bien que leur soutien m'ait toujours été accessible.

Lorsque Mirek et moi étions à l'extérieur de la ville, nous logions dans la même chambre. Il n'y avait pas de malentendu à ce sujet, aucune limite n'a jamais été dépassée, mais c'était déprimant. Nous passions des mois à nous entraîner dans des lieux tels que Pine Valley, un village presque désert de la Californie. Je n'avais aucun ami là-bas, je me sentais isolée et j'étais dans un état d'épuisement constant.

Mirek ne permettait jamais à ses athlètes de céder à la faiblesse ou de montrer le moindre signe de vulnérabilité. Nous nous entraînions onze mois par année, presque sans aucune journée de congé. Nous ne vivions que pour le cyclisme – continuellement, jour après jour, heure après heure. Tout gravitait autour de Mirek, tout le temps.

Si vous observez d'excellents cyclistes, vous constaterez, lorsqu'ils pédalent, que leurs mouvements sont très fluides, comme une machine à coudre bien huilée. Je n'ai jamais eu cette élégance, sauf pendant mes dernières années, lorsque j'ai travaillé avec un entraîneur différent qui a volontairement entrepris de changer mon style. Les méthodes de Mirek pour faire de moi une championne – une championne mondiale – étaient brutales : de nombreuses heures d'entraînement lors desquelles je pédalais à très grande vitesse, utilisant ma force plutôt que la vitesse de mes jambes. Je devais répéter les mêmes séquences, jour après jour. J'exécutais des « quatre fois dix minutes », ce qui signifie rouler à la vitesse du contre-la-montre pendant dix minutes, à quatre reprises, avec quatre minutes de repos entre chaque période. Ou encore « dix fois un kilomètre », c'est-à-dire pédaler un kilomètre à dix reprises, avec de courtes pauses entre chaque kilomètre. Comme mon penchant pour la victoire – pour la réussite – était encore bien vivant, je me suis pliée aux exigences rigoureuses de l'entraînement. Je me suis persuadée que ce que Mirek exigeait de moi n'était pas si difficile, et puisque j'étais naturellement forte je pouvais supporter les très grandes vitesses. J'ai pu le faire pendant un certain temps, mais j'en ai payé le prix. En 1993, j'ai eu une tendinite aiguë et, en 1994, des problèmes de hanches.

Le cycliste canadien Michael Barry, qui travaillait parfois avec Mirek, me dirait plus tard : « Mirek étouffait une partie de ce que tu étais. Je me rappelle t'avoir vue à une course en plein milieu de l'été, il faisait terriblement chaud. On essayait tous de se rafraîchir pour éviter de fondre juste avant la course, mais toi tu étais dans le stationnement, sous l'auvent d'un atelier de mécanique, en train d'effectuer tes intervalles habituels parce que Mirek avait dit que c'est ce que tu devais faire. »

Mirek établissait des objectifs irréalistes et – ce qui était bien pire pour moi – il croyait à la motivation négative ; c'est son tempérament de mâle alpha qui le poussait à gérer chaque situation ainsi. Il se moquait constamment de moi en disant que j'étais énorme. Pendant certains entraînements, il exigeait que je marche une heure ou deux avant de déjeuner afin de me couper l'appétit. Sa voix et son regard méprisants me faisaient ensuite me sentir comme un ogre si j'osais manger le peu que je me permettais d'avaler.

Affamée, complètement vide, mais remplie de dégoût envers moi-même, je m'entraînais alors plus fort. Mais rapidement, vêtue de mes shorts et de mes sandales, je me dirigeais vers le 7-Eleven le plus proche pour regarder à travers la vitre embrouillée du congélateur les sandwichs à la crème glacée et autres friandises. Je plongeais les mains dans le congélateur et attrapais la crème glacée – une athlète de haut niveau, au sommet de sa forme, qui déchire frénétiquement l'emballage avec ses doigts ou ses dents, puis engouffre le chocolat ou la gaufrette ou le caramel pour combler le vide émotionnel immense créé par la course.

Lors d'un camp d'entraînement, j'ai rencontré une athlète qui ne mangeait que des craquelins salés, et j'aurais voulu être exactement comme elle. J'étais bien plus forte, mais je ne pensais qu'à sa capacité à ne vivre que de craquelins. Lorsqu'un de mes amis a vu une autre cycliste, toujours citée en tant que modèle de bonne forme et de beauté, il s'est exclamé : « Mon dieu, Clara, elle est presque anorexique. » Il avait raison. Lorsque cette athlète a abandonné la course, elle a reconnu avoir cessé de pratiquer le sport en partie à cause du stress engendré par la diète et par son obsession de se peser sans arrêt.

Un grand nombre de cyclistes, des hommes comme des femmes, ont des troubles alimentaires en raison de la rudesse du sport, mais aussi en raison de la contradiction entre deux principes : la nourriture, nécessaire pour la force, et la légèreté, essentielle pour la vitesse. Je remplissais des pages et des pages de calculs de calories ; je ne voulais pas excéder 800. Puis je cachais de la nourriture que j'engloutissais, créant un cercle vicieux de culpabilité et de haine de moi-même, ce qui me faisait manger davantage. Je désirais être mince, petite et légère, comme ces athlètes aux prises avec l'anorexie. J'avais plutôt l'impression de transporter avec moi une énorme charge physique et émotionnelle.

Ma lune de miel avec le cyclisme – en particulier par rapport à la possibilité d'y développer ma confiance – a été de courte durée. Avec le recul, je crois avoir souffert de dépression sous-clinique pendant une période d'environ sept ans. J'étais déjà trop exigeante envers moi-même en raison des traumatismes vécus dans mon enfance, et les méthodes de Mirek ont exacerbé ce profond manque d'assurance.

Tout mon entourage pouvait constater ce que m'arrivait sur le plan psychologique. J'étais la seule à ne pas m'en apercevoir. J'ai commencé à croire que je ne pourrais jamais être bonne sans Mirek. Je n'avais aucune idée de ma propre valeur. S'il avait fallu que je déprécie les autres comme je me dépréciais moi-même, je n'aurais jamais eu aucun ami.

* * *

La première fois que je me suis opposée à Mirek, c'était aux Jeux panaméricains de 1991, à La Havane, à Cuba. C'était aussi la première compétition internationale pour laquelle je représentais le Canada. Mirek était l'entraîneur de l'équipe nationale masculine, et je faisais partie de l'équipe féminine, dirigée par une autre entraîneuse. Même si je devais aussi travailler avec Mirek, il semblait se sentir menacé par la compétition entre entraîneurs. Vraisemblablement, sa façon de réagir a été d'être encore plus cruel que d'habitude à mon égard.

Mirek me poussait encore et encore et encore. À un moment donné, je lui ai dit : « Va chier ! » Nous avons ensuite arrêté de communiquer.

Malheureusement, le style de l'entraîneuse de l'équipe féminine ne me convenait pas. Par ailleurs, j'avais dix-neuf ans, j'en étais à ma première compétition internationale, je portais le chandail de l'équipe canadienne, et je me suis dit que j'avais au moins intérêt à m'amuser.

Je me trompais. J'ai perdu toute discipline. J'ai à peine mangé, sauf de la crème glacée, trois fois par jour. Je ne connaissais rien au sujet de la nutrition – personne ne parlait d'aliments riches en énergie à l'époque – et je me suis affaiblie. Plutôt que de nager dans l'excitation et d'être reconnaissante d'être là, je ruminais constamment : *il faudrait que je gagne pour un entraîneur que je déteste ?*

Mon expérience aux Jeux panaméricains m'a appris une leçon que j'aurais préféré apprendre dans un contexte plus positif. À partir de là, à chaque compétition de haut niveau, j'allais toujours me répéter : *Tu n'es pas ici pour manger de la crème glacée, pour t'amuser ou pour perdre ton temps. Tu pourras faire ça tout le reste de ta vie. Ignore les autres. Reste concentrée. Fais ce que tu as à faire.*

L'équipe canadienne féminine a mis la main sur la médaille de bronze au contre-la-montre. En poursuite individuelle, mon pied a glissé de la pédale lors du départ, ce qui m'a obligée à courir loin derrière le peloton. J'ai remporté l'argent, mais c'est l'or que j'aurais dû gagner.

Une chose est certaine, par contre : il n'y avait aucune réelle compétition sur le terrain cette année-là à Cuba. Dans la hiérarchie du cyclisme, les Olympiques se trouvent au sommet, suivis par les Championnats mondiaux, puis les Jeux du Commonwealth, et finalement les Jeux panaméricains. En raison d'un conflit d'horaires, les meilleurs compétiteurs étaient aux Championnats mondiaux. Il s'agissait donc d'une course de second niveau.

Je prenais de plus en plus conscience du fait que les Cubains mouraient de faim, à l'extérieur, pendant que nous, au village des athlètes, nous pouvions nous gaver de tout ce que nous voulions, et cette constatation aggravait ma dépression. Depuis l'effondrement de l'Union soviétique, la majorité des Cubains n'avaient plus de quoi assurer leur subsistance de façon durable. Avant de rentrer chez moi, j'ai donné tous mes vêtements à l'effigie de l'équipe canadienne au portier de l'hôtel, qui m'a offert en échange une petite épinglette. C'est la première fois que je me suis sentie en relation avec un pays qui nous accueillait. Le geste était simple, mais il m'a pourtant enseigné une autre leçon appréciable : l'importance de créer un lien, ou du moins d'essayer.

* * *

Une épreuve terrible m'attendait à mon retour au Canada. J'ai appris que mon premier entraîneur, Peter Williamson, était décédé d'un anévrisme à quarante-quatre ans. Il laissait seuls sa femme Lori et ses quatre enfants. J'en ai été bouleversée. Même plus tard, chaque fois que j'ai remporté un honneur, je me suis sentie triste à la pensée que Peter ne saurait jamais que l'une de ses athlètes avait atteint un succès international. Pour moi, c'était grâce à l'influence majeure qu'il avait eue sur ma vie au moment où j'en ai eu le plus grand besoin.

J'ai tenté d'étouffer la douleur causée par le deuil, ainsi que tout un tourbillon d'autres émotions. Ce n'était plus qu'une question de temps avant que je m'effondre complètement. Le cyclisme – l'entraînement, la culture, le mode de vie – a nourri mon pessimisme et mon désespoir. Malheureusement, c'est un sport qui m'a fait me sentir comme une ordure, même lorsque je remportais une victoire.

Je pourrissais de l'intérieur.

Prendre la route – brutalement

J'avais repris l'entraînement avec Mirek, comme il s'y attendait, j'en suis certaine. Je savais que je me ferais réprimander à la fois pour mon attitude et pour ma contre-performance à Cuba, et c'est en effet ce qui est arrivé. Au cours de la préparation en vue des Olympiques de 1992, à Barcelone, Mirek s'en prenait à moi encore plus fort et protestait avec sarcasme si je m'autorisais une journée de congé : « Ah, comme ça, tu as besoin de te reposer, Clara ? »

En 1991, j'ai remporté trois médailles d'or aux Championnats nationaux de Calgary, mais c'était parce que les deux meilleures cyclistes canadiennes se trouvaient encore aux Championnats du monde. Je croyais avoir une chance de l'emporter contre l'une des deux, au moins, mais je ne saurai jamais ce qui serait arrivé.

Comme les Championnats nationaux de patinage de vitesse avaient également lieu à Calgary cette année-là, j'y ai concouru aussi, et j'y ai établi un record junior canadien.

* * *

Après avoir fait les qualifications en cyclisme sur piste pour les Olympiques de 1992, je suis allée en Allemagne afin de m'entraîner pour la première fois avec l'équipe canadienne de sprint et le groupe d'endurance masculin. Le sprint est une affaire de vitesse, et ces athlètes étaient de vraies machines parfaitement rodées. Nous demeurions près de la ville de Buttgen, dans un hôtel où se trouvait un excellent restaurant. Les sprinteurs semblaient pouvoir manger tout ce dont ils avaient envie, en particulier beaucoup de protéines. J'ai consommé des montagnes de protéines à leurs côtés, en accumulant les pâtes, la sauce crémeuse, le pain et les desserts. Je ne savais pas qu'il était possible de prendre dix livres en trois semaines, mais c'est ce que j'ai fait. Puis, avant de courir dans un événement de la Coupe du monde à Stuttgart, j'ai percuté un poteau sur le sentier de vélos. Je m'en suis sortie avec des ecchymoses, et vaincue. Ce n'était pas un beau voyage.

À mon retour au Canada, dix jours avant les épreuves sur piste aux Olympiques, Mirek s'est exclamé : « Mon dieu, qu'est-ce qui t'est arrivé ?

— Qu'est-ce que tu veux dire ?

— Regarde-toi, tu es énorme !

— De quoi tu parles ? »

Lors des épreuves sur piste, j'étais aussi lente qu'une tortue. J'ai terminé troisième. Pas mauvais ? Il n'y avait que trois femmes en compétition. J'étais la pire.

Mirek m'a dit : « Tu as raté ton coup sur piste. Pourquoi n'essaies-tu pas les épreuves sur route ? »

En course sur route, la performance est basée sur un ratio puissance-poids. Comme Peter Williamson, mon entraîneur de patinage, m'avait lui aussi dit que ma force résidait dans l'endurance, j'ai pensé que Mirek avait peut-être raison.

Cette année-là, les épreuves de course sur route avaient lieu à Dundas, en Ontario. Je n'ai pas été retenue pour l'équipe olympique, mais j'ai suffisamment bien réussi pour être invitée à participer au Défi des femmes Ore-Ida, une course à étapes de l'Idaho qui réunissait les meilleures cyclistes du monde.

Une course à étapes consiste en plusieurs courses sur route, contre-la-montre et courses de circuit, conduites de manière consécutive jour après jour, où tous les participants débutent au même moment. Des prix sont remis pour les meilleures performances à chacune des étapes, et le gagnant est la personne ou l'équipe qui complète toutes les étapes avec le meilleur temps cumulatif.

En 1992, le Défi des femmes Ore-Ida était considéré comme étant si exigeant que l'Union cycliste internationale, l'organisation régissant le sport, refusait de le sanctionner. Dans un communiqué de 1990, ils énuméraient les raisons suivantes : « un nombre excessif d'étapes », ainsi qu'un « nombre excessif d'ascensions » et des « distances excessives », le tout pour « une durée excessive », ce qui entraîne souvent un nombre trop élevé d'accidents.

Pour attirer des concurrents, le Défi Ore-Ida offrait l'une des bourses les plus importantes en cyclisme féminin – 25 000 dollars environ, lorsque j'y ai participé, augmentant jusqu'à 125 000 dollars au cours de la décennie qui a suivi.

Une course à étapes sur route, avec ses douzaines de participants, exige de chacun qu'il ait sa propre stratégie. La plupart des cyclistes se rassemblent en un peloton, parce que rouler dans le sillage de quelqu'un peut réduire jusqu'à 40 % l'effort à fournir en pédalant. À un certain moment durant la course, un groupe de cyclistes peut se séparer du reste du peloton afin de prendre une avance considérable. Il s'agit d'une tactique d'équipe afin que tous les membres travaillent ensemble pour conserver l'énergie de leur sprinteur, qui roule parmi les autres jusqu'à ce qu'il fasse un ultime effort de vitesse vers la ligne d'arrivée, remportant la course à la fois pour lui-même et pour son équipe.

Même si je faisais partie de l'équipe nationale B au Défi Ore-Ida de 1992, nous n'avions aucune autre intention que de nous battre pour survivre et pour acquérir de l'expérience. J'ai alors mis en place ma propre stratégie au fil des kilomètres. Les températures ont monté jusqu'à 32 degrés Celsius. Nous pédalions à travers les broussailles et sur les pentes abruptes de la montagne, en luttant parfois contre de puissantes rafales. Comme le peloton avançait à une vitesse de quarante à cinquante kilomètres à l'heure, avec des douzaines de roues séparées par quelques pouces seulement, une cycliste épuisée n'arrivant plus à maintenir le rythme pouvait en faire tomber plusieurs autres. Un nid-de-poule pouvait éjecter une cycliste, un pneu pouvait éclater – causant alors plus de carambolages, plus de vélos tordus, plus d'os brisés.

C'est en côtoyant ces athlètes d'endurance pendant quatorze jours que j'ai appris l'importance de bien m'alimenter en pratiquant mon sport. Alors que Mirek avait déjà contribué à rendre mon poids une source d'embarras à mes yeux, ces femmes faisaient passer la diète à un tout autre niveau. Je pouvais manger une salade lorsque l'une d'elles me disait : «Hum... Tu sais qu'il y a de la vinaigrette dans ta salade, non ? » Je mangeais un morceau de pain, et une autre me disait : «Tu sais que si tu manges la mie, elle va prendre de l'expansion dans ton estomac ? » Des légumes crus ? «Pas beaucoup, car ça cause de la rétention d'eau. » De la soupe ? «Trop de sel. » Des desserts ? Ça ne valait même pas la peine de poser la question.

Au début, je croyais que les cyclistes et le personnel de soutien mangeaient à des tables distinctes pour une quelconque raison de division élitiste. Puis j'ai remarqué que le personnel dévorait des steaks et des frites pendant que les athlètes, des cernes noirs sous les yeux, étaient penchées sur leurs salades sans assaisonnement et leurs légumes bouillis. Lors d'une course à la fin de la saison, j'ai vu une cycliste si maigre et si musclée que j'aurais pu jurer voir ses veines à travers ses shorts.

Même si je n'avais pris la tête du peloton qu'une seule fois lors du Défi Ore-Ida de 1992, j'ai terminé la dernière épreuve du contre-la-montre parmi les vingt premières – une belle réussite pour une débutante. Cette compétition avait été incroyablement difficile, mais j'ai adoré ça.

À la fin de 1992, j'avais remporté mon premier titre et mon premier championnat national de course sur route, et j'avais terminé parmi les dix premières lors de ma première course à étapes européenne, le Tour de la Communauté économique. J'étais devenue passionnée de course sur route!

* * *

En 1993, j'ai signé mon premier contrat de course professionnel avec l'équipe de cyclisme Kahlúa. On m'avait promis 7000 dollars, mais je n'en ai reçu que 3500. L'équipe a fait faillite en raison d'une mauvaise gestion. Je ne me suis jamais soucié de l'argent, mais cette trahison m'a déçue.

Lors de cette première année en tant que cycliste professionnelle, j'ai été impliquée dans des collisions à chacune des courses à étapes. En Arizona, pendant La Vuelta de Bisbee, j'ai été percutée sur le côté gauche par un autre cycliste dans une descente, alors qu'il me restait encore trois kilomètres à parcourir. J'ai foncé dans la rambarde à environ 70 kilomètres à l'heure et je suis tombée, puis j'ai réussi à me relever. Ma roue avant était brisée en deux, et j'avais des égratignures partout dans le dos. Alors que je m'éloignais en trébuchant, un mécanicien d'un véhicule de soutien m'a rejointe. Il a remplacé ma roue avant, je suis remontée sur mon vélo, puis je me suis précipitée jusqu'à la ligne d'arrivée.

La même année, je me maintenais en deuxième position au Tour cycliste féminin, qui était la version féminine du Tour de France, lorsque j'ai été impliquée dans un autre accident désagréable. Encore une fois, ma roue était détruite, et j'ai perdu des minutes précieuses à attendre qu'un véhicule de soutien me rejoigne et la remplace. J'ai réussi à rattraper mon retard jusqu'au peloton ce jour-là, puis, plus tard, à attaquer l'ascension de l'historique Alpe-d'Huez, dans les Alpes du Nord, avec sa pente raide de 13,8 kilomètres et ses vingt et un virages en épingle. J'ai terminé à la 19e place, un classement respectable. Plutôt qu'un jersey jaune, c'est une énorme cicatrice sur l'épaule que je rapportais en souvenir.

À force d'avoir des accidents, on développe une capacité à bien les avoir. On apprend à conduire par-dessus les trous et même au-dessus des gens. Il m'est arrivé une fois de rouler sur le bras de quelqu'un comme si ce n'était qu'une bosse sur la route. On apprend à éviter les accidents plutôt qu'à y réagir.

Lorsque l'on tombe, le bruit est la première chose à laquelle on prête attention : le crissement horrible du métal contre l'asphalte, et le hurlement, avant de percuter soi-même le sol. Puis c'est le choc terrible de la chair qui entre en contact avec le pavé. Si d'autres tombent, on espère que ce n'est pas un coéquipier. On détermine s'il est possible de bouger : est-ce que j'ai quelque chose de brisé ? Puis : où est mon vélo ? Est-ce que je peux remonter ? Même si c'est insupportable de laisser un coéquipier blessé derrière, c'est ce pour quoi on est entraîné.

Les accidents font partie intégrante du cyclisme. Mon ami Michael Barry a dit : « Pendant le Tour de France, on peut avoir trente blessures en un seul jour et, parfois, cela se produit quatre, cinq, six jours de suite. Si cela se produisait dans une usine, on mettrait la clé sous la porte, mais parce que c'est du sport on l'accepte d'une manière ou d'une autre. »

Mon amie Dede Demet se souvient d'une course lors de laquelle un groupe d'étudiants avaient versé de l'huile sur la route, dans une courbe, en pensant que ce serait amusant d'assister à un accident. Elle m'a dit : « Cette fois-là, je me suis brisé l'os de la joue. »

Faire de la course en Europe, où le cyclisme jouit d'une reconnaissance beaucoup plus sérieuse qu'en Amérique du Nord, m'en a appris énormément sur le côté sombre de ce sport.

J'ai participé quatre fois au Tour cycliste féminin. À deux reprises, une partie de la course grimpait la célèbre Alpe-d'Huez. Chacun des virages en épingle porte le nom d'un cycliste masculin du Tour de France ayant remporté l'une de ses étapes. Les courses féminines sur ces mêmes pentes passaient complètement inaperçues. Les distinctions étaient importantes entre les cyclismes féminin et masculin. Cependant, même si le niveau de compétition y était différent, aucun cycliste n'était à l'abri de l'utilisation de drogues visant à améliorer la performance.

Ma mère

Mon père alors qu'il était dans l'armée

Le mariage de mes parents

Dodie et moi dans un traîneau tiré par
ma mère

Dans les bras de Dodie

Mon père et moi

Moi à quatre ans

Mon amie Julie Slessor et moi
prenons la pose avec mon vélo

Mon dixième anniversaire

Moi à treize ans   Dodie, mon père et moi

Avec ma sœur, Dodie, lorsqu'elle était en meilleure forme

Avec Denis Roux, le directeur sportif
de l'équipe nationale, au Tour cycliste
féminin, 1994

Une période difficile : après un accident,
en pleine dépression, au Tour féminin
de la Nouvelle-Zélande, 1997

Avec Nicole Reinhart (deuxième à partir de la droite) au Sea Otter Classic, en Californie,
2000

À GAUCHE Ma deuxième médaille olympique (bronze), aux Jeux d'Atlanta, 1996

EN BAS Une fête pour célébrer ma médaille de bronze aux Olympiques d'Atlanta 1996 avec mon entraîneur Mirek Mazur, sa femme Eva et Ron Hayman, de la télévision de CBC (debout)

Avec Big Dodie

Peter à seize ans, en Oregon

Ma belle-mère et mon beau-père,
Mica et Elías Guzmán

Peter et moi, pendant mon premier
voyage de vélo à Saline Valley, 1998

EN HAUT Notre mariage
(nos témoins, de gauche à droite :
Steve Anderson et Eric Van den
Eynde)

À DROITE Notre gâteau de mariage

Notre lune de miel sur le Dempster Highway, 2002

Comme j'étais plutôt naïve, j'ai mis du temps à comprendre ce qui se produisait autour de moi. Je voyais des filles incapables de monter des collines pour sauver leur vie, qui tout à coup remportaient des étapes de montagne. Je me souviens d'un entraîneur lituanien qui m'a dit : « Si tu veux te mesurer aux Russes, il faudrait que tu débourses 50 000 dollars pour leur programme de dopage. » Que ce soit vrai ou non des Russes, j'ai réalisé alors que le dopage constituait un souci majeur.

Peu à peu, j'ai commencé à remarquer que certaines cyclistes avaient des compartiments verrouillés à l'intérieur de leurs sacs. J'ai vu une équipe avec une centrifugeuse pour tester des échantillons de leur sang afin d'obtenir leur taux d'hémoglobine – la concentration de globules rouges. Au début, j'ai cru qu'elles prêtaient attention à leur diète et à leur programme d'entraînement, et j'ai pensé : « Wow, quel appareil génial ! » Elles étaient tellement en forme que je commençais à me sentir paresseuse en comparaison.

Avec le temps, j'ai découvert qu'il existait une façon de prendre de l'érythropoïétine de synthèse, ou EPO. Il s'agit de la forme chimique d'une hormone produite naturellement par les reins afin de stimuler artificiellement la production de globules rouges, ce qui augmente l'efficacité avec laquelle l'oxygène est transporté des poumons aux muscles. En consommant cette drogue suffisamment tôt avant une compétition, l'utilisateur pouvait s'entraîner significativement plus fort et plus longtemps, tout en ayant éliminé les traces d'EPO synthétique au moment la course. Cela a commencé à changer en 2000, lorsque de nouveaux tests sont apparus afin de permettre aux autorités – et au public – de découvrir à quel point le dopage s'était répandu.

Une autre façon d'augmenter le nombre de globules rouges consistait à recevoir des transfusions de son propre sang, préalablement recueilli et emmagasiné, ou du sang d'un donneur compatible. Il existe également des hormones de croissance humaine utilisées pour faire augmenter la masse musculaire et la puissance, ainsi que des stéroïdes, comme la testostérone, qui stimulent aussi le développement des muscles et la capacité des reins à produire naturellement de l'EPO. Chez les femmes, parmi les effets secondaires de la prise de telles hormones, on constate la masculinisation – apparition d'une voix plus grave et de poils au visage –, une agressivité accrue, des sautes d'humeur, la dépression, des cycles menstruels irréguliers, la jaunisse et des dommages au foie. J'ai moi-même vu des corps se transformer au fil des semaines, au point de me demander : *Est-ce encore une femme ?*

Les stimulants comme les amphétamines, l'éphédrine, la cocaïne et le salbutamol contribuent à la perte de poids et agissent sur le cerveau en permettant aux athlètes de concourir plus longtemps, à de plus hauts niveaux, sans ressentir autant de fatigue. Le dopage chez les cyclistes féminines était loin d'être aussi répandu que chez les cyclistes masculins, où des millions de dollars étaient en jeu. Lorsqu'il y a de l'argent et du pouvoir, il y a de la corruption. Chaque jour, on entend parler de soif de richesse et d'abus de substances au sein de l'Église, de l'État et du secteur entrepreneurial. Alors que l'on glorifie souvent les héros sportifs, ceux-ci se font également le reflet des faiblesses qu'on trouve communément dans la société. Certains athlètes se sont entourés des mauvaises personnes. Certains n'ont pas pu résister à la pression énorme qui ne leur a laissé aucune autre solution que d'abandonner.

Michael Barry, qui a couru avec Lance Armstrong pour l'équipe américaine de cyclisme US Postal Service Pro, a été pris dans le même scandale que Lance. Comme il l'a expliqué : « Lorsque je me dopais, tout ce qui m'importait était d'atteindre la victoire à tout prix, et il m'a presque fallu mourir pour voir les choses sous un nouvel angle. On vivait dans une bulle et on était tellement concentrés sur l'avenir qu'on n'appréciait pas ce qui nous arrivait au moment où on le vivait. On n'avait aucune perspective. On n'avait aucune idée de qui on était, de ce qu'on faisait ni des raisons qui nous poussaient à le faire. »

À la décharge de Mirek, il avait l'habitude de dire : « Les cyclistes qui consomment de l'EPO sont des tricheurs, et je préférerais mourir que de laisser un de mes cyclistes se droguer. »

Personnellement, je n'ai jamais envisagé le dopage, parce que j'avais du succès dans un sport où j'avais une chance de gagner sans l'aide des drogues, même si ce n'était pas toujours le cas. J'associais aussi les drogues à une partie de mon existence que je n'avais pas envie de revivre. Le sport m'a aidée à échapper à une culture de l'autodestruction. Ce constat est devenu encore plus clair lors d'une visite à Winnipeg qui m'a causé un choc terrible, à peu près à la même période.

Dodie, qui avait vingt-trois ans alors que j'en avais vingt et un, vivait avec mon père. La première fois que je l'ai revue, elle était étendue sur le sofa, en arrêt de travail de son poste d'aide-soignante pour cause de maladie. Elle n'avait pas l'air bien du tout. Je me rappelle m'être assise à côté d'elle et lui avoir demandé: «Comment ça va?»

Elle ne parvenait pas à me répondre. Elle a commencé à pleurer. Je ne savais pas ce qui se passait. Aujourd'hui, je comprends qu'elle était plongée dans une dépression profonde. Plusieurs choses terribles lui étaient arrivées en raison des drogues qu'elle avait consommées et de son état psychologique. J'étais à la maison après avoir remporté des courses, et le seul fait de la questionner sur sa vie avait suffi à la blesser. À ses yeux, j'étais l'enfant surdouée, celle qui avait du succès, la fierté de Winnipeg. Je ne savais pas quoi faire. Elle était ma sœur aînée, l'entêtée qui avait choisi de ne tenir compte de rien ni de personne. Pendant un certain temps, nous avions partagé le même mode de vie. J'ai été terrifiée en constatant à quel point j'étais passée près de devenir moi-même cette sœur étendue sur le sofa.

J'ai aussi été bouleversée à la pensée que c'était peut-être toujours à ce destin que je tentais d'échapper en courant et en pédalant à toute vitesse.

* * *

En 1994, je suis retournée en Idaho pour le Défi Ore-Ida, rebaptisé aujourd'hui Défi Power Bar. Il s'agissait maintenant d'une course de six étapes, réparties sur plus de cinq jours. Et, cette fois, je l'ai remportée. C'était une victoire importante, parce que je participais en tant qu'invitée avec l'équipe de cyclisme Saturn, la meilleure au monde, et que ma performance donnait un nouveau souffle à mon espoir de m'y intégrer.

Je courais avec détermination. Quelle saison extraordinaire ! Puis, à la fin de l'automne 1994, j'ai vécu le pire cauchemar qu'un athlète peut vivre. Pierre Hutsebaut, le directeur de l'équipe nationale canadienne, m'a informée que j'avais été déclarée positive à l'éphédrine, une substance prohibée, lors d'un contrôle aux Championnats mondiaux, en Sicile.

J'étais démolie.

J'étais aussi perplexe. Je ne savais même pas ce qu'était l'éphédrine, et je ne comprenais pas comment elle avait pu se retrouver dans mon système. J'ai commencé à lire les étiquettes de tous les produits que j'avais ingérés, jusqu'à mon dentifrice. Bien que je n'aie jamais trouvé d'éphédrine, je savais désormais qu'il s'agissait d'un stimulant utilisé pour améliorer la performance. C'était plutôt ironique, étant donné que j'avais obtenu un rendement inférieur au contre-la-montre – la course pour laquelle j'avais été déclarée positive – et terminé en quatrième place, alors que j'avais remporté des victoires toute la saison.

Tout comme Denis Roux, notre entraîneur de l'équipe nationale, Pierre était convaincu que je n'avais pris aucun stimulant intentionnellement. Mirek est arrivé à la même conclusion. Comme la pénalité consistait en trois mois de suspension, qui coïncidaient avec la période de relâche en cyclisme, et comme je n'avais gagné aucune médaille qu'il m'aurait fallu restituer, on m'a recommandé de garder le silence à propos de cette histoire. C'est ce que j'ai fait.

Néanmoins, je me sentais dévastée, comme si j'avais réellement triché, même si ce n'était pas le cas. Je ne sais toujours pas si j'ai pris la bonne décision. Cet incident a continué de me ronger tout le long de ma carrière et a nourri ma tendance naturelle à me croire indigne.

En 1995, on m'a bel et bien offert un contrat pour concourir avec l'équipe Saturn, peut-être parce que j'avais gardé le silence. Notre course la plus importante lors de cette saison était la Liberty Classic de Philadelphie. Cet événement avait lieu en juin et ne durait qu'une journée. Il s'agissait d'un circuit de quatre tours totalisant une longueur de 92,7 kilomètres à l'intérieur de la ville de Philadelphie. Le circuit comprenait quatre ascensions de l'horrible Manayunk Wall, reconnu pour sa forte inclinaison et pour ses pavés usés à certains endroits.

Trois kilomètres environ après le début de la course, j'ai eu un énorme accident et je suis tombée. Ma hanche me faisait affreusement souffrir, mais mon vélo n'était pas brisé, alors je suis repartie et suis même arrivée à rattraper le peloton. Il y a alors eu une échappée, dans laquelle se trouvaient deux de mes coéquipières de l'équipe Saturn. Je me suis dit : *Contente-toi de continuer à pédaler. Peut-être que tu te sentiras mieux au milieu du groupe et que l'inflammation va se dissiper.*

Le peloton a rejoint l'échappée avec moins de quatre kilomètres à parcourir. Ma coéquipière, notre sprinteuse la plus rapide, m'a demandé de me lancer, parce qu'elle ne pensait pas réussir à effectuer elle-même le sprint. J'ai obéi, même si ma hanche, que je croyais cassée, me faisait terriblement souffrir. Lorsqu'une coéquipière te demande quelque chose, tu le fais. Il n'y a pas d'excuse possible.

Avec encore seulement un kilomètre à parcourir, j'ai attaqué cet énorme rond-point interminable. Puis j'ai continué de pédaler. J'ai fini en remportant la victoire lors ce qui était à l'époque la course d'un jour la plus importante de ma vie !

Rejoindre l'équipe Saturn était l'occasion extraordinaire dont j'avais rêvé. Au cours de ma première année, j'ai été payée 18 000 dollars, tout en apprenant de mes coéquipières et en remportant des victoires avec elles. Comme je recevais aussi des subventions du gouvernement et que je collectais des prix en argent, je m'en tirais plutôt bien pour une jeune femme qui ne possédait pas de voiture ni quoi que ce soit, à part ce dont j'avais besoin pour courir. Et puisque nos efforts se faisaient en équipe, nous mettions nos gains en commun, puis nous les répartissions également entre nous, ainsi qu'avec notre personnel. En l'espace d'un an, je pouvais me retrouver avec environ 25 000 dollars de prix en argent.

Aux Jeux panaméricains de 1995, en Argentine, j'ai remporté une médaille d'argent en course sur route et une de bronze au contre-la-montre. Même si cela paraît bien sur papier, ces deux « victoires » étaient en réalité des échecs sur toute la ligne, par rapport à ce que j'aurais dû accomplir. Je m'étais préparée avec l'entraîneur de l'équipe nationale canadienne, Denis Roux, mais j'étais finalement retournée auprès de Mirek. Je croyais toujours que Mirek, et seulement lui, pouvait me rendre bonne. Pendant cinq semaines, nous nous sommes entraînés en haute altitude pour les championnats du monde qui auraient lieu en Colombie. Puisque le contre-la-montre consistait en l'ascension d'une pente raide, tout le monde me disait que je ne pourrais pas le faire, parce que j'étais trop costaude pour courir rapidement en montant. Pourtant, j'ai remporté l'argent – ma première et seule médaille en cyclisme remportée aux Championnats mondiaux.

Après que j'ai reçu mon prix, une entraîneuse m'a dit, avec sarcasme : « Imagines-tu ce que tu aurais pu accomplir si tu pesais cinq kilos de moins ? »

C'était suffisant pour me décourager à nouveau.

Malgré tous mes succès – les seules raisons que j'avais de me sentir bien –, je portais toujours un lourd chargement de pessimisme. Il provenait à la fois de la pression de réussir, du vide et de la solitude qui semblaient constituer une partie inébranlable de mon être. Mon premier sentiment après la victoire était le soulagement, immédiatement suivi par la gratitude de ne pas avoir tout saboté. Toute envie de célébrer n'était que de courte durée. Cet héritage venait de mon père : « OK, tu as gagné. Et alors ? Il fallait que tu gagnes, maintenant on continue. » Ma propre petite voix bien docile répondait : *Ah oui, j'imagine que je n'étais pas si bonne, au fond.*

Comme une *junkie*, j'espérais toujours que ma prochaine grande victoire serait la dose dont j'avais besoin. Si ce n'était pas les Jeux de l'Ouest, ce serait les Nationaux. Si ce n'était pas les Nationaux, ce serait les Panaméricains. Si ce n'était pas les Panaméricains, ce serait les Championnats mondiaux. J'avais remporté des médailles à tous ces niveaux de compétition, et aucune n'avait suffi. Il ne me restait plus qu'une seule dose possible : les Olympiques. Si je remportais une médaille là-bas, peut-être que le succès me transformerait au point où je découvrirais enfin qui j'étais, et peut-être que je me sentirais totalement bien en étant cette personne.

J'ai donc jeté mon dévolu sur les Jeux olympiques d'Atlanta de 1996.

Les Jeux olympiques d'Atlanta 1996

Bien que je me sois qualifiée à l'avance pour Atlanta, je manquais tellement de motivation avant d'aller aux Jeux que j'avais de la difficulté à me rendre ne serait-ce que jusqu'à la fin d'une course. Ce fut particulièrement humiliant de me retrouver à l'avant-dernière place de l'étape finale du Tour de l'Aude cycliste féminin, cette année-là.

Je cherchais désespérément une solution magique. Je pensais à toutes ces cyclistes européennes extrêmement minces qui m'avaient battue : *Je pourrais manger moins, peut-être rien du tout ?* Lorsque je me privais de nourriture, je me sentais plus forte, même lorsque mes réserves chutaient dangereusement, au point où je devais m'appuyer contre un mur pour ne pas m'évanouir.

Au lieu d'être excitée à l'idée de représenter le Canada, je voulais seulement que les Olympiques se terminent. Et ça n'aidait absolument pas lorsque les gens tentaient de me rassurer en me disant : « Oh, Clara, peu importe ce qui va se passer, tu vas toujours garder le souvenir de ton expérience olympique. » Les plus optimistes ajoutaient : « Tu monteras peut-être sur le podium *un jour.* »

C'est une petite course à Collingwood, en Ontario, qui m'a empêchée de sombrer dans le gouffre de la dépression qui s'ouvrait sous mes pieds. Je m'étais spontanément inscrite à cette course qui ne voulait rien dire. Il s'agissait davantage d'un échauffement que d'un véritable défi. À environ dix kilomètres de la fin, je pédalais, maussade, et j'ai atteint une colline en même temps que Marianne Berglund, une sprinteuse suédoise. Je me rappelle avoir songé : *Bon, elle va gagner.* À ce moment-là, une autre voix dans ma tête m'a suggéré : *Pourquoi n'attaques-tu pas pour voir ce qui va arriver ?* Je me suis mise à pédaler avec plus d'acharnement, prenant une avance encore plus considérable sur Marianne et sur presque toutes les autres.

À plus ou moins cinq kilomètres de la fin, il ne me restait plus qu'une seule adversaire : Sue Palmer, la championne canadienne de course sur route. J'ai pensé : *Bon, Sue va me battre au sprint.* Mirek me répétait sans cesse à quel point j'étais une mauvaise sprinteuse, mais à présent, défiant cette voix négative, je me suis répondu : *Non, je vais attaquer de plus belle.* Et c'est ce que j'ai fait. J'ai gagné cette course de façon remarquable ou, du moins, c'est ce qui m'a semblé, à l'époque. Cette compétition n'était peut-être pas très importante, par comparaison avec les autres, mais elle signifiait énormément pour moi, psychologiquement. J'avais réussi à me débarrasser de la voix dénigrante de Mirek et, à partir de ce jour, j'ai décidé que je ferais tout mon possible pour gagner chaque course, qu'elle convienne à mon « style » ou non.

Avant les Jeux, je me suis entraînée en Pennsylvanie avec Mirek et son équipe, dont j'étais la seule femme. Mirek nous répétait constamment à quel point l'équipe américaine était gâtée et privilégiée, avec ses nutritionnistes et nombreux professionnels de la santé. Il croyait que notre existence frugale suffirait à nous rendre plus forts et à nous aider à remporter davantage de médailles. En toute justice, il faut se rappeler que Mirek ne disposait d'aucun budget pour faire mieux, et qu'il a fait énormément avec un financement très restreint, en nous permettant de participer à plusieurs courses et d'avoir accès à de nombreux camps d'entraînement.

Michael Barry, de l'équipe masculine, m'a finalement confirmé ce dont je commençais toutefois à me douter : « Mirek était plus méprisant envers toi qu'envers aucun d'entre nous. Il était très froid, très dur. Un jour, après qu'il a repris l'avion pour retourner à la maison, je me souviens qu'on était quelques-uns à s'entraîner sur la route. Plutôt que d'effectuer la routine habituelle, on a décidé d'aller à droite à un embranchement où Mirek nous avait dit de tourner à gauche. Je me souviens que tu t'es mise à paniquer, insistant pour qu'on fasse ce que Mirek nous avait demandé. Tu avais peur de lui. Je me sentais mal pour toi. Tu étais tellement seule et malheureuse. »

Même si je sais à présent que Michael avait raison, j'avais alors encore trop peu confiance en moi pour penser que j'aurais pu réussir sans Mirek.

* * *

J'ai pris l'avion par moi-même pour me rendre aux Jeux puisque Mirek n'était pas invité à Atlanta en tant qu'entraîneur. Personne ne m'attendait pour m'amener au village des athlètes, et je suis passée à deux doigts de monter dans un train vers le centre-ville d'Atlanta par erreur.

Comme Mirek était continuellement en guerre contre l'équipe nationale, les responsables ne lui avaient envoyé aucune information. Soit c'était ça, soit Mirek ne me l'avait pas transmise. Il me faisait toujours passer ce genre de petits tests, comme s'il disait : « Si tu n'arrives pas à trouver ton chemin jusqu'au site, tu ne mérites pas d'être là. »

Même au village des athlètes, je me suis sentie abandonnée, serrant désespérément mon sac sans savoir quoi faire ni où aller. Lorsque j'ai consulté des bénévoles, ils m'ont demandé de leur montrer ma carte d'accréditation. Je n'en avais pas. Ils ont appelé quelqu'un du Comité olympique canadien, qui a réglé la situation, mais j'étais contrariée : *Je représente le Canada, et c'est le mieux qu'on puisse faire pour m'aider ?*

Après qu'on m'a assigné une chambre dans une résidence universitaire, j'ai passé un test d'identification pour prouver que j'étais bien une femme. Je suis ensuite retournée à ma chambre, me sentant toujours aussi seule et abandonnée : *Et maintenant, qu'est-ce que je fais ?* Ma relation avec Mirek me tenait à l'écart des autres cyclistes de l'équipe canadienne, une distance dont je ne voulais pas et dont je n'étais même pas consciente. Ce petit nuage noir se promenait au-dessus de ma tête.

Je me suis rendue sur la place centrale du village, où les Foo Fighters donnaient un concert déchaîné. J'ai regardé les autres athlètes s'amuser jusqu'à ce que le souvenir de mon « trop-plein-de-crème-glacée » des Jeux panaméricains me revienne en force. Je me suis rappelée à l'ordre : *Tout le monde peut faire la fête. Je peux m'acheter un billet de spectacle n'importe quand. Je n'ai pas besoin de ça.* Tout était gratuit ; je pouvais aller quelque part pour qu'on me donne un sac-cadeau, mais pourquoi est-ce que j'aurais fait ça ? La salle à manger était gigantesque, avec des piles de nourriture à perte de vue. Je suis passée tout droit sans m'arrêter et je m'en suis tenue à mon régime de privation.

* * *

J'ai regardé la cérémonie d'ouverture à la télévision dans le salon des athlètes plutôt que de marcher jusqu'au stade avec l'équipe canadienne. Je voulais conserver mes forces pour ma première course, qui se tiendrait deux jours plus tard. Les Jeux d'Atlanta étaient la XXVIᵉ Olympiade. Plus de 10 000 participants en provenance de 197 nations prendraient part à 271 événements. Parmi eux se trouvaient 307 Canadiens, et pour la première fois, les femmes étaient plus nombreuses que les hommes, soit 154 femmes pour 153 hommes.

Je ne connaissais personne dans le salon des athlètes. Je ne m'y sentais pas à ma place, mais je suis tout de même restée pour voir la flamme olympique. Lorsque la personne qui portait le flambeau est apparue, les gens autour de moi ont poussé un cri de joie.

J'ai demandé : « C'est qui ?

— C'est Mohamed Ali !

— Mohamed Ali ? C'est qui, lui ? »

Ayant grandi dans une famille où personne ne s'intéressait au sport, comment aurais-je pu le savoir ?

* * *

Il ne me restait plus que deux jours d'entraînement avant ma première épreuve : la course sur route de 104 kilomètres. À l'heure des repas, je me suis retrouvée assise à quelques reprises aux côtés d'un entraîneur de l'équipe nationale canadienne, Eric Van den Eynde, un Québécois originaire de la Belgique. Je le trouvais énervant, parce qu'il parlait trop et qu'il racontait toujours des histoires quand j'essayais de me concentrer. C'est plutôt ironique, si on considère à quel point Eric allait devenir important pour moi plus tard.

Le jour précédant ma première course olympique, j'ai passé une partie de la matinée à écouter le groupe de grunge-rock américain Soundgarden en pédalant sur le rouleau d'entraînement. L'après-midi, je suis retournée sur ces cylindres qui permettent de s'entraîner sur son propre vélo en faisant du surplace.

Le 21 juillet, j'ai été convoquée à ma course. Je me tenais sur la ligne de départ, avec cinquante-sept autres adversaires, tenant mon vélo. Je me sentais calme, physiquement bien sans être en parfait état, et prête pour le départ. J'étais concentrée, dans l'attente stratégique du meilleur moment pour déployer mon énergie. Je ne voulais pas la dépenser trop vite ou trop intensément. Il s'est alors mis à pleuvoir, un orage, ce que je déteste par-dessus tout.

Moins de deux kilomètres après le début de la course, ma coéquipière Linda Jackson a foncé dans une boîte aux lettres, se blessant sérieusement au bras. Il n'y avait plus que Sue Palmer et moi qui courions pour Équipe Canada.

Après environ trente kilomètres, trois coureuses, une Australienne, une Française et une Italienne, ont fait une échappée, ce qui a créé un petit vide devant le peloton. Même s'il était encore tôt, je savais que si je ne les rejoignais pas au cours des cinq prochaines minutes, je ne réussirais probablement jamais à le faire. Une Américaine et quelques autres cyclistes essayaient également de rejoindre l'échappée. Arrivée près de la zone de ravitaillement, où du personnel de soutien fournissait des boissons énergétiques et de la nourriture, j'ai entendu des athlètes qui avaient le souffle court et j'ai pensé : *C'est maintenant ou jamais.* J'ai attaqué et j'ai réussi à rattraper le groupe qui était en tête. Lorsqu'il est resté environ soixante kilomètres à faire, la coureuse australienne a perdu du terrain, et j'ai pensé : *C'est le temps d'y aller.*

La Française Jeannie Longo était en tête de l'échappée depuis le début. Chaque fois que j'essayais d'aller de l'avant pour prendre mon tour à la tête de l'échappée, elle attaquait, alors j'ai décidé de la suivre, avec la coureuse italienne derrière moi. Longo était dans une forme incroyable. Rouler dans son sillage me donnait l'impression de pédaler derrière une motocyclette humaine de 105 livres.

Pendant une bonne partie de la course, il n'y avait qu'un mince écart qui nous séparait du peloton, et je suis heureuse de n'avoir pas su à quel point il était mince. Comme nous ne travaillions pas en équipe, celles qui se trouvaient dans le peloton pouvaient encore nous rejoindre, et ce n'est qu'au cours du dernier demi-tour que la plupart ont abandonné, ce qui nous a permis de nous distancer davantage.

Longo a attaqué sur la dernière côte. À ce moment-là, je savais que je ne gagnerais pas les Olympiques, mais j'étais déterminée à ne pas perdre une médaille. J'ai pédalé aussi fort que j'ai pu pendant que la coureuse italienne, Imelda Chiappa, qui restait juste derrière moi, refusait de prendre les devants. Elle m'a dépassée dans les derniers 200 mètres, s'emparant de l'argent, derrière la France. Lorsque j'ai franchi la ligne d'arrivée, je savais que j'avais obtenu la médaille de bronze.

J'étais euphorique, même si j'étais complètement détrempée et épuisée. Merveille ! Stupeur ! Ahurissement ! Une médaille olympique !

J'ai eu la première médaille du Canada aux Jeux olympiques d'Atlanta, et la première de toute l'histoire du cyclisme féminin canadien. C'était une grosse victoire. Les médias sont devenus fous. Ça ne s'apparentait à rien de ce que j'avais vécu auparavant. Plutôt que de retourner dans mes quartiers pour me réchauffer et pour récupérer, comme normalement après chaque course, je devais aller un peu partout pour parler de moi, ce que je n'avais jamais fait, du moins pas à ce point-là. J'avais toujours eu de la facilité à m'exprimer, mais je ne m'attendais pas à devenir instantanément célèbre, et je savais que rien de tout ça n'allait m'aider au moment où je reprendrais mon vélo pour effectuer ma prochaine course.

Lors d'une entrevue avec Brian Williams, de la télévision de la CBC, le réseau s'était organisé pour que mes parents puissent être avec nous en direct, par satellite, à partir de la station de Winnipeg de la CBC. J'étais assise dans le studio d'Atlanta et j'espérais que mon père serait sobre et qu'il ne contredirait pas ma mère. En surface, nous avons réussi à avoir l'air d'une famille normale, et comme Brian m'a dit plus tard qu'il avait adoré l'entrevue, je ne lui ai pas révélé à quel point je m'étais fait du mauvais sang pendant les quelques minutes où nous avions été en ondes.

* * *

Comme nous ne pouvions pas, en tant que cyclistes, nous entraîner dans les rues d'Atlanta, l'équipe nationale a été relogée dans un campus de l'Alabama. Tout le monde était très heureux pour moi, y compris la légende du cyclisme Steve Bauer, qui avait gagné la première médaille olympique canadienne en cyclisme sur route. J'ai commencé à me sentir merveilleusement bien, mais j'ai ensuite décidé de ranger ma médaille au fond de ma valise et de ne plus la regarder jusqu'à la fin des Jeux. Je ne voulais pas parler de ce que j'avais accompli, je souhaitais me concentrer sur ce qu'il me restait à faire.

Il y avait onze jours avant ma prochaine course, le contre-la-montre individuel sur route, une nouvelle discipline olympique. Ma médaille de bronze m'avait fait passer, dans la tête de plusieurs, de la catégorie « possibilité » à celle de

« certitude » pour l'obtention de l'or, ce qui faisait reposer sur mes épaules un fardeau d'attentes insupportablement lourd. Je me rappelle avoir pensé : *Vous n'avez pas le droit de me dire ça. Vous n'avez aucune idée à quel point ce sera difficile. Vous n'avez aucune idée de la souffrance que je vais devoir m'infliger.*

Mirek était à Atlanta même s'il n'avait aucun statut, et s'il n'était pas admis au village des athlètes, il pouvait venir sur le campus où nous restions, en Alabama. Pour une fois, sa négativité s'est avérée utile, car elle créait un contrepoids à toutes les prédictions exagérément optimistes dont j'étais submergée.

Chaque jour, je pédalais sur les rouleaux, je déjeunais, je m'entraînais sur la route, puis je faisais une sieste avant de retourner encore une fois sur les rouleaux. C'était l'essentiel du programme de Mirek.

J'étais toujours convaincue que la clé du succès résidait dans le fait de manger le moins possible, car ça me donnait l'impression d'avoir le contrôle. Je m'autorisais un petit sac de jujubes chaque après-midi en guise de récompense. Je regardais les Olympiques à la télévision pendant que je classais les bonbons selon leur saveur. Je mangeais tous les bonbons de la même saveur en une seule bouchée. Ce rituel, qui comportait à peu près trente jujubes, durait environ deux heures.

* * *

Je suis partie du camp en Alabama pour retourner au village des athlètes deux jours avant le contre-la-montre. Le trajet couvrait le même parcours que la course sur route, mais on devait le faire deux fois. C'était une journée si chaude et humide que je crois que la majorité d'entre nous vivait une course très difficile. À un moment donné, je me rappelle avoir pensé que ma tête allait exploser dans mon casque, et j'ai été obligée de ralentir un peu.

Chaque fois que je montais la côte du trajet, un jeune homme m'accompagnait en courant plus vide que je pédalais, et il me criait des mots d'encouragement en brandissant un énorme drapeau canadien dans les airs. Il m'a poussée à me dépasser encore plus que je l'aurais fait par moi-même. Je donnais tout pour moi et tout pour le Canada. Il était extraordinaire !

Pendant la première partie du deuxième tour, j'ai eu peur de m'effondrer, mais j'ai réussi à récupérer suffisamment pour terminer la course. J'ai descendu de vélo en m'affalant au bord de la route, le visage brûlant, transpirant à profusion, et j'ai pensé que je n'en avais pas fait assez. J'ai mis du temps avant de me rendre compte que j'avais fini en troisième place.

C'était incroyable, mais j'avais gagné une autre médaille de bronze.

* * *

Pendant la cérémonie de clôture, j'ai complètement adhéré à l'esprit des Olympiques. Le marathonien Josia Thugwane était devenu le premier Sud-Africain noir à gagner l'or dans les premiers Jeux postapartheid auxquels son pays avait eu le droit de participer. Il a accepté sa médaille au beau milieu d'un stade qui retentissait d'applaudissements. C'était un moment absolument exceptionnel.

J'ai pris le métro jusqu'au centre-ville d'Atlanta, où j'ai vu une grosse publicité de Nike qui annonçait : « Remporter l'argent, c'est nul ! »

Je me suis dit : *Eh bien, je dois être une vraie perdante avec seulement deux médailles de bronze.*

Cette publicité m'a rappelé ce que j'avais oublié le temps d'une journée : les Olympiques, c'est aussi un grand cirque.

Le Canada avait gagné cinq médailles en cyclisme à Atlanta, ce qui battait notre record olympique de tous les temps pour cette discipline, qui était de quatre médailles. À notre retour à la maison, on a été emportés par un tourbillon de célébrations. Pourtant, il a suffi qu'une seule personne me demande : « Mais *en réalité*, qu'est-ce que tu fais, quand tu n'es pas en train de t'entraîner ? » pour que toutes mes prouesses soient réduites à un petit paquet de bronze. J'ai commencé à me poser la question : *Qui es-tu ? Et que fais-tu,* en réalité ?

Et voilà que moi, gagnante de médailles olympiques, je devais repartir de zéro. Mes médailles ne faisaient qu'aggraver ma dépression, parce que je savais à présent que je n'étais rien de plus après Atlanta que ce que j'étais avant : une bonne à rien.

* * *

J'aurais dû finir ma saison des courses à ce moment-là, mais j'ai plutôt commencé à m'entraîner avec Mirek pour le championnat du monde qui aurait lieu en Suisse.

Épuisée et misérable, je me suis remise à boire et à prendre de la drogue. À fumer, aussi. J'étais souvent soûle, à errer dans un brouillard mental de zombie. Je faisais trop la fête et je me couchais beaucoup trop tard. Au lieu de me considérer comme une Olympienne triomphante, j'avais régressé et étais redevenue l'adolescente dans une cage d'escalier qui buvait tout ce sur quoi elle pouvait mettre la main et qui avait peur de rentrer à la maison, rongée par le désespoir. J'étais encore prisonnière de mon passé, et le vélo, avec son lot de stress, de souffrance auto-infligée et d'accidents, et son exigence absurde que je me prive de nourriture, n'était pas la solution.

Avant une course à étapes dans le Vermont, j'ai fait la fête toute la nuit et suis retournée à mon condo une heure avant le début de la course. J'étais de retour au bar le soir suivant, où j'ai pris de l'ecstasy avec un groupe d'amis. Lorsqu'un coéquipier m'a vue, il m'a dit, pour plaisanter : « Qu'est-ce que tu as pris, et où est-ce que je peux en trouver ? »

Je souriais tellement que j'en avais mal aux yeux. J'ai bu trois bouteilles de vin et fumé deux paquets de cigarettes, puis du *pot*. Le lendemain matin, j'ai manqué l'avion, alors un autre cycliste m'a conduite jusque chez moi, à Hamilton. Après avoir été sur l'ecstasy et complètement gelée pendant treize heures, j'ai dormi deux jours d'affilée.

* * *

À mon arrivée en Suisse pour le championnat du monde, Mirek s'est plaint de mon manque de concentration. Il avait raison, mais il faisait tout le contraire de ce qu'il aurait dû faire pour me motiver. Lorsque j'ai raté mon coup au contre-la-montre avec une cinquième place, j'ai dit à mon mécanicien que j'avais l'impression que mon vélo avait quelque chose de bizarre. Il m'a répondu : « C'est parce que Mirek a baissé ton siège. »

Lorsque j'ai affronté Mirek, il m'a dit : « Je voulais juste voir si tu étais trop stupide pour t'en apercevoir. »

J'étais furieuse. J'avais payé pour que Mirek voyage avec moi et je ne pouvais pas croire qu'il puisse faire quelque chose d'aussi bêtement hypocrite. Découragée, j'ai appelé Eric Van den Eynde, l'entraîneur de notre équipe nationale, ne sachant pas comment je devais réagir.

Après qu'Eric et moi sommes devenus amis, il m'a dit : « Tu m'as avoué que tu ne courais plus aussi bien qu'avant. Je t'ai demandé si tu étais malade. Tu as dit non. Je t'ai demandé si tu étais fatiguée. Tu as dit non. Je me suis rendu compte que tu n'avais absolument aucune confiance en toi. Toi, une athlète de haut niveau, tu étais trop craintive, trop blessée, trop abîmée, trop déprimée pour faire des courses. Lorsque j'ai suggéré qu'on trouve des moyens de t'aider à améliorer la vitesse de tes jambes, tu m'as répondu : "Non, Mirek m'a dit de ne pas faire ça. La vitesse des jambes, ce n'est pas vraiment ma force, de toute façon." C'était comme si tu avais subi un lavage de cerveau ou qu'on t'avait jeté un sort étrange qui te rendait malheureuse. »

Pendant toute cette période, j'étais hantée par l'image de ma sœur allongée sur le sofa de mon père, brisée et inconsolable. Elle semblait parfois assez proche pour que je puisse la toucher. Je voyais mon père, noyé dans l'alcool, en furie contre le monde entier pour une raison inconnue et incompréhensible. Les ténèbres qui s'étalaient à mes pieds en une mare gluante grimpaient le long de mes jambes et menaçaient d'envahir jusqu'à mes organes vitaux, me donnant envie de me défoncer encore plus. Je n'osais pas demander de l'aide, de peur que d'admettre l'existence de ce genre de sentiments n'augmente ma vulnérabilité, laissant plus de place aux ténèbres.

Je me suis dit : *Tu dois être plus forte. Tu dois être meilleure.* Mais je ne savais pas comment faire.

Ma carrière cycliste allait dégénérer davantage, mais j'étais aussi sur le point de connaître un miracle.

Le point de rupture

Je me souviens d'une journée où Dede Demet, mon amie cycliste, et moi rêvions du compagnon idéal.

Dede a dit: «J'aimerais que ce soit quelqu'un de très moderne, un gars urbain, qui soigne son apparence. »

J'ai dit: «J'aimerais que ce soit un gars vraiment en forme et en santé, qui aime la montagne. »

Dede s'est retrouvée avec Michael Barry, qui correspondait exactement à sa description, et je me suis retrouvée avec Peter Guzmán, qui correspondait exactement à la mienne.

* * *

Peter et moi nous sommes rencontrés en septembre, après la saison de vélo de 1996, alors que je vivais une période difficile sur le plan émotionnel.

Je visitais des amis dans un ranch en Oregon. Peter, comme j'allais l'apprendre, avait passé l'été en solitaire dans un camp de base au Parc national de Lake Clark, en Alaska. Il s'était organisé pour qu'un avion de brousse le laisse avec quelques réserves à la confluence des Twin Lakes. Il campait dans une tente près d'un chalet délabré où il gardait ses réserves, dans une région où rodaient des grizzlies. Un homme de quatre-vingts ans, à quatre heures de marche, était son plus proche voisin. Il prévoyait maintenant rendre visite à ce même ranch et aux mêmes amis. Quand il a su qu'une cycliste olympique canadienne serait là, il a reporté son séjour. Il avait connu trop d'athlètes qui ne parlaient de rien d'autre que de leur sport.

Quand Peter s'est tanné d'attendre que je parte, il a pris le risque de conduire jusqu'au ranch. Je me rappelle le moment où je l'ai vu dans l'embrasure de la porte, un sac d'épicerie dans les mains et un bandana roulé autour de ses cheveux noirs mi-longs. Comme ses parents sont mexicains, il avait une belle allure de Latino. Il était tellement beau ! Je me souviens surtout de ses bras, les plus beaux bras que j'aie vus, avec des veines qui semblaient tracer une carte routière sous sa peau.

Pendant les cinq jours que nous avons passés ensemble, Peter et moi avons fait de grandes promenades et avons beaucoup discuté. Nous avons tissé un véritable lien. Il m'a dit qu'il avait commencé à faire de la randonnée à l'âge de seize ans : « Pendant ma première excursion avec un ami, il s'est mis à pleuvoir très fort. J'étais assis près d'un ruisseau au fond des bois, dans mes vêtements détrempés, et je me disais que c'était l'expérience la plus extraordinaire que j'avais jamais vécue. À partir de ce moment-là, j'ai toujours voulu fuir la ville, me déplacer à travers le territoire en allant sans cesse d'un endroit à l'autre. »

Peu de temps après, Peter effectuait des randonnées de plus de 600 kilomètres en trois ou quatre semaines, poussé par la curiosité. « J'étais seul et j'accumulais joyeusement les kilomètres, tout simplement, en les engloutissant à mesure que j'avançais. »

À vingt ans, il a traversé les États-Unis à vélo, inspiré par sa lecture de *Blue Highways* de William Least Heat-Moon. Pendant une période difficile de sa vie, cet auteur, alors âgé de trente-huit ans, a conduit une camionnette sur près de 21 000 kilomètres en suivant les routes de l'Amérique rurale colorées en bleu dans son atlas Rand McNally. Pendant son périple à vélo, Peter, tout comme Heat-Moon, a rencontré bien des gens qui sortaient de l'ordinaire, qui appartenaient en particulier à la culture hippie. «Tous ces gens m'ont rendu l'Amérique sympathique, tout en me montrant différents modes de vie, des façons de mener une existence saine et libre.» C'était important pour Peter, parce qu'il n'avait entendu que des critiques négatives des États-Unis lorsqu'il était enfant et qu'il voyageait en Europe avec ses parents. Il se demandait pourquoi le reste du monde détestait les Américains.

La famille de Peter allait également au Mexique chaque année. Ces voyages l'exposaient à la pauvreté. Il était à la fois intrigué et effrayé de découvrir d'autres modes de vie. Un peu plus vieux, il a fait le tour de l'Amérique latine et il a appris à quel point les gens qui possèdent peu de richesses peuvent être généreux et ouverts.

Peter était mon type d'homme, et je me suis sentie triste lorsque j'ai dû m'en aller pour retourner m'entraîner en vue de la saison d'été 1997. Je ne savais pas comment on pourrait reprendre contact ni si on allait le faire. Même si j'ai vraiment apprécié sa présence, il avait onze ans de plus que moi – trente-cinq ans alors que j'en avais vingt-quatre – et j'ai cru qu'il m'avait trouvée trop jeune, trop stupide, pas assez mature.

Notre amie commune, tentant de jouer l'entremetteuse, m'a demandé ce que je pensais de Peter. J'ai ri : «Tu plaisantes, n'est-ce pas?»

Ça m'a étonnée lorsque j'ai reçu une lettre de la part de Peter, peu de temps après qu'on s'est quittés.

> *Clara, j'ai vraiment aimé passer du temps avec toi, et je suis triste qu'on ne puisse pas faire toutes les choses dont on a parlé ensemble, comme faire cuire du pain ou préparer du pesto.*

J'ai pensé : *Wow, on dirait qu'il m'aime bien.* Je lui ai répondu et on a correspondu de temps en temps.

Clara, merci de m'avoir écrit. C'est une drôle de journée, ici, à Halfway, en Oregon. Les averses ont transformé le pied et demi de neige qu'il y avait dans la vallée en un gros bol de purée de pommes de terre bien épaisse, qui pourrait nourrir la Terre entière. Tout le monde est invité, mais il faut apporter sa propre crème sure et sa ciboulette. Viens-tu ?

En décembre 1996, après être retournée à Hamilton, j'ai reçu une lettre de Peter qui me disait qu'il planifiait une marche dans la péninsule de la Basse-Californie, au Mexique, en début d'année. *Une marche ? De quoi il parle ?* Psychologiquement, ça n'allait pas très bien. J'étais déprimée à propos de mon poids et de la vie en général, et la lettre de Peter m'a ramenée à la beauté et à la paix du ranch en Oregon. J'ai pensé : *C'est peut-être censé être quelque chose de spécial.*

Cette année-là, je devais fêter Noël avec mon ancienne colocataire et amie Catrien Bouwman à Meaford, près de la baie Georgienne, en Ontario. J'ai lu la lettre de Peter à Catrien, puis je lui ai demandé : « Qu'est-ce que tu penses de ce gars-là ? »

Elle m'a dit : « Clara, il faut que tu découvres qui il est. Vas-y. »

Je suis donc allée à Boise, en Idaho, la ville la plus proche de Halfway, où Peter passait l'hiver. Il partirait pour la Basse-Californie une semaine plus tard. On a parlé et marché, et encore parlé, puis il m'a initiée au camping motorisé dans son minibus Volkswagen 1973. Lorsqu'on s'est éloignés dans la forêt, j'ai été estomaquée : « On va dormir ici ? Qu'est-ce qu'on va faire si un animal arrive ? »

Peter m'a regardée avec l'air de dire : « Es-tu sérieuse ? », mais il m'a patiemment rassurée en me disant que tout irait bien.

Et bien entendu, il avait raison. J'ai vraiment aimé le camping, et il a apprécié le fait que je sois ouverte à la nouveauté.

Peter est né à Albany, en Oregon, en 1961. C'est le benjamin d'une famille de trois enfants. Son père Elías est né aux États-Unis, mais il a grandi dans un ranch dans l'État mexicain du Michoacán. Elías n'avait que huit ans lorsque des hommes sont venus voler le cheval de son père. Il a entendu des coups de feu et a trouvé son père mort sur la véranda. Il n'avait qu'une deuxième année de scolarité. Avec le décès de son père, le ranch familial est devenu plus vulnérable : ils se faisaient régulièrement voler des vaches, des cochons et d'autres animaux. Sa mère n'a eu d'autre choix que de partir. Elle a emmené ses enfants à Mexico.

La mère de Peter, Graciela Micaela Bravo De La Campa, surnommée Mica, a grandi à Mexico. C'était la fille d'une famille respectée qui possédait et régissait deux importantes salles de cinéma dans la capitale. Mica avait un diplôme universitaire et sa sœur avait été l'une des premières femmes à avoir décroché un permis pour motocyclette.

Elías a rencontré Mica alors qu'il travaillait dans une salle de billard qui appartenait également à la famille de Mica. Ils sont tombés amoureux et se sont mariés. Comme Elías ne pouvait pas travailler légalement au Mexique en raison de sa citoyenneté américaine, ils ont déménagé en Oregon où ils ont fondé leur famille. Elías a trouvé un emploi dans une usine de contreplaqués, où il a travaillé la majeure partie de sa vie. C'était un homme qui aimait travailler fort, et il n'a pas voulu prendre sa retraite avant d'atteindre soixante-cinq ans.

Peter a été élevé en espagnol par sa mère et en anglais par son père. Il a obtenu un diplôme en télécommunications à l'Université d'État de l'Oregon. Pendant la décennie suivante, il travaillait de trois mois et demi à quatre mois par hiver dans des stations de ski. Le reste du temps, il était libre de voyager. Il a choisi ce mode de vie et, bien qu'il lui ait été difficile de faire durer l'argent pendant autant de mois, il ne l'a pas perçu comme un fardeau. Au contraire, il vivait sur la route une vie unique, très créative, et qui le récompensait amplement.

Peter travaillait suffisamment pour pouvoir voyager et ne voyait pas la nécessité de travailler davantage afin de vivre d'une manière dictée par la société. Il n'a jamais eu de problème à se trouver du travail après des mois passés à pédaler dans des endroits tels le Pakistan, l'Amérique centrale et l'Amérique du Sud, l'Europe et l'Afrique du Nord, ou encore à faire de la randonnée sur le Pacific Crest Trail et le Continental Divide Trail. Quand il travaillait, il faisait du ski pendant plus de cent jours tous les hivers. Je n'avais jamais rencontré quelqu'un comme lui.

Pendant la semaine qu'on a passée à Halfway, Peter et moi avons discuté de tous les aspects de nos vies et partagé des choses toutes simples, comme cuisiner. C'était la plus belle personne que j'avais jamais rencontrée. Les expériences qu'il avait vécues dès son plus jeune âge lui avaient permis de développer beaucoup de compassion pour ceux qui devaient se battre pour mener une vie décente.

J'aimais être avec Peter, même si son énergie positive ne pouvait rien changer à mon impression de ne pas valoir grand-chose. Je me sentais toujours aussi nulle.

Comme je ne savais pas comment exprimer mes émotions, lors de notre avant-dernier jour ensemble, j'ai écrit une lettre à Peter pour lui faire part de mes sentiments à son égard.

Il m'a répondu : « *Clara, je ressens la même chose pour toi.* »

Peter est parti avec son sac à dos bien rempli en vue de sa randonnée en Basse-Californie, et je suis retournée à l'entraînement dans le but de redevenir une athlète, pas parce que c'est ce que je voulais, seulement parce que j'étais encore sous contrat avec l'équipe de cyclisme Saturn. J'ai acheté le livre *Into a Desert Place: A 3000 Mile Walk Around the Coast of Baja California* de Graham Mackintosh pour vivre le voyage de Peter par procuration. Comme Mackintosh était inexpérimenté, il devait invariablement surmonter des difficultés. Je m'inquiétais pour Peter, jusqu'à ce que je reçoive une autre lettre extraordinaire de six ou sept pages, écrite à la main, qui racontait des histoires au sujet des gens qu'il rencontrait, de leur culture et des paysages. Chacune des lettres de Peter me transportait. Elles m'amenaient loin des courses, que j'en étais venue à détester. Elles me permettaient de passer du temps avec une personne que j'étais heureuse de connaître, quelqu'un qui vivait quelque chose de si excitant et de si intime, alors que j'étais toujours exposée à l'opinion publique.

* * *

Au printemps, une des lettres bien particulières de Peter est arrivée à Hamilton, en Nouvelle-Zélande, après que je suis retournée en Californie m'entraîner avec mes coéquipiers de Saturn. Une amie me l'a envoyée en Californie, mais à la mauvaise adresse. Je m'apprêtais à partir pour la Nouvelle-Zélande, où j'allais courir, et je voulais absolument cette lettre, j'avais besoin de cette lettre, j'en avais besoin immédiatement. Je me suis rendue à l'adresse où on m'avait dit qu'elle avait été livrée et je l'ai vue, ma lettre, juste là, sur le seuil de porte, alors je l'ai prise et je l'ai lue. Ce moment-là, la lecture de la lettre de Peter, a été l'un des plus heureux que je vivrais d'ici un bon bout de temps.

Pendant le Tour cycliste féminin de la Nouvelle-Zélande, qui se tenait tout près de Hamilton, j'ai eu l'occasion, comme bien des fois auparavant, de me rappeler à quel point le monde du cyclisme pouvait être cruel.

Ma coéquipière Dede Demet et moi, ainsi qu'Ina-Yoko Teutenberg qui faisait partie de l'équipe nationale allemande, nous travaillions ensemble pour rattraper le peloton. En amorçant un virage sur une descente abrupte, alors que nous roulions à environ soixante kilomètres à l'heure, on a soudainement aperçu les corps lacérés d'une douzaine de coureuses étalés sur la route et le long de la rambarde de sécurité.

Dede a réussi à dépasser l'accident, mais comme des gens traversaient la route pour venir en aide aux blessées, Ina-Yoko et moi n'avions nulle part où aller. Lorsque j'ai essayé de me faufiler dans la foule, j'ai percuté de plein fouet une cycliste sud-africaine et j'ai été projetée dans les airs par-dessus mon vélo, comme Superman prenant son envol vers le ciel.

Je me suis relevée en vitesse, en pensant : *Je suis peut-être correcte.* J'ai ensuite remarqué que je saignais. J'ai enlevé mes lunettes de soleil Oakley. Elles étaient couvertes de sang. Je les ai jetées sur le sol et j'ai commencé à crier, parce que j'avais toujours eu très peur de me couper au visage.

Ina-Yoko, qui avait une formation militaire en tant qu'infirmière, a vu que j'étais en état de choc. Même si elle était plus petite que moi, elle m'a attrapée par les bras en me disant : « Clara, tu t'es fait mal, mais ça va aller. »

Elle a ramassé mes lunettes et mon vélo. Le frein avant s'était déplacé, mais le vélo n'était pas brisé.

Ina-Yoko m'a dit : « Maintenant, vas-y. Pédale. Finis la course. »

J'ai roulé les dix kilomètres qui restaient à la course sur ce vélo, avec un mal de tête lancinant, le visage entaillé et ensanglanté. Le directeur de l'équipe, René Wenzel, un homme fort et imposant, est devenu tout pâle en me voyant. C'est à ce moment-là que j'ai commencé à pleurer à chaudes larmes, mes blessures encore béantes.

Dans une clinique, au village le plus proche, le docteur nous a dit : « Je dois être honnête avec vous. Je soigne généralement des animaux. Vous devriez vous rendre en ville. »

Une ambulance m'a conduite en ville. Une autre fille était couchée à mes côtés, une Australienne dont la clavicule était brisée. Elle gémissait : « J'étais tellement forte, avant. Maintenant, je ne sais même pas si je pourrai continuer à faire du cyclisme de compétition. »

Je l'ai fixée, le visage plein de sang. « Es-tu folle ? Tu devrais être heureuse d'être en vie ! »

Elle semblait incapable de comprendre que la vie valait plus que n'importe quelle course.

Le chirurgien a suturé mes blessures avec une telle dextérité que je m'en suis sortie avec seulement quelques minuscules cicatrices. Pendant une escale de onze heures à l'aéroport de Los Angeles, pendant le vol de retour à la maison, un homme regardait fixement mon œil au beurre noir et mon visage enflé et couvert de points de suture. Il m'a demandé : « C'est qui, le salaud qui t'a fait ça ? »

Ce « salaud », c'était le vélo de course.

De retour à Hamilton, en Ontario, j'ai appris que Peter était à Tijuana et que son incroyable aventure en solitaire était terminée. Je l'ai convaincu de prendre l'avion jusqu'à Toronto, puis je suis allée le chercher à l'aéroport dans un camion que j'avais emprunté à mon ancienne colocataire, Tracy Jolley. Peter était épuisé après avoir marché dans des déserts arides et, moi, j'essayais de peine et de misère de m'entraîner et de faire des courses même si j'étais profondément déprimée. Mon visage était guéri, mais mon moral était encore mal en point. On est restés tranquilles, on s'est promenés en ville, on a acheté des fruits et des légumes frais, et cuisiné de délicieux repas. On tentait toujours de comprendre ce qu'on représentait l'un pour l'autre et comment on allait pouvoir être ensemble. La dernière chose que j'avais envie de faire était de m'entraîner. Je ne pensais qu'à être avec Peter. C'était le seul élément positif dans ma vie.

Un jour, Peter et moi avons conduit jusqu'à Peterborough dans le vieux camion rouillé de Tracy, pour nous rendre à un critérium dans les environs de Bobcaygeon. Je me rappelle être assise dans le taxi stationné devant la maison où on allait rester en attendant que quelqu'un se présente avec les clés, à boire du vin dans une bouteille d'eau en plastique que Peter avait coupée en deux. Je suis arrivée troisième dans la course, en compétition avec des hommes. J'ai gagné 80 dollars que j'ai utilisés pour m'acheter une poivrière Peugeot que j'ai encore aujourd'hui.

Comme je voulais que Peter rencontre Mirek, j'ai invité mon entraîneur à souper. Mirek l'a complètement ignoré. Il l'interrompait lorsque Peter parlait, ne le regardait pas et ne lui posait aucune question. Je n'avais jamais vu Mirek agir ainsi auparavant ou, si je l'avais vu, j'avais refusé d'enregistrer l'information. C'était si étrange d'observer le déroulement de cette soirée.

Plus tard, Peter m'a demandé: « C'est qui, cet homme-là? Il a une énergie tellement négative. » Il n'a rien dit de plus. Ce n'était pas nécessaire, parce que cette remarque venait de m'ébranler suffisamment pour que je commence à voir Mirek avec la même objectivité que Peter et que bien d'autres personnes dans mon entourage.

Après le départ de Peter, pourtant, j'ai continué à m'entraîner avec Mirek, qui voulait exercer un contrôle absolu sur moi. Je me sentais humiliée, grosse et bonne à rien, à la fois en raison de ce qu'il me disait et de la façon dont il me regardait. J'avais entendu d'autres cyclistes parler de la boulimie comme méthode de contrôle du poids. J'ai donc essayé de me faire vomir, mais je n'y arrivais même pas. J'étais une boulimique ratée.

En raison de douleurs chroniques aux chevilles, je faisais deux heures de route aller et retour pour me rendre chez un physiothérapeute à Mississauga. Ma tête, mon cœur et mon moral étaient meurtris, mais, plutôt que de l'admettre, je laissais plus volontiers les douleurs physiques se manifester.

Contrairement aux expériences romantiques que vivait Peter en parcourant l'Amérique hors des sentiers battus, celles que j'endurais en m'entraînant avec Mirek n'étaient ni inspirantes, ni même acceptables. Je pensais souvent à Peter, qui continuait à m'écrire lettre après lettre et qui m'invitait en Oregon. Pendant ce temps, je remplissais toutes les pages de mon journal intime avec de sombres histoires qui relataient mon voyage abrutissant vers nulle part.

18 avril 1997

Une autre chambre de motel bas de gamme, une autre petite ville américaine. La vie prestigieuse d'une cycliste. Ouais, c'est ça... Je me demande comment des gens qui passent autant de temps seuls pourront arriver à coexister. Il nous faudra trouver l'équilibre entre la solitude, nécessaire en certaines occasions, et la beauté potentielle de l'intimité.

19 avril 1997

Je suis encore assise dans cette chambre. Tout ce que je veux, c'est rentrer à la maison. Être à la maison. L'épuisement d'hier et la douleur d'aujourd'hui. Je m'attends à ressentir au moins un peu de motivation lorsque la course commencera. Je ne peux pas rester réveillée plus longtemps.

14 mai 1997

Les difficultés de l'éloignement me pèsent. J'ai déjà parlé deux fois à Peter, et le doux son de sa voix et son calme me rappellent à quel point je suis chanceuse de connaître cet homme magnifique. Depuis le début de ce voyage, je ne cesse de me demander combien de temps je vais continuer à faire ça, de la course. Mon cœur est ailleurs. La chambre a une odeur d'humidité et de renfermé. Les sons de la rue se faufilent à travers la fenêtre.

J'ai décidé de m'éclipser sans le dire à Mirek pour rendre visite à Peter à Halfway, en Oregon.

20 mai 1997, Baker City, Oregon
Je me sens privilégiée d'être ici, je peux me reposer, me relaxer et récupérer. Mon seul stress réside dans l'appel que je dois faire au bon vieux Mirek. Il sera fâché d'apprendre que je suis ici et, peu importe quelle explication je pourrai lui donner, il ne comprendra pas pourquoi j'ai fait ce voyage, pourquoi je me suis enfuie dans ce monde dont j'ai tellement besoin alors que je suis soumise au chaos de la compétition et à l'univers superficiel du sport. Un univers petit et faux. J'ai hâte de voir le sourire de Peter et de sentir son énergie positive.

24 mai 1997, Halfway, Oregon
Peter entre dans la chambre et mon corps s'envole jusqu'à lui, le projetant sur la porte! De la musique, du vin rouge et le son de la pluie contre la vitre. Tout ce que je dois faire, pour le reste de ce séjour (potentiellement) merveilleux, c'est profiter de chaque instant.

De retour à l'entraînement, mes idées noires ont étouffé tout sentiment de paix et d'accomplissement.

3 juin 1997
Pourquoi est-ce que je déteste autant mon corps? Pourquoi est-ce que je me sens piégée sous ces couches de chair? Je ne peux pas accepter cet être physique tel qu'il est. Je suis dégoûtée par mon manque de contrôle, par les bourrelets qui recouvrent mon corps. Ça me fait mal, et je me sens coupable de manquer de confiance en moi. Mon estime repose uniquement sur mon taux de graisse corporelle. IL FAUT QUE JE CESSE DE PENSER AINSI pour pouvoir enfin me sentir libre d'exister. Je veux vivre. Peut-être qu'il est temps d'essayer... Je suis chanceuse d'être aimée. D'être aimée par ma famille,

par mes amis. De sentir que Peter et moi partageons une intimité et de pouvoir commencer à exprimer mes sentiments à quelqu'un d'autre.

8 juin 1997
De retour dans les bas-fonds de Kutztown, en Pennsylvanie. Je continue à remettre en question la durée de mon séjour dans le monde des athlètes. Combien de temps encore vais-je endurer cette mentalité sans intérêt ? Jour après jour. Heure après heure. Minute après minute.

Un jour, alors que Mirek et moi traversions Kutztown en voiture pour nous rendre à notre camp d'entraînement en Pennsylvanie, on est passés à côté d'un itinérant aux cheveux longs.

Mirek s'est retourné vers moi en s'exclamant : « Hé, Clara, c'est ton copain ! »

Je l'ai dévisagé : *C'est impossible que tu aies vraiment dit ça.* Je lui ai demandé de répéter.

Il a dit : « Le sans-abri, il ressemblait au gars que tu fréquentes. »

Son sarcasme m'a piquée au vif. J'ai pensé : *Là, j'en ai vraiment assez !*

* * *

Au camp d'entraînement, en Pennsylvanie, Mirek a continué à m'insulter à propos de mon poids. Ma coéquipière Dede se souvient de m'avoir vue prendre du fromage dans le réfrigérateur pendant que Mirek me lançait, depuis l'autre bout de la pièce : « Regarde la grosse qui prend son fromage dans le crisse de frigo ! »

Dede était saisie, mais elle a ajouté : « Mirek avait quand même l'air de rigoler en disant ça. » Elle m'a également confirmé que Mirek n'avait pas été content lorsqu'elle avait commencé à sortir avec Michael Barry, son futur mari, parce qu'il croyait que son attention n'allait plus être centrée sur l'entraînement.

De toute évidence, Mirek avait pour seul objectif de gagner, ce qui n'était pas pour moi une raison suffisante de faire des courses. Une personne qui réussit est censée être heureuse, mais le vélo – ainsi que l'entraînement, la culture et le style de vie qui s'y rattachent – alimentait plutôt ma négativité et mon désespoir. J'ai pris la décision de couper les ponts avec Mirek et de cesser de pratiquer le sport qui avait défini ma vie pendant huit ans. Je ne savais tout simplement pas comment et quand le faire.

19 juillet 1997

De retour à la maison à Hamilton avec Mirek. Je n'ai pas envie de l'affronter, mais je sais qu'il le faut. Je veux qu'on me laisse seule, je veux pouvoir regarder les choses en face, cesser de fuir. Je vais faire de mon mieux. Il faut que je sois ferme. Forte. Il faut que je sois MOI-MÊME !

21 juillet 1997

J'ai parlé à Mirek ce matin. Il m'a dit la même chose que d'habitude, sur le fait que je ne devrais pas arrêter l'entraînement, car j'aurai du mal à m'y remettre. Il voulait que j'aille à son camp en altitude au mois de septembre. J'ai dit non. J'ai tenu bon et j'ai dit ce que je pensais. Il a rejeté certains de mes arguments, mais je n'ai pas cédé. Je sais que nous ne travaillerons probablement plus ensemble à l'avenir. Il travaille fort et il donne énormément de lui-même, mais je ne veux plus avoir à supporter ses petits jeux, son ego ou sa jalousie lorsque j'écoute les conseils de quelqu'un d'autre. Je n'ai pas l'énergie de subir ça, et c'est à moi de me retirer de cette ambiance de compétition continuelle et intense qui épuise toutes mes forces.

* * *

J'étais prête à passer à autre chose, mais j'accordais encore de l'importance à la dette considérable que j'avais à l'égard de Mirek. Il avait été là depuis le début. Il m'avait mise au défi, il m'avait donné envie de devenir bonne dans ce que je faisais. C'était important pour moi, parce que tout avait toujours été tellement nul dans ma vie. J'ai du mal à croire que quiconque pouvait être plus intense ou s'investir davantage pour moi. Il voulait que je sois bonne pour lui, et seulement pour lui, mais c'était à moi de gérer ce problème-là, pas à lui. Mirek m'a obligée à changer, et je lui en suis reconnaissante. L'entraînement n'aurait pas dû être aussi brutal, mais j'étais tellement perdue et sans but que c'était peut-être nécessaire, finalement. Je sais que certaines personnes pourraient percevoir ce raisonnement comme une justification, mais, même si j'ai vécu des choses difficiles en m'entraînant avec Mirek, j'ai vécu des choses difficiles toute ma vie avant de le rencontrer. Tout ce que j'ai continué à affronter en tant qu'être humain existait déjà avant Mirek, et c'est moi qui ai fait en sorte que ça se poursuive à travers lui.

* * *

J'ai pris l'avion jusqu'à Winnipeg pour passer deux jours avec ma famille. J'étais contente de rentrer à la maison, mais l'expérience m'avait appris que, deux jours, ce serait une demi-journée de trop. J'étais tannée d'avoir à écouter de vieilles doléances simplement parce que j'étais un public raisonnablement nouveau. Lors de ces visites, mon père insistait souvent pour m'emmener au bar, où il me présentait à ses amis. Même s'ils étaient tous des gens honnêtes et travaillants, j'éprouvais une certaine rancœur envers eux et un dégoût pour l'ambiance du bar, car c'était cet environnement et ces personnes qui faisaient boire mon père et qui entretenaient son alcoolisme. Encore aujourd'hui, les bars me rendent mal à l'aise.

Lors de ce voyage, comme toujours, je souriais sans cesse pendant mes visites obligées, tout en souhaitant que tout le monde se taise.

Je venais également pour une mission officielle : l'inauguration, le 22 juillet, du terrain de jeux pour enfants Clara Hughes. J'étais submergée par les enfants, et ils voulaient tous voir mes médailles. Lorsque je leur ai dit : « Touchez-les, prenez-les dans vos mains », ils étaient surpris. Ils me regardaient avec leurs visages innocents, leurs yeux innocents. Certains d'entre eux m'ont donné des bijoux en plastique en cadeau. Je me sentais bizarre, presque gênée qu'un parc porte mon nom, même si j'étais contente que les enfants aient un endroit où jouer. J'avais préparé un discours, mais j'ai renoncé à le lire pour laisser parler mon cœur. J'ai même vu quelques larmes couler dans le public.

Ensuite, le dévoilement de la plaque a eu lieu, avec une image de moi gravée dans le bronze. Vraiment très étrange !

* * *

J'en étais moi-même surprise, mais c'était avec mon père que j'avais le plus envie de parler de ma relation avec Mirek. Il m'avait toujours donné de bons et judicieux conseils. Il comprenait que le lien de confiance entre Mirek et moi était rompu, et que ce serait inutile de tenter de le reconstruire.

Le conseil de mon père était le suivant: «On ne peut pas faire entendre raison à ce genre de personne. Ça ne sert à rien de lui parler. Le mieux que tu puisses faire, c'est de lui écrire une lettre. »

J'ai rédigé la lettre, puis je l'ai lue à mon père. Il m'a aidée à trouver les mots justes et les émotions qu'ils renferment. J'ai mis la lettre à la poste et j'ai attendu.

Quelques jours plus tard, le téléphone a sonné.

C'était Mirek. Il m'a traitée de lâche, puis il m'a lancé: «Va donc crever en enfer! »

C'était horrible, mais c'était terminé.

Freiner

Je devais aller m'entraîner avec l'équipe nationale dans un camp à Victoria. Dans la salle de bain de l'aéroport de Vancouver, alors que j'attendais mon vol de correspondance, j'ai senti un poids énorme s'abattre sur moi. Je suis entrée dans une des cabines et j'ai pleuré sans pouvoir m'arrêter, inondée par des vagues de détresse. Je ne savais pas où j'étais. Je ne savais pas qui j'étais. J'avais l'impression d'être grosse et d'avoir perdu la forme, et je ne pouvais pas supporter l'idée de m'entraîner là où des gens pourraient me voir. J'avais également des douleurs chroniques à la cheville, qui ont été diagnostiquées par la suite comme étant une tendinite.

Au camp, je me suis rendue à l'examen physique de routine avec le médecin de l'équipe, Gloria Cohen. Elle a senti ma détresse et m'a demandé : « Clara, qu'est-ce qui se passe ? Tu as l'air triste. Veux-tu en parler ? »

Je me suis remise à pleurer. Je lui ai dit que je ne savais pas ce qui n'allait pas, mais que je n'arrivais pas à m'entraîner.

Elle m'a répondu : « Il existe des façons de passer au travers de ce que tu vis. » Elle a parlé de dépression, de médication et d'autres options.

Je me suis dit : *Je ne suis pas comme ça. Je ne fais pas partie de ces gens-là.* J'ai insisté : «Je ne suis pas déprimée.»

J'ai quitté la Dre Cohen envahie par une vague d'indignation hypocrite : *Qui lui a donné le droit de décider que j'avais un problème ?*

Mais j'avais bel et bien un problème. Je savais que je ne pourrais pas m'entraîner comme j'étais habituée à le faire, soit à fond tout le temps, et je ne pouvais plus blâmer Mirek pour le vide et la haine de moi-même que je recelais. Peter continuait d'être le seul aspect positif de ma vie.

Je suis retournée à Hamilton au milieu de l'été 1997. Je ne voulais plus jamais avoir à poser les yeux sur mes vêtements de vélo, mes maillots de victoire, mes uniformes et tout mon équipement de cyclisme, alors je les ai mis dans le camion de Tracy et je suis allée les donner à des organismes de charité. J'ai dit à l'équipe Saturn que j'avais besoin d'un congé de maladie pour ma tendinite chronique et je suis partie rejoindre Peter en Californie pour commencer une nouvelle vie.

* * *

Peter m'a initiée à la haute altitude de la petite ville désertique de Bishop, en Californie, d'où l'on peut voir la Sierra Nevada et les montagnes Blanches. On a loué un chalet qu'on a meublé avec de vieux articles sans valeur achetés dans une vente-débarras. Ils avaient appartenu à un alpiniste qui était mort dans un accident d'escalade, ce qui n'était malheureusement pas rare dans le coin. En guise de lit, on utilisait nos minuscules matelas de randonnée.

Avec le recul, je me rends compte du sacrifice qu'il a fait. Au lieu de vivre sa passion pour le voyage, il est resté avec moi. Il faisait tout : il partait faire le lavage dans une buanderie du coin tout comme l'épicerie, en plus de courir des milliers de kilomètres à vélo à mes côtés. Il m'a permis de me préparer pour la saison à venir en essayant de me tirer des pensées noires que je n'arrivais pas trop à dissimuler.

Tout s'est calmé pour moi après le tourbillon fou et incessant de la compétition. J'ai partagé avec Peter les livres des auteurs canadiens avec lesquels j'avais grandi : Michael Ondaatje, Al Purdy et Margaret Laurence, en particulier son récit de voyage en Somalie, *The Prophet's Camel Bell: A Memoir of Somaliland*, que je considérais comme un des meilleurs textes jamais écrits. Peter m'a initiée à Jack Kerouac, à Hunter S. Thompson et à la philosophie de Bruce Lee. Mais avant tout, il a partagé avec moi les textes de Joseph Campbell, qui a eu à ce jour un énorme impact sur moi.

Après que j'ai quitté l'environnement malsain du cyclisme, mon tendon a rapidement guéri, ce qui prouvait qu'il s'agissait d'une blessure psychologique qui s'était manifestée physiquement. Peter et moi avons fait une randonnée de dix jours sur le sentier John Muir, dans la High Sierra. Nous étions seuls, plongés dans cette mer de granite à haute altitude. C'était ma première randonnée de longue distance, qui s'étalait sur environ 265 kilomètres en passant par de magnifiques sommets enneigés, des lacs sur lesquels se réfléchissait le paysage, des ruisseaux qui tombaient en cascade et des forêts de pins odorantes, le tout au-dessus de 8000 pieds d'altitude, jusqu'au mont Whitney, à 14 500 pieds.

Peter et moi sommes devenus très proches l'un de l'autre. Nous partagions les mêmes valeurs. Nous détestions tous les deux la structure et la routine. Nous étions tous les deux très physiques et mus par une curiosité enthousiaste pour la vie. J'étais plus extravertie et sociable, alors que Peter était plus réservé, ce qui faisait de nous un duo équilibré. Je voudrais pouvoir dire que j'étais parfaitement heureuse. Que j'avais retrouvé une certaine tranquillité d'esprit. Mais même si j'aimais Peter, je ne pouvais pas fuir ma propre existence. Plus profondément, tout ce que je vivais n'était qu'une façon de me distraire de la tristesse et de la solitude qui continuaient à me peser. J'avais parfois l'impression d'être une bombe à retardement.

J'ai parlé de Peter à mon père. Celui-ci avait hâte de rencontrer cet homme dont sa fille était amoureuse, alors il nous a rendu visite pendant une semaine à Bishop. À peine arrivé, il a entrepris de réorganiser notre chalet et a transformé notre cuisine en un fouillis épouvantable. Je me rappelle m'être réveillée, un matin, et m'être aperçue qu'il était déjà debout depuis des heures et qu'il faisait d'énormes trous dans le mur en y clouant tous nos ustensiles. Je lui ai dit : « Papa, Peter et moi, on vit ici. C'est quelque chose de collectif. Tu ne peux pas juste venir ici et réorganiser notre maison quand tu en as envie. »

J'ai retiré toutes nos casseroles du mur, ce qui a fâché mon père, mais il a vite tourné la page et, quand je l'ai conduit à l'aéroport de Reno, il m'a donné un cadeau inattendu. Il m'a dit : « Clara, peu importe ce qui arrive, n'essaie pas de changer Peter. C'est un vrai prince. »

Étant donné la façon dont la plupart des pères percevraient notre style de vie alternatif, c'était franchement remarquable. Ça reflétait également avec sincérité les valeurs de mon père. J'étais vraiment contente qu'il comprenne Peter. À partir de ce jour-là, chaque fois qu'on se parlait, il me demandait : « Comment va ton prince ? »

À ce moment-là, j'avais déjà eu l'occasion de rencontrer les parents de Peter, Elías et Mica. Lors d'une course à laquelle j'avais participé en Oregon, ils étaient venus me voir courir et, plus tard, je leur avais rendu visite avec Peter à Albany. Je les ai immédiatement aimés, et ils se sont montrés fiers de mes réussites. Le père de Peter m'a traînée chez le barbier, à l'épicerie et à la banque pour montrer mes médailles olympiques à tout le monde, en disant : « Voici Clara, c'est la copine de mon Peter. »

Les parents de Peter étaient des catholiques mexicains, alors Elías m'a fait savoir que j'allais coucher dans un lit de camp dans le salon, tandis que Peter retrouverait sa propre chambre. Les gens non mariés ne dormaient pas ensemble dans leur maison !

Michael, le frère de Peter, était avocat, et sa sœur Vivian élevait sa famille en Italie. Lorsque Peter est venu au monde, c'était le dernier-né, et je crois que ses parents étaient quelque peu épuisés par leur rôle. Ainsi, il n'y avait que très peu de photos de lui enfant, alors que j'en ai vu plusieurs de son frère et de sa sœur. Peter était satisfait de cette situation, parce qu'il avait eu plus de liberté pour faire ce qu'il voulait, exactement comme ça avait été le cas pour moi. Par chance pour ses parents, il avait fait des choix sains. Mica savait que Peter était heureux, et elle l'encourageait toujours en lui disant : « *Quinto que tengo, quinto que gasto* », ce qui pourrait se traduire par : « Quand j'ai cinq cents, je dépense cinq cents ». En raison de son expérience avec l'entreprise familiale, elle avait trop souvent connu des gens qui ne cherchaient qu'à trouver le moyen de s'emparer de ses économies. Elle disait qu'il valait mieux profiter de ce qu'on a. Pourquoi économiser tout cet argent puis s'inquiéter à propos de placements qui se transforment souvent en pertes ?

Elías avait eu du mal à accepter le mode de vie de son fils, mais je crois qu'il s'y était fait parce qu'il pouvait voir à quel point le soutien de Peter contribuait à ma réussite. Elías adorait le sport, il était très fier de tous nos exploits. Même si Peter et moi ne dépendions pas de l'approbation de nos parents, nous étions heureux de l'avoir.

* * *

J'ai recommencé à faire du vélo pour la saison 1998 et je me suis entraînée pendant deux mois avant de devoir abandonner de nouveau. L'accident de l'année précédente en Nouvelle-Zélande m'avait fait prendre conscience une fois de plus des dégâts physiques et émotionnels que pouvait engendrer le cyclisme. Je me suis également rappelé la conversation avec le médecin de l'équipe nationale, qui m'avait demandé si je souffrais de dépression. J'avais violemment nié cette possibilité à l'époque, mais je commençais à reconnaître que ce mot pouvait décrire la tristesse, la solitude et le désespoir qui m'accablaient parfois, même lorsque j'aurais dû être plus heureuse que jamais. Je ressentais le besoin impératif de me retirer du sport pour guérir, mentalement et physiquement.

Je me suis acheté une caravane rétro, une Corvette 1957, pour 350 dollars, et j'ai dépensé 1000 dollars en matériaux et en cachet pour engager un menuisier qui m'aiderait à la rénover. Je pouvais rêver, libérée du sport pour la première fois de ma vie adulte. Je croyais que Peter et moi pourrions vivre sur la route, dans notre bulle argentée. Elle mesurait onze pieds sur sept pieds, ce qui était parfait pour notre mode de vie minimaliste. On l'avait attachée derrière une camionnette Toyota d'occasion et on la laissait à Bishop, chez des amis, lorsqu'on n'allait pas camper dans les vastes forêts et les grands espaces de la Californie.

De retour à Bishop, Peter et moi avons discuté de ce qu'on voulait faire, peut-être un voyage au Népal ou en Inde. On a acheté un paquet de livres sur des endroits qui pourraient nous aider à prendre un nouveau départ et on les a lus avec avidité. On a peint la maison d'un couple d'amis et on a mis l'argent ainsi gagné de côté. C'est à ce moment-là que Peter m'a convaincue d'essayer quelque chose de nouveau, quelque chose que je n'aurais jamais pensé faire un jour : un voyage à vélo uniquement pour le plaisir.

On a décidé de partir en voyage quatre jours dans la vallée de la Mort. J'ai sorti l'équipement qui me semblait nécessaire à l'aventure, prête à remplir les sacoches sur les côtés, le guidon, l'avant et l'arrière de mon vélo. Puis j'ai regardé la petite pile de bagages que Peter avait l'intention d'apporter. Comme à son habitude, il ne m'imposait aucune consigne, parce que, selon lui, tout le monde devait apprendre par l'exemple. Cette fois-là, j'ai insisté : « Allez, je suis ta copine ! » Il m'a aidée à réduire mes effets personnels à *un seul* ensemble de vêtements de plein air, *un seul* ensemble de vêtements de vélo, et ainsi de suite, jusqu'à ce que je n'aie besoin que de sacoches à l'arrière de mon vélo.

On est partis vers midi.

J'étais passée de participante professionnelle au Tour de France à simple touriste au Tour de Dirt : quelle déchéance ! Je craignais toujours le pire, car il me semblait impossible d'éprouver du plaisir en pratiquant un sport que j'en étais venue à exécrer, mais j'avais tort. Les premiers kilomètres ont été très particuliers. Ma réticence s'est transformée en soulagement, puis en enthousiasme. Eh bien ! Le vélo pouvait être agréable ! Pas d'horaire d'entraînement. Pas d'effort, pas de pression. Pas de Mirek qui me crie : « Pousse plus fort ! Va plus vite ! » Profiter de l'aventure, tout simplement.

Au sud de Bishop, une route étroite mène à l'est, vers le désert aride de la chaîne de montagnes Inyo. Le paysage est parsemé de pins parasols et de bosquets de sauge, avec parfois un ou deux genévriers. Après la longue côte d'asphalte lisse, la chaussée disparaît au tournant de la lointaine Saline Valley. On a descendu un sentier dont la seule voie était jonchée de cailloux et de blocs de roches pendant cinquante-six kilomètres. Au loin, d'immenses montagnes viraient au mauve dans la lueur du soleil couchant.

Je me sentais euphorique.

Notre objectif était les sources chaudes de Saline Valley, une petite colonie composée de tentes et de vieux autobus transformés en roulottes. Alors qu'il faisait partie du parc national de la vallée de la Mort, ce campement était maintenu par une minuscule sous-culture de hippies vieillissants.

Arriver à Saline Valley, c'était comme pénétrer dans un autre monde, un monde qui grouillait de gens. Certains étaient habillés et d'autres se promenaient, confortablement, nus. Ça avait un côté amusant, mais on n'était plus seuls.

D'autres voyages à vélo ont suivi celui-là, notamment un voyage de camping dans le désert de la péninsule de la Basse-Californie. Pendant six semaines, on a roulé sur les petites routes poussiéreuses de l'intérieur de la péninsule, puis sur les routes cahoteuses de la côte. On a dormi sous les étoiles toutes les nuits. On a cuit tous nos repas sur des feux de bois. Ce sont ces six semaines magiques et paisibles à voyager sur des terres retirées du monde qui m'ont donné la volonté de reprendre le cyclisme.

J'ai pensé à toutes les choses stupides que j'avais faites pendant que je m'entraînais. Le processus en entier avait été intrinsèquement malsain et erroné. J'ai compris qu'un athlète pouvait s'entraîner de toutes sortes de manières différentes. Je me suis rendu compte que le vélo pouvait être plaisant et gratifiant, et que l'entraînement pouvait être fait de façon positive, contrairement à auparavant. J'avais envie de reprendre la course.

Un jour où nous étions tranquilles tous les deux, j'ai dit à Peter : « Je pense que je peux le faire, et je pense que je peux le faire de la bonne manière. »

Même s'il était déçu que j'aie à le quitter et à mettre fin au voyage, il a compris que mon choix était fait, alors il m'a encouragée, comme toujours. Pendant qu'il continuait son aventure, je suis retournée à Bishop, où je pourrais passer l'hiver dans la caravane Corvette, qui était stationnée derrière le garage de nos amis. C'est devenu mon camp de base pour recommencer mon entraînement de cycliste.

* * *

À la suite de mon retour à la compétition, ma première course s'est faite avec l'équipe Saturn, à la California's Redlands Classic. Il s'agissait d'une course à étapes d'élite de quatre jours, qui s'étalait sur environ 560 kilomètres et qui était limitée à 200 participantes. J'ai offert une bonne performance, mais, par la suite, je me suis épuisée en m'entraînant exagérément et en fournissant trop d'efforts, trop longtemps, trop intensément. Voilà ce que ça donnait d'être ma propre entraîneuse : j'étais aussi mauvaise que Mirek ! J'ai plutôt décidé de commencer à travailler avec Eric Van den Eynde. Après que j'ai gagné ma deuxième médaille à Atlanta, Eric m'avait prise à part pour me dire : « Tu sais, tu pourrais être encore meilleure que tu ne l'es déjà. »

J'avais pensé : *Va chier, mon gars, j'ai gagné deux médailles de bronze !*

Avec le recul, j'ai compris qu'Eric essayait de me dire que l'entraînement de Mirek m'épuisait et me rendait trop dépendante.

C'est ce qu'il m'a expliqué plus tard : « C'est comme si ton esprit était pris dans un carcan. Tu étais incapable de réfléchir par toi-même. Mirek t'a permis d'avoir une grande endurance, et tu ne perdras jamais cette force. À présent, tu peux faire tout ce que tu veux, mais tu dois apprendre

– *nous* devons apprendre – *pourquoi* tu es talentueuse, *comment* se déploie ton talent et ce que ça prend pour que tu commences à croire en tes propres capacités. »

Eric traitait tous ses coureurs comme des individus à part entière. Il avait un frère de deux ans son aîné qui avait adoré la course jusqu'à ce que son entraîneur lui détruise le moral en l'insultant: «Je croyais que tu étais fort, mais j'imagine que je me suis trompé. » Le frère d'Eric a perdu toute la confiance qu'il avait en lui-même et a eu besoin de plusieurs années pour s'en remettre sur le plan émotif.

Eric était déterminé à ne jamais faire subir ça à quelque cycliste que ce soit. J'avais une journée de congé par semaine et je travaillais selon un degré d'intensité, plutôt que de travailler au volume. L'entraînement avec Eric était un véritable cadeau. Comme il se plaisait à dire: «Pour s'améliorer, il faut faire chaque jour une chose qu'on aime et deux choses qu'on n'aime pas. »

Ça avait du sens. Comme je n'avais pas confiance en mes capacités de sprinteuse, j'avais jusqu'alors évité de faire des sprints. À présent, ce n'était plus le cas.

Eric était un anti-Mirek pour moi. Il faisait preuve de philosophie lorsqu'il communiquait et il était sincère lorsqu'il me disait: «Clara, ça ne me dérange pas si tu choisis de ne pas faire de courses. Tout ce qui importe pour moi, c'est que tu ailles bien. » Eric a eu une énorme influence sur ma vie, autant comme athlète que comme être humain.

* * *

Au printemps 1999, pendant la saison cycliste, je suis allée en Europe, en Belgique, en France et en Italie. Peter et moi sommes restés en contact par téléphone et en nous envoyant des lettres et des courriels. Il s'étonnait d'avoir trouvé une partenaire qui voyageait encore plus que lui.

Peter me décrivait ses aventures, les détails de sa vie à Bishop, il me citait des mots d'encouragement et me disait à quel point il s'ennuyait de sa «Canadienne aux yeux verts et à la crinière rousse ». Il songeait également à partir en voyage à son tour. Peter n'avait d'autre plan que de pédaler la longueur de la Basse-Californie, mais le voyage s'est imposé spontanément à lui, devenant du coup un grand tour de cinq mois qui finirait au Yukon, à Dawson City.

16 avril 1999
Salut, Clara,
Huit heures du matin, huit degrés Celsius, un jour tranquille avec une fine couche de cirrus dans le ciel. Une autre belle matinée dans les contreforts des sierras. Toutes sortes d'oiseaux se promènent autour de moi. Une caille, un merle qui transporte de la paille, un couple de roselins familiers qui ne cessent d'entrer et de sortir du nichoir devant la maison, un pic qui se sauve sur le poteau électrique. Des bruants à couronne blanche partout. Le chat sauvage rabat-joie marche dans la cour avant, effectuant une de ses tournées matinales pour aller je ne sais où…
Bruce Lee voudrait ajouter quelque chose, ici : « On ne s'entraîne pas avec des objets, mais avec l'esprit humain et les émotions humaines. »
Tu me manques beaucoup. Je t'aime,
Peter

21 avril 1999
J'ai couvert toutes les taches de rouille sur mon vélo de montagne avec une peinture antirouille. Je ne peux pas dire que c'est très joli, mais ça me permettra de conserver le cadre pour faire un autre voyage sur les côtes de la Basse-Californie…
Je pense sans cesse à toi, Clara, et je me demande chaque jour comment tu vas. Dormir sans toi ne me fait aucun bien…

23 avril 1999
Bon, maintenant, tu me manques plus que jamais. Nous changeons constamment, autant lorsque nous sommes ensemble que lorsque nous sommes séparés, et il en va de même pour notre relation. Et même si je suis un peu déprimé, je suis vraiment heureux d'apprendre que tu t'amuses en ce moment… Je repense à mes expériences en Alaska et je me souviens de toutes les fois où j'ai littéralement éclaté de rire (c'est ce que Thoreau appelle la joie) parce qu'il y avait plus de beauté autour de moi que ce que j'étais capable de supporter.

28 avril 1999
Voici une citation de H. G. Wells. J'ai pensé que tu l'aimerais :
« Chaque fois que je vois un adulte sur un vélo, je reprends espoir en
l'avenir du genre humain. »

30 avril 1999
J'ai commencé à lire The Klondike Fever *de Pierre Berton, publié*
en 1958. La langue et le style ont vieilli, comme le livre, mais je
dois dire que c'est merveilleusement bien écrit. La vieillesse est ce qui
donne toute sa saveur à l'ouvrage, ce n'est pas une distraction...
Lorsque tu liras ce livre, tu auras encore plus envie de vivre l'expé-
rience du Yukon. Le Yukon, c'est la Basse-Californie du Canada.

Même si le cyclisme était aussi exigeant qu'avant, des gens
ont commencé à me faire remarquer que je pédalais avec
le sourire. Et en juin 1999, j'avais une bonne raison de sourire : je venais de remporter l'or au championnat national sur
route, à Sherbrooke, au Québec, avec dix minutes d'avance !
Même si je travaillais avec Saturn, j'avais eu l'impression de
faire une course en solo de quatre-vingt-trois kilomètres dans
une chaleur accablante. Tout ce à quoi je pensais, c'était :
Concentre-toi, concentre-toi, concentre-toi ! J'avançais en contrôlant
mon rythme pour m'assurer de ne pas épuiser mes jambes
en allant à trop grande vitesse, et pour être certaine d'avoir
suffisamment d'énergie. Ça s'est traduit par deux bouteilles
[d'eau] dans les cinq derniers tours, une barre énergétique
et trois gels énergétiques (des tubes de glucides concentrés).
  J'avais vraiment hâte d'être au championnat du monde
1999, qui aurait lieu à Vérone, en Italie, où Peter viendrait
me rejoindre. Je me sentais motivée. Mon entraînement était
en phase avec ma vie. J'avais du mal à croire que j'avais été
prête à abandonner ce sport il y avait à peine un an.
  Attention, tout le monde, j'arrive !
  Lorsque j'ai sorti mon vélo pour le contre-la-montre, sur
place, un de nos entraîneurs canadiens, Yury Kashirin, a
remarqué que mon frein avant était mal ajusté. Il semblait
que le câble qui faisait pression sur les plaquettes du frein
s'était détaché dans l'avion.

Comme le frein arrière fonctionnait bien, je lui ai dit :

« Bah, ne t'inquiète pas, je vais être correcte.

— Es-tu certaine ? »

J'avais tellement hâte de rouler, avec ou sans câble pour mon frein, que j'ai répondu : « Oui, c'est beau. »

Il m'a laissée aller à contrecœur.

Je me suis fait frapper par des voitures à trois reprises. En 1992, j'étais à Allentown, en Pennsylvanie, quand une femme a accéléré pour dépasser notre équipe, puis a freiné brusquement. Tout le monde a réussi à contourner la voiture au dernier instant, sauf moi. J'ai été propulsée dans les airs et j'ai atterri avec assez de force pour me briser le coccyx. J'avais juste envie de lui casser la gueule, mais heureusement, les autres m'ont retenue.

Trois semaines plus tard, je roulais à Hamilton lorsqu'une femme a brûlé un feu rouge. Quand j'ai vu qu'elle passerait, j'ai commencé à aller plus vite, mais elle a frappé ma roue arrière et j'ai encore une fois été projetée dans les airs.

Elle s'est confondue en excuses. J'ai noté son nom. Mon vélo était une perte totale, et elle m'a dit qu'elle allait payer les réparations.

J'ai fait évaluer les coûts et les lui ai transmis.

Son mari m'a téléphoné pour me dire : « Nous ne payerons pas. Ma femme n'a pas brûlé de feu rouge. »

Comme j'avais vingt ans et que j'essayais tant bien que mal de joindre les deux bouts, j'ai téléphoné à la femme pour lui dire : « J'espère que tu es contente de ce que tu as fait. Je suis une athlète, je suis pauvre et, maintenant, je n'ai plus de vélo. »

Lorsque j'ai gagné la médaille de bronze aux Olympiques d'Atlanta, quatre ans plus tard, j'ai pensé à elle une fois sur le podium : *Maintenant, tu sais à qui appartenait le vélo que tu as détruit. Tricheuse ! Menteuse !*

Mais retournons en Italie… Je pédalais sur le parcours, je me sentais bien quand, soudainement, une femme m'a dépassée dans sa petite voiture. Lorsqu'elle a freiné pour tourner à gauche, j'ai essayé de m'arrêter. J'avais oublié que mes freins étaient défectueux. J'ai foncé dans sa voiture, puis j'ai été propulsée de l'autre côté de la route, les bras déployés comme si j'étais en train de plonger du haut d'une falaise. Je suis tombée au bord du trottoir, brutalement, puis je suis demeurée immobile.

La femme est sortie de sa voiture en criant, parce qu'elle croyait m'avoir tuée.

Tout ce que je pouvais penser, c'était : *Crisse de salope !*

À cet instant, j'étais surtout fâchée qu'elle ait interrompu ma course alors que je me sentais si bien, et je ne mesurais pas ma chance d'être encore en vie. C'est seulement plus tard que je me suis souvenue de la cycliste australienne, dans l'ambulance, en Nouvelle-Zélande, et le conseil que je lui avais donné : *Sois donc reconnaissante, idiote !*

À présent, Yuri était lui aussi arrivé sur les lieux et il criait. Les gens sortaient en trombe des cafés et des boutiques, provoquant une grande agitation. Quelqu'un m'a apporté de l'eau.

Le lendemain, je ne pouvais plus lever les bras, mais j'ai tout de même participé au contre-la-montre et obtenu la cinquième place. J'ai essayé de faire la course sur route, mais j'ai dû abandonner en chemin.

C'était tout ce que je pouvais retirer des Mondiaux en Italie, alors que ça aurait dû être le moment de mon retour triomphant à la compétition. Peter avait été présent pour m'encourager, avec sa mère, Mica, sa sœur, Vivian, et les fils de Vivian, Michael et Nicolas, qui vivaient là-bas.

J'ai jeté mon dévolu sur les Olympiques de Sydney de l'an 2000.

Les Jeux olympiques de Sydney 2000

En juillet 2000, je me suis qualifiée pour les Olympiques de Sydney, qui se tiendraient à l'automne. Malheureusement, cette victoire venait avec un à-côté plutôt décourageant.

Au championnat du monde de 1999, j'étais censée partager ma chambre avec une jeune cycliste québécoise, Geneviève Jeanson, mais elle a choisi de rester avec son entraîneur, André Aubut. Geneviève semblait être une jeune fille bien et, en Italie, elle avait gagné à la fois la course sur route et le contre-la-montre dans la catégorie junior femmes, alors que je n'étais même pas montée sur le podium.

Au contre-la-montre individuel sur route de 2000, qui avait lieu à Peterborough, en Ontario, Geneviève et moi allions nous affronter. Je défendais le titre de championne nationale au contre-la-montre, et elle était une étoile montante. Ce serait une compétition entre l'ancienne garde et la nouvelle garde, comme certains le percevaient, même si, pour moi, ce n'était qu'une autre course que j'étais déterminée à gagner.

Nous allions rouler sur vingt-six kilomètres de terrain vallonné et de nouvelle chaussée, presque sans vent. Alors qu'il ne me restait que un kilomètre à parcourir, j'étais en tête et Geneviève me suivait. Lorsque j'ai effectué mon dernier virage à gauche, j'ai aperçu une camionnette qui entravait ma voie. La route était censée être fermée à la circulation, mais ce camion était là. Les responsables de la circulation m'ont redirigée frénétiquement vers le côté opposé des barricades. Mon embardée pour contourner le camion m'a fait faire une sortie de piste juste au moment d'entamer la dernière ligne droite. Malgré cela, j'ai franchi la ligne d'arrivée six secondes avant Geneviève. Les commissaires de course m'ont affirmé : « On a vu ce qui s'est passé. On t'a chronométrée. »

Après coup, l'entraîneur de Geneviève a contesté le résultat. Il prétendait que j'avais utilisé l'aspiration des voitures pour me propulser vers la ligne d'arrivée. Bien entendu, cette affirmation était absurde. Ça aurait été fou de ma part de tenter d'obtenir un avantage en me plaçant au milieu de la circulation.

Les responsables de l'événement ont consulté les règlements et ont même mesuré le dernier kilomètre du trajet, avant de rejeter la contestation d'Aubut. En fait, ils ont confirmé que j'avais eu à couvrir une plus grande distance en pleine circulation, subissant plutôt un désavantage.

Lors de la remise des médailles, la gagnante de la troisième place a été appelée au podium, puis Geneviève a été appelée à son tour, pour la deuxième place. Son père l'a retenue, refusant toujours d'accepter les résultats. Je lui ai dit : « Voyons, Geneviève. Tu ne vas pas vraiment faire ça ? »

Elle m'a jeté un coup d'œil, puis a tourné son regard vers son père, nageant en pleine confusion. Elle a finalement pris place sur le podium, pendant que son entraîneur poursuivait sa diatribe devant les représentants des médias.

C'était mon meilleur contre-la-montre depuis que j'avais gagné la médaille de bronze à Atlanta. Comme Geneviève a ensuite gagné la course sur route, nous nous sommes qualifiées toutes les deux pour les Olympiques de Sydney, avec Lyne Bessette, qui a été choisie comme troisième coureuse.

* * *

Bien entendu, je n'avais rien de tout ça en tête à l'été 2000, alors que je me préparais pour les Olympiques. En août, un mois avant le début des Jeux, j'ai couru au Tour de France féminin (rebaptisé la Grande Boucle féminine internationale). Il faisait chaud, il pleuvait, la route était vallonnée et j'étais extrêmement malade. Je me rappelle être allée à Lourdes avec Dede Barry. Je toussais de façon incontrôlable, ce qui était passablement ironique, vu la réputation de Lourdes pour les guérisons miraculeuses. Je n'arrivais pas à respirer ni à dormir. J'ai quitté le Tour le septième jour, puis je me suis rendue au condo de l'équipe nationale, à Bromont, au Québec, pour me remettre de ce qui s'est révélé une coqueluche. Un jour, je me suis réveillée en m'étouffant, et Peter se préparait à appeler l'ambulance, ne sachant pas si j'allais pouvoir respirer. Il ignorait que je m'étouffais chaque fois que je m'entraînais intensivement. Il ignorait aussi comment appeler une ambulance au Canada !

Lorsque j'ai avoué à Eric à quel point j'étais malade, il m'a dit : « Avec tout ce que tu viens de vivre, tu mérites d'aller aux Olympiques plus que quiconque. On ne sait jamais ce qui arrivera d'une journée à l'autre. Tu es tellement douée pour ce sport que tes chances de tomber sur *la* journée, celle où tout se met en place, sont meilleures que pour la plupart des gens. »

Je suis allée à Sydney. Les médecins m'ont donné des inhalateurs, mais je me sentais toujours aussi mal en point lorsque je suis montée à bord de l'avion. Je toussais constamment et je me demandais ce que je faisais là.

* * *

Les Jeux se déroulaient du 15 septembre au 1er octobre. Il s'agissait de la XXVIIe Olympiade. Des équipes en provenance de 199 pays y participaient, ce qui en faisait le taux le plus élevé de participation à ce jour, malgré l'exclusion de l'Afghanistan en raison de l'oppression des femmes par les talibans.

La cérémonie d'ouverture a commencé par un rappel du patrimoine pastoral de l'Australie et de l'importance des océans pour les habitants des zones côtières. Il y a ensuite eu l'arrivée des immigrants, puis la cérémonie s'est terminée avec une danse aborigène visant à protéger les Jeux. C'était un superbe spectacle. Cathy Freeman, une Australienne aborigène, favorite pour remporter l'or au sprint de 400 mètres, a allumé la vasque olympique, puis des feux d'artifice ont été lancés ; du moins, c'est ce qu'on m'a raconté.

J'ai participé au défilé des athlètes autour de la piste, mais lorsqu'on nous a conduits au centre du stade, où nous devions nous tenir debout pour assister à la cérémonie, j'étais tellement malade que je me suis effondrée sur le sol. Eric s'est agenouillé à mes côtés. « Ne t'inquiète pas, Clara. Tu peux rester là. Je vais rester près de toi pour que tu ne te fasses pas piétiner. » J'ai dormi au milieu du vacarme, entourée par ce grand rassemblement de personnes, une minuscule tache sur le sol, une petite chose faible qu'encerclaient les meilleurs athlètes au monde, regardés par des milliers de personnes dans les gradins, et des millions de plus à la télévision.

À l'approche des courses, Lyne Bessette et moi nous sommes levées un matin pour observer l'avancée de notre ancienne coéquipière de Saturn, Nicole Reinhart, qui était à Arlington, près de Boston, pour participer au Grand Prix cycliste BMC Software 2000. C'était la quatrième et dernière course d'une série qui offrait à la coureuse qui aurait gagné les quatre courses un grand prix de 250 000 dollars. Nicole n'avait plus qu'à remporter cette dernière course pour que le prix lui soit remis. C'était une jeune femme enjouée, qui voulait plus que toute autre chose faire partie de l'équipe olympique américaine. Elle était dévastée de ne pas s'être qualifiée, mais on lui avait dit de ne pas s'inquiéter. Son tour viendrait un jour.

Le matin du 18 septembre, trois jours après la cérémonie d'ouverture des Jeux de Sydney, j'ai donc allumé mon ordinateur portable pour avoir des nouvelles de la course de

Nicole, qui avait eu lieu la veille. J'ai figé devant la une : « Tragédie à Boston. »

Lyne, qui était arrivée derrière moi, a crié.

Nicole était morte.

Je suis restée là, incrédule, puis je me suis enfuie vers la salle de bain.

Dede Barry, qui avait couru aux côtés de Nicole ce jour-là, nous raconterait plus tard l'histoire derrière l'horreur de ce grand titre : « C'était pendant la finale de la course, et tout se déroulait à la perfection. Tous les membres de l'équipe agissaient à titre de domestiques pour Nicole, en essayant de lui préparer le terrain et de tout arranger pour qu'elle gagne. J'ai monté la dernière côte derrière Nicole, puis on a amorcé la descente, à trois kilomètres de la ligne d'arrivée, sur un sentier en ligne droite. Il y avait un creux sur la route qu'on ne pouvait pas voir en raison de l'ombre des arbres. D'une manière ou d'une autre, le pied et la pédale gauches de Nicole ont percuté le sol dans la courbe et elle a perdu le contrôle. Elle a été propulsée dans les airs, a heurté un arbre et est retombée au sol. On s'est toutes arrêtées. Elle était couchée par terre, immobile, lorsque les ambulanciers sont arrivés. Quelques minutes plus tard, ses parents et son copain, qui assistaient à la course, ont monté la côte en courant vers nous. On a amené Nicole à l'hôpital, où son décès a été constaté. »

Nous étions toutes en état de choc : Dede sur place, et Lyne, moi et les autres coéquipières de Nicole, ici à Sydney, qui représentaient leurs pays respectifs, une journée plus tard. En plus d'être en deuil pour une coéquipière bienaimée, nous étions toutes forcées de faire face à notre propre mortalité, de reconnaître la fragilité de la vie et de constater à quel point celle-ci pouvait parfois être courte.

La mort de Nicole a imposé une limite aux risques que Dede, Lyne et moi étions prêtes à encourir à partir de ce moment-là. Dede n'a jamais retrouvé le courage de ses débuts, même après avoir pris une pause de deux ans. Lyne est restée figée en plein milieu du Tour de l'Aude Mobile, quelques années plus tard, puis a décidé que c'était terminé pour elle. Moi aussi, j'abandonnerais le cyclisme.

Mais tout ça arriverait plus tard. Pour l'instant, Lyne et moi étions à Sydney, et les Olympiques nous attendaient. J'avais pensé que les Jeux seraient l'événement le plus important de ma vie, mais je m'étais bien trompée. J'avais le regard fixé sur ma réflexion, dans le miroir de la salle de bain, et je me suis dit : *Pour qui tu te prends, à t'apitoyer sur ton sort parce que tu ne te sens pas bien ? Si tu ne peux pas courir pour toi, cours pour Nicole, qui est morte en faisant quelque chose qu'elle adorait.*

Le lendemain, Lyne et moi portions des brassards noirs. J'étais venue à Sydney pour faire mieux que les deux médailles de bronze que j'avais gagnées à Atlanta. À présent, mon positionnement m'importait peu, pourvu que je donne tout ce que j'avais, ne serait-ce que pour me rendre au bout de la course.

La course sur route se déroulait neuf jours après la mort de Nicole. Le temps était horrible, avec des pluies torrentielles qui tombaient d'un ciel noir. Lorsque Geneviève Jeanson a eu une crevaison, j'ai ralenti pendant qu'on changeait son pneu, puis je l'ai laissée pédaler dans mon sillage pour rejoindre le peloton. Comme elle avait une bonne course et que j'étais malade, j'ai pensé que je pouvais à tout le moins aider mon équipe. Par la suite, je n'ai cessé de perdre le rythme, jusqu'à accumuler un retard de quinze minutes. Tout le monde abandonnait. Ina-Yoko Teutenberg m'a interpellée : « Merde, c'est vraiment dommage. Tu devrais laisser tomber et garder ton énergie pour le contre-la-montre. »

Je lui ai dit : « Ce sont les Olympiques. On ne peut pas abandonner. »

Elle s'est arrêtée quand même et s'est rendue aux tentes, où du thé chaud et des serviettes sèches l'attendaient, mais je ne cessais de me répéter : *Je vais terminer la course.*

Lorsque j'ai tourné à un virage où se trouvaient des spectateurs, ces derniers m'ont lancé des encouragements de sympathie, parce que j'étais complètement seule, une silhouette désolée, mouillée et malade, dont chaque coup de pédale était de plus en plus difficile, avec plus de résistance à chaque tour de roue. Sur le tableau d'affichage, j'ai vu le nombre

23, ce qui signifiait que le peloton principal était passé par là vingt-trois minutes avant moi.

La pluie a finalement cessé de tomber et l'air est devenu brumeux, puis les nuages bas se sont dispersés. Lorsque je suis parvenue au Centennial Park, trois kilomètres avant la ligne d'arrivée, j'étais si loin derrière le peloton que les bénévoles retiraient déjà les barricades, comme si la course était terminée. Un gars s'est arrêté pour me lancer : « Hé, le Canada ! Finis la tête haute ! »

Ce bénévole m'a redonné le sourire pendant le dernier tour au complet, et c'était la chose la plus gentille que qui que ce soit pouvait faire pour moi.

À la ligne d'arrivée, tout le monde célébrait, parce que quelqu'un avait gagné. Je me suis faufilée dans la foule pour me diriger vers la mêlée des médias, ayant terminé à la quarante-troisième place sur quarante-neuf. Lorsque les journalistes m'ont questionnée sur la course, j'ai dit : « Je suis ici pour Nicole. Ma victoire réside dans le fait de ne pas avoir abandonné, et je suis fière de ce que j'ai accompli. »

* * *

Le contre-la-montre se tenait quatre jours plus tard. Chaque matin, à mon réveil, je retrouvais Tanya Dubnicoff, avec qui je partageais ma chambre. Elle avait déjà fini ses courses, et elle revenait généralement d'une fête qui s'était prolongée toute la nuit. On déjeunait ensemble et on discutait. Comme j'étais très bouleversée par la mort de Nicole et que j'étais toujours physiquement mal en point, la présence de Tanya m'a énormément aidée. Même si c'était une sprinteuse, elle roulait avec moi et faisait mes entraînements par intervalles, en criant : « Vas-y, Clara, tu es capable ! » Avec Tanya et un massothérapeute – un Jamaïcain massif et brutal, dont les traitements me donnaient presque l'impression de recevoir une raclée –, je me sentais capable de participer à l'épreuve.

Le matin du contre-la-montre, je me suis aperçue que quelqu'un avait laissé mon support d'entraînement de vélo au village des athlètes. Tanya m'a proposé d'aller le chercher, mais elle a été arrêtée par des policiers pour excès de vitesse ; elle était plus ou moins en train de conduire sa voiture comme sur une piste de course. Pendant que j'attendais, Eric m'a fait rouler sur le parcours une première, puis une seconde fois, chose que je n'aurais pas faite si j'avais eu mon support d'entraînement. J'ai soudainement commencé à me sentir un peu mieux. Lorsque je suis rentrée, Tanya est restée à mes côtés tandis que je pédalais frénétiquement sur le support d'entraînement.

Au début de la course, je me suis rendu compte que je roulais à fond de train et j'ai pensé : *Je suis en train de vivre le genre de journée dont Eric m'a parlé.* Environ à la moitié du deuxième tour, j'ai dépassé la coureuse suisse qui avait commencé avec deux bonnes minutes d'avance sur moi. C'était comme si je volais, en mouvement, toujours en mouvement. Lorsqu'elle m'a sentie à ses côtés, la coureuse suisse a poussé plus fort, et je suis sortie de ma zone à ce moment-là, en me concentrant davantage sur le fait qu'elle prenait les devants que sur ce que je faisais. J'ai commencé à avoir un peu mal et j'ai perdu le rythme.

À la fin de la course, Eric m'a dit : « Tu as eu le genre de journée extraordinaire dont tu es capable. C'était formidable à regarder. Dommage que tu te sois mise à penser à l'autre coureuse au lieu de vivre ta propre course, tout simplement. »

J'avais tout de même bien réussi. Très bien réussi, même. J'ai fini à vingt secondes du podium, en sixième place, mais je me sentais fabuleusement bien, étant donné jusqu'où j'avais pu aller après avoir été faible depuis si longtemps. L'essentiel de cette course ne résidait pas dans le fait de terminer première, deuxième ou sixième. Il résidait dans une nouvelle façon de m'entraîner, qui me permettait d'apprendre à mieux me connaître en tant que personne et en tant qu'athlète. Auparavant, ma vision de l'excellence m'avait toujours placée sur le podium, pas dans la foule à regarder la cérémonie de remise des médailles. Tout ça avait changé.

Comme je n'avais pas gagné, j'étais libre de faire tout ce que je voulais. Tanya m'a suggéré : « As-tu envie d'aller surfer à Bondi Beach ? »

Comme on n'arrivait pas à trouver d'autobus ou de taxi pour s'y rendre, on a levé le pouce : deux Canadiennes perdues à l'autre bout du monde qui cherchaient à se faire conduire à la plage. Une femme et un homme nous ont dit de monter, puis ont fait un détour de quarante-cinq minutes pour nous amener là où on voulait aller, excités de s'être liés aux Olympiques d'une certaine façon.

À Bondi, Tanya et moi avons surfé toute la journée. Ina-Yoko Teutenberg est venue nous rejoindre, et c'était parfait.

Pendant mon vol de retour au Canada, après les Olympiques, les pilotes m'ont invité dans le cockpit. Un agent de bord a annoncé que j'étais dans l'avion, et tout le monde a applaudi, même si je n'avais rien gagné. Je me sentais extraordinairement bien, volant au-dessus des nuages vers Winnipeg. Je ne pouvais m'empêcher de comparer cette sensation à l'humeur morose qui m'habitait après les Jeux d'Atlanta, alors que je revenais avec deux médailles. Ça a confirmé que mon état dépendait de ma capacité à m'accepter et de ma définition personnelle de la réussite et de l'échec.

* * *

Depuis 1990, le vélo avait été mon travail, mon mode de vie. J'avais porté le maillot jaune au Tour cycliste féminin, j'avais gagné les courses les plus importantes en Amérique du Nord, j'avais remporté une médaille d'argent au championnat du monde de 1995, j'avais gagné deux médailles de bronze aux Olympiques d'Atlanta en 1996 et j'avais obtenu une place au sein de la meilleure équipe professionnelle de cyclisme féminin au monde.

Par contre, les cicatrices sur mon corps racontaient une autre histoire : j'avais foncé dans des rambardes à soixante-dix kilomètres à l'heure, j'étais tombée tête première dans une pente descendante, ce qui m'avait laissé une entaille de trois centimètres sous l'œil gauche, et j'avais une autre cicatrice sur l'épaule, si grosse et si laide que des enfants me demandaient souvent si c'était de la gomme à mâcher.

Pendant mes meilleures années, j'avais roulé près de 23 000 kilomètres, ce qui correspondait à une plus grande distance que celle parcourue en voiture par la majorité des gens. Mais le vélo avait également reporté mon premier rêve, celui de patiner aux Olympiques d'hiver, à plus tard.

Je ne cessais de ruminer cette idée depuis les Jeux de Sydney, ce qui me faisait passer par des périodes de silence et d'irritabilité que Peter avait commencé à remarquer. Des mois auparavant, lorsqu'il m'avait demandé ce qui n'allait pas, au cours d'une randonnée, je lui avais répondu honnêtement, autant pour Peter que pour moi: «Je ne suis pas certaine de suivre le bon chemin. Je ne cesse de me demander si je vais recommencer à patiner un jour.»

Ma mère m'avait envoyé une cassette VHS de toutes les courses de patinage de vitesse des Olympiques de Nagano en 1998, et je les avais regardées inlassablement. Elles m'ont donné envie de savoir où je pourrais me positionner si je patinais contre les Allemandes, les Néerlandaises et toutes les autres championnes du monde.

Lorsque j'ai partagé ces réflexions avec Peter, il m'a donné des conseils encourageants, comme toujours: «Qu'est-ce qui t'empêche de le découvrir? Pourquoi ne passerais-tu pas une semaine à patiner à l'anneau de Calgary? Ça va soit te permettre de tirer un trait sur le patinage, soit te décider à y retourner à temps plein après les Olympiques de Sydney.»

J'ai suivi le conseil de Peter.

J'ai patiné pendant une semaine à Calgary et j'ai adoré ça.

À mon arrivée à la maison après les Olympiques de Sydney, lorsque des journalistes de Winnipeg m'ont interrogée sur mon avenir, je les ai regardés un à un droit dans les yeux et j'ai répondu: «Je retourne au patinage de vitesse.»

LE PATIN 2000-2010

Vivre le rêve

Je me souviens de ma participation à mon premier championnat du monde de cyclisme, à Hamar, en Norvège, en 1993. Une piste avait été aménagée sur le magnifique anneau Vikingskipet, conçu pour les compétitions de patinage de vitesse pour les prochains Jeux olympiques d'hiver, qui auraient lieu en 1994.

Alors que j'étais sur la ligne de départ pour la poursuite individuelle, l'annonceur a appelé les participants : « Voici maintenant Clara *Huge*, du Canada. »

C'était drôle et ça m'a frustrée, et je n'ai rien gagné en Norvège, cette année-là. Ce qui avait toutefois rendu cet événement si particulier, c'est le fait de me tenir debout à l'entrée de l'anneau Vikingskipet, les yeux fixés sur les hauteurs impressionnantes de la salle, en pensant : *Un jour, je serai peut-être ici en tant que patineuse de vitesse.*

Je ne sais pas ce qui a pu m'en convaincre. Sans doute était-ce le même genre de clairvoyance que lorsque j'ai regardé Gaétan Boucher flotter sur la glace pendant les Olympiques de Calgary en 1988.

Je ne crois ni au destin ni à l'idée que c'est en attendant suffisamment longtemps qu'on trouve sa propre voie. Je pense qu'on crée des occasions et qu'on les saisit ou non. J'ai toujours eu l'impression que j'étais faite pour bien patiner, et que je découvrirais un jour le moyen pour que ça se produise. J'ai fait du vélo parce que cette occasion s'est présentée à moi lorsque j'en ai eu besoin, et j'ai découvert que j'étais douée pour ce sport. Je suis heureuse d'avoir fait du cyclisme en premier, parce que ça m'a préparée à aborder le patinage avec la même volonté d'endurance.

* * *

Trois semaines après les Olympiques de Sydney, j'ai sous-loué une chambre dans la maison de mon ancienne coéquipière de vélo, Tanya Dubnicoff, près de l'anneau olympique de Calgary, où je prévoyais m'entraîner au patinage de vitesse. L'anneau attirait des patineurs de partout: de Russie, de Corée, de Chine, du Japon, d'Allemagne, de France, etc. C'était un spectacle extraordinaire de voir ces gens, parmi les meilleurs au monde, voler autour de l'anneau de 400 mètres à une vitesse fulgurante.

Le passage de l'été à l'hiver, du vélo aux patins, du béton à la glace s'est révélé une transition importante pour moi. Mon expérience du patinage de vitesse n'avait duré que deux saisons, lorsque j'avais seize et dix-sept ans, alors j'étais essentiellement une novice, à l'âge bien mûr de vingt-huit ans.

En cyclisme, j'étais habituée à recevoir gratuitement tout mon équipement, alors quand j'ai eu à débourser 1400 dollars pour me procurer des patins, j'ai été sous le choc. Ces patins clap comportaient une nouvelle technologie, une innovation néerlandaise qui permet aux lames de se détacher du talon. Un ressort fixé sous la plante du pied replace la lame dans sa position initiale après chaque coup de patin. En faisant en sorte que les mollets subissent une pression plus forte, les lames en acier trempé restent en contact avec la glace plus longtemps, améliorant le rendement par rapport à l'énergie investie dans le mouvement.

Passer du statut d'athlète rémunérée pour courir au statut d'athlète qui paye pour s'entraîner pouvait paraître comme une régression majeure, mais j'étais tellement excitée que ça ne me dérangeait pas. J'ai réglé mes frais d'inscription à l'anneau et mes frais d'entraînement, et j'ai enfilé de peine et de misère ma combinaison turquoise délavé du Manitoba, avec les manches qui m'arrivaient au milieu de l'avant-bras et les jambes au milieu des mollets. Quelques amies m'avaient offert de me prêter leurs combinaisons d'Équipe Canada, mais je voulais obtenir la mienne par moi-même.

Le patinage de vitesse était calme et prévisible par comparaison avec le chaos du cyclisme sur route, mais ses défis techniques étaient plus nombreux. Mon horaire exigeait que je m'entraîne six jours par semaine. Je faisais des étirements, des échauffements, des exercices techniques, de la course sur glace, des poids, du jogging et du vélo stationnaire. Après ma première semaine sur la glace, j'avais une tendinite. Les bottines des patins de vitesse sont censées se mouler aux pieds, avec le talon renforcé pour plus de stabilité, mais je n'avais pas encore développé tous les cors et les épines osseuses qui sont le lot des patineurs aguerris.

Mon malheur ne s'arrêtait pas là : mon corps n'était pas préparé pour la posture atroce que je devais adopter : penchée vers l'avant à partir de la taille pour diminuer la résistance à l'air, un bras replié dans le dos et l'autre se balançant. Plus on s'accroupit, plus les jambes peuvent s'étendre sur les côtés pendant la poussée, ce qui permet d'allonger le temps passé à exercer une pression sur la glace avant que le clap se remette en place.

L'année précédente, lorsque j'avais testé pendant une semaine mon désir de reprendre le patin, Jacques Thibault, le directeur général de l'anneau, m'avait encouragée. Toutefois, après mon arrivée, il m'a inscrite à un programme que je jugeais de faible niveau, ce qui m'a laissée insatisfaite et frustrée.

Comme j'avais été formée au cyclisme par un entraîneur originaire du bloc de l'Est, je voulais travailler plus fort que ce que le programme pouvait m'offrir. J'envisageais sérieusement de déménager aux Pays-Bas pour être aux côtés de l'élite mondiale du patinage, quand la médaillée olympique Susan Auch a eu une soudaine inspiration : « Pourquoi ne t'entraînerais-tu pas avec Xiuli Wang ? »

Même si Xiuli Wang était une entraîneuse pour débutants, Susan a soutenu que ses patineurs possédaient une très bonne technique.

Xiuli avait été la toute première médaillée chinoise au championnat du monde de patinage de vitesse, après avoir gagné l'or en 1990. Comme elle avait été forcée de s'entraîner à l'excès par la machine sportive chinoise, elle avait subi de nombreuses blessures graves aux genoux dès le début de sa vingtaine. Après avoir étudié l'anglais à Ottawa grâce à une bourse, elle avait été engagée à l'anneau de Calgary, malgré sa connaissance encore limitée de la langue. Jacques Thibault l'a encouragée à recevoir une formation au sein du programme national de certification des entraîneurs, et elle a terminé sans difficulté deux années d'études en un an.

Lorsque j'ai soumis l'idée de travailler avec Xiuli à Jacques, il a trouvé cela « complètement fou, mais brillant : une médaillée olympique qui se met au niveau d'athlètes qui ne s'approcheront probablement jamais des Jeux ».

Ça m'allait. Je n'avais pas besoin d'être avec des patineurs qui avaient plus de kilomètres que moi dans les jambes pour me pousser à exceller.

Xiuli, alors âgée de trente-six ans, ne me connaissait pas. Tout ce qu'elle savait, c'est que j'avais bâti mon endurance grâce au cyclisme et que j'étais habituée à m'entraîner sur de longues distances. On s'entendait bien, parce qu'elle aimait mon éthique de travail et ma volonté de prendre des risques. Pour ma part, j'aimais sa franchise, son attitude exigeante, son dévouement, sa quête inlassable de la perfection, autant de qualités qui effrayaient bien d'autres patineurs.

Sept semaines après avoir commencé à m'entraîner avec Xiuli, j'ai participé aux épreuves de sélection pour l'équipe nationale. Étonnamment, j'étais en voie d'établir le record canadien au 3000 mètres, lorsque je suis tombée 100 mètres avant la ligne d'arrivée. Je me suis relevée, je suis repartie du côté opposé, je me suis retournée et, oui, j'ai fini la course, sans atteindre l'objectif nécessaire pour faire partie de l'équipe pour la Coupe du monde. Les organisateurs m'ont dit que je pourrais patiner de nouveau dans quarante-cinq minutes.

J'étais emballée. Même si plusieurs patineurs et entraîneurs jugeaient que c'était une mauvaise idée de réessayer de patiner aussi rapidement, j'avais l'habitude de ce genre de choses en tant que cycliste.

Xiuli était d'accord : « Vas-y, fais-le ! »

Cette fois-ci, j'ai atteint l'objectif nécessaire pour faire partie de l'équipe, à trois dixièmes de seconde près. Tout le monde en a été surpris. En sept semaines, j'avais réussi à obtenir ma combinaison de course de l'équipe canadienne.

On s'attendait à présent à ce que je m'entraîne avec l'équipe nationale, mais j'ai répondu : « Non, je reste avec Xiuli. » Après avoir passé des années à me faire dire comment agir et m'entraîner, soit à m'être fait manipuler et contrôler, je souhaitais décider moi-même du chemin que j'allais suivre. Je savais ce dont j'avais besoin, où je voulais aller et comment m'y rendre. Je savais également que l'intensité de mon entraîneuse égalait la mienne.

Comme Xiuli avait présumé que je m'entraînerais avec l'équipe nationale, elle a été surprise lorsque je lui ai déclaré ma loyauté. Notre relation est devenue encore plus solide. Elle avait trouvé son étudiante. Et j'avais trouvé ma professeure.

Malgré le fait que je m'entraînais à l'extérieur du système de l'équipe nationale, je devais me présenter à des rendez-vous avec le physiologiste de l'équipe, le Dr David Smith. Il gagnerait un jour mon respect, mais il m'a tout d'abord énervée, un peu comme mon entraîneur Eric avant que je comprenne son génie. Doc Smith était un homme de chiffres. Il adorait qu'on aille à son laboratoire, où il pouvait évaluer la composition de notre corps et tester notre force. Les premiers résultats de composition corporelle que j'ai obtenus indiquaient que j'avais 21 % de graisse corporelle. Doc Smith a noté au crayon : « Pourrait s'améliorer. »

J'ai pensé : *Va chier. Tu ne vas pas transformer le patinage en vélo pour moi.* J'étais bien décidée à ce que mon travail soit évalué sur la glace, avec mes résultats au chronomètre, à la course.

* * *

La saison internationale de patinage de vitesse comporte de six à huit épreuves de la Coupe du monde, suivies de deux championnats du monde. La Coupe du monde à Heerenveen, aux Pays-Bas, le centre de l'univers du patinage de vitesse, constituerait mon premier test en terrain international.

Comme je ne connaissais aucune des patineuses qui se trouvaient sur la piste, je les ai étudiées, je suis devenue intime avec leurs temps de course, avec la façon dont elles s'échauffaient, dont elles patinaient. Le patinage de vitesse, tout comme le cyclisme, requiert une grande part de stratégie : attaquer ou conserver son énergie, faire des sprints pendant la course ou les garder pour la fin du parcours. Dépasser une adversaire demande une capacité d'accélérer et une agilité, car la coureuse qui effectue le dépassement est tenue responsable de tout incident ou obstruction illégale.

J'avais l'insolence de croire que je pouvais toutes les battre. Peut-être pas immédiatement, mais un jour. Il fallait simplement que j'apprenne d'abord à patiner.

Comme les plages horaires pour l'entraînement n'étaient pas encore libres à l'anneau Thialf, certaines d'entre nous ont commencé à s'entraîner parmi les patineurs de loisir. Nous étions là, au milieu d'un carnaval extérieur, à essayer de faire nos intervalles, entourées de trois cents personnes du coin. À un moment donné, je suis descendue en piqué dans un virage, et une petite fille est apparue sur mon chemin. J'ai bien tenté de la contourner, mais j'ai fini par lui foncer dessus. Après que je me suis confondue en excuses, elle m'a demandé si je faisais partie de l'équipe canadienne. Lorsque je lui ai répondu que oui, un sourire a éclairé son visage. Les Canadiens étaient toujours aussi populaires aux Pays-Bas, étant donné qu'ils avaient aidé à libérer le pays au cours de la Seconde Guerre mondiale. J'étais simplement soulagée de ne pas l'avoir tuée.

Avant ma première épreuve, j'ai tendu le bras à l'assistant pour recevoir mon brassard de course. Il s'est mis à rire : « Ce n'est pas le bon bras. C'est ta première course ? »

J'ai été placée dans la dernière paire du groupe B et, comme je courais avec une patineuse néerlandaise, la patinoire était remplie d'une dizaine de milliers d'admirateurs venus encourager les Pays-Bas. L'énergie de la foule était incroyable, alors je me suis imaginé que les applaudissements m'étaient destinés. J'ai patiné comme une forcenée et j'ai gagné le groupe B.

Pendant la dernière ligne droite, j'ai remarqué une petite silhouette à l'extérieur du couloir : la fillette sur qui j'avais foncé sur la patinoire publique. Elle tenait un papier et un crayon, alors je me suis accroupie et j'ai signé mon nom. C'était mon premier autographe en tant que patineuse de vitesse.

Après mon transfert dans le groupe A, toutes mes coéquipières disaient à quel point les Allemandes étaient douées. Je leur ai dit : « Ce ne sont pas des êtres exceptionnels. Elles gagnent et elles perdent, comme tout le monde. »

Comme c'était ma philosophie, je donnais tout ce que j'avais à chaque course. Les experts me disaient : « Clara, tu dois patiner en fonction de temps au tour spécifiques. » Mais je me contentais de hocher la tête. Pour moi, si je devais patiner selon mes temps au tour, je ne saurais jamais jusqu'où je pouvais aller. Je commençais et je terminais aussi vite que je pouvais, et je m'épuisais à chaque course, ou presque. Je me suis néanmoins qualifiée pour le groupe A et j'y suis restée. La prudence n'avait jamais fait partie de mes plans.

Ma deuxième Coupe du monde avait lieu au Vikingskipet de Hamar, en Norvège. Ça y était, j'étais là, exactement comme je l'avais prédit lorsque j'étais venue faire une compétition cycliste en 1993, sur cet immense anneau qui ressemblait à la coque d'un bateau à l'envers. Je n'ai pas gagné de médaille, mais Peter Mueller, l'entraîneur légendaire de patinage de vitesse, costaud et rustre, m'a dit qu'il avait emmené un de ses patineurs pour me voir courir. Peter Mueller m'a également dit que si je continuais à faire ce que je faisais, j'allais percer un jour. J'ai pris ses mots à cœur.

J'avais connu une première saison de patinage mémorable. J'avais vécu mon rêve. Le prochain défi de taille ? Mes premiers Jeux d'hiver, à Salt Lake City, en 2002.

L'oiseau du mariage

Pendant que je m'entraînais pour les Olympiques de Sydney, je suis tombée amoureuse de Glen Sutton, un hameau situé dans la vallée bucolique de la rivière Missisquoi, dans les Cantons-de-l'Est du Québec. Au cours de l'été 2000, alors que Peter était parti faire un autre voyage de vélo, cette fois-ci pour parcourir le Québec, le Labrador, Terre-Neuve et la Nouvelle-Écosse, j'ai décidé d'acheter notre première maison là-bas.

Dans les indications que j'avais données à notre courtier d'immeubles, j'avais précisé l'emplacement. Je cherchais une propriété à laquelle on ne pourrait accéder que par une petite route de montagne qui se transformerait en plus petite route, qui se transformerait en chemin de terre, qui se transformerait en chemin de terre encore plus petit, qui se transformerait en forêt où l'on ne pourrait pas me trouver facilement. Notre courtier a déniché exactement ce que j'avais demandé. Comme Peter était encore impossible à joindre, en voyage de vélo, j'ai acheté la maison sans le consulter.

Peter était surpris, à son retour: « Tu veux dire que tu viens de prendre cette décision sans me le demander ? »

J'étais toujours en train d'apprendre à cohabiter avec quelqu'un, mais je savais que Peter allait adorer l'endroit, et c'est en effet ce qui est arrivé. Au-delà de ses collines boisées, idéales pour la randonnée, le vélo et le camping, on était tous les deux intrigués par le Québec rural, par sa culture et son histoire. Les habitants avaient le cœur sur la main, se passionnaient pour la gastronomie et accordaient une grande importance aux valeurs familiales. Peter, surtout, a tout de suite senti qu'il avait des affinités avec eux en raison de leur similarité avec sa culture latino-américaine.

Trois semaines après avoir pris possession de la maison, j'ai dû retourner à Calgary pour m'entraîner avec Xiuli. Pendant ce temps, Peter faisait une randonnée dans le tronçon nord du Sentier des Appalaches, du Maine au fleuve Hudson, dans des conditions météorologiques extrêmes, et ne s'arrêtait que pour regarder mes courses. Cet hiver-là, notre vie à deux – mais surtout séparée – a commencé à me peser sur le plan émotif. Pendant les cinq années de notre relation, nous avions passé la majeure partie de notre temps à vivre dans des endroits différents, dans des pays différents. C'était d'autant plus vrai maintenant que je m'étais installée à Calgary et Peter à Glen Sutton. Trop de réflexions, d'émotions et d'événements significatifs n'avaient pas été partagés entre nous, comme le fait que j'avais acheté la maison sans Peter. Malgré nos lettres, nos courriels et nos appels téléphoniques, j'ai senti qu'on s'était éloignés l'un de l'autre et que quelque chose ne tournait pas rond. Alors que je ruminais tout ça au cours de ma première saison de patinage, je me suis mise à être psychologiquement troublée. Je ne savais pas si je voulais m'engager envers qui que ce soit, même pas Peter.

Est-ce que j'avais besoin d'un partenaire? Étions-nous vraiment encore un «couple»? Peut-être que l'intimité que nous avions partagée s'était maintenant évaporée? Si c'était le cas, ne devrions-nous pas le reconnaître?

Pour moi, la pensée d'une «prochaine étape» ne m'avait même jamais traversé l'esprit. J'étais absolument anti-mariage, vu l'absence de modèles positifs des deux côtés de ma famille. Ni Peter ni moi ne voulions avoir d'enfants. Je m'intéressais aux enfants et je sentais que j'avais beaucoup en commun avec ceux qui avaient connu des vies plus difficiles, mais je n'avais aucun désir de me compliquer davantage la vie. Notre mode de vie ne nous permettait même pas d'avoir des plantes, et encore moins des animaux, auxquels j'étais allergique, de toute façon.

« L'avenir » n'était pas un sujet que Peter et moi ressentions le besoin d'aborder. Il n'avait jamais semblé trouver que notre relation était problématique, peu importe comment elle évoluait, et j'avais toujours aimé les choses telles qu'elles étaient. On avait connu des hauts et des bas, causés non seulement par les tensions que générait ma carrière, mais également par mon manque de confiance en moi. Ma dépression, que je continuais d'ignorer, avait incontestablement joué un rôle capital. Peu importe ce qu'on faisait ensemble, il m'arrivait très peu souvent de me sentir aussi « présente » que Peter pouvait l'être. Je n'éprouvais cette sensation que lorsque je repoussais mes limites, comme lorsque je participais à une course ou lorsque je devais grimper une montagne à vélo. Pendant les périodes plus tranquilles de ma vie, je devais toujours lutter contre l'obscurité qui m'habitait, ce qui me rendait impatiente et irritable, tout à fait comme mon père. C'était frustrant pour Peter de constater que je répondais à tous ses compliments avec la même attitude négative que pour la moindre critique. Il me demandait : « Qu'est-ce qui se passe ? Pourquoi réagis-tu comme ça ? » Comme je ne le savais pas, je ne pouvais pas lui répondre, et ses questions légitimes ne faisaient que m'énerver.

J'avais parfois des accès de colère. Une toute petite chose pouvait les déclencher, et je hurlais, prise d'une fureur cinglante, exactement comme mon père, encore une fois. Ma réaction était démesurée, mais ma rage injustifiée devait trouver un exutoire, alors je continuais à chercher des moyens de la perpétuer, même si ça m'occasionnait des remords.

Peter s'en allait en disant : « Je ne vais pas me disputer avec toi si tu es dans cet état-là. »

Cette réponse raisonnable me fâchait encore plus.

Comme je ne pouvais plus tenir le cyclisme responsable de mon mécontentement perpétuel, il fallait bien que j'aie quelque chose ou quelqu'un à blâmer. Qui d'autre que Peter?

Un jour, j'étais à Calgary et je lui ai téléphoné à Glen Sutton pour lui dire : « Tu sais, je ne suis pas certaine que je veux continuer.

— Continuer quoi?

— À être en couple. »

Il était sidéré. « Qu'est-ce que tu veux dire? »

Lorsque j'ai essayé de m'expliquer, Peter est devenu très fâché et ça m'a surprise.

« Pourquoi en fais-tu si grand cas? » lui ai-je demandé.

Il m'a répondu : « Clara, je t'aime. Et tu me dis que tu n'es pas certaine que tu veux être avec moi? »

Ce n'est qu'à cet instant que je me suis aperçue à quel point Peter tenait à notre relation. Il m'avait toujours laissé l'espace de liberté dont il croyait que j'avais besoin. Tout d'un coup, ça m'a frappée : *Qu'est-ce que je suis en train de faire? Je l'aime, moi aussi. On s'aime!*

Cette conversation m'a réveillée. Je me suis rendu compte que je ne trouverais aucune autre personne qui m'aimerait autant que Peter, cet être humain de grande qualité. J'ai aussi compris que j'avais le droit d'aimer quelqu'un assez fort pour vouloir m'engager envers cette personne, et que notre relation n'avait pas à devenir un échec. On avait le droit d'honorer le lien profond qui nous unissait et de travailler tous les jours à le respecter et à le rendre plus fort.

Au printemps, je suis revenue à notre maison à Glen Sutton, nichée dans une forêt surplombant la vallée d'une rivière. Je suis revenue à la douceur de m'endormir dans la noirceur la plus totale et de me réveiller dans un flot de lumière naturelle, au silence de la nature, aux érables gorgés de sève sucrée. Je suis revenue vers Peter.

Un jour, alors que nous étions assis sur le sofa, buvant un délicieux espresso, discutant tranquillement, je me suis soudain surprise à dire : « Penses-tu qu'on devrait se marier? »

Peter a répondu, étonné : « Clara, j'ai toujours voulu me marier avec toi. »

Peter et moi avons marché dans les collines verdoyantes derrière notre propriété, et c'est alors qu'une chose merveilleuse s'est produite. Pour la première fois, on a vu une grive des bois dans notre forêt. On avait souvent entendu son chant flûté résonner autour de nous, les soirs d'été, lorsque l'air se rafraîchissait, mais on n'en avait jamais vu. Comme on avait des jumelles, on a regardé notre oiseau chanter. On était tellement euphoriques! Cette grive des bois est devenue l'oiseau de notre mariage et, aujourd'hui, dès que j'en entends une, je replonge dans ce moment magique qu'on a vécu dans la forêt.

Peter et moi sommes passés au travers de notre crise. On s'aimait, on partageait les mêmes valeurs et, à présent, on voulait s'engager à rester ensemble.

Ni lui ni moi ne savions comment faire. Lorsque je suis allée lire sur Internet, j'ai découvert que pour se marier dans le cadre d'une cérémonie civile, au Québec, il fallait contacter le palais de justice local pour une entrevue. Le plus près se trouvait à Cowansville.

La personne qui nous a fait passer l'entretien nous a expliqué que, comme nous n'étions pas croyants, notre mariage serait un engagement contractuel qui devrait être précédé d'une période d'attente de deux semaines. Lorsqu'on lui a demandé pourquoi, elle nous a répondu que c'était le règlement, tout simplement.

On a fixé la date au 14 juillet, puis j'ai appelé ma mère et mon père. Ça ne les dérangeait pas de manquer nos noces. En fait, je crois que ma mère était soulagée de ne pas avoir à gérer mon père. Les parents de Peter étaient probablement déçus de ne pas être invités, mais on ne voulait pas avoir à planifier un mariage compliqué.

Environ une semaine avant la cérémonie, Peter m'a demandé:

«Qu'est-ce que tu vas porter?

— Je ne sais pas.»

J'ai choisi dans ma garde-robe une jupe fleurie que je n'avais jamais portée et un chemisier de lin beige sans manches.

« Qu'est-ce que tu penses de ça ?

— Ouais. C'est joli. »

Peter a sorti des pantalons kaki et une chemise à col boutonné.

« Oui. C'est bon. »

On voulait seulement *être* mariés. On se foutait de la façon dont ça allait se produire, pourvu que ce ne soit pas un gros événement exigeant qui nous exploserait au visage.

Puis, le jour précédant notre mariage, Peter s'est demandé tout haut :

« Est-ce qu'il faut qu'on se trouve des anneaux ?

— J'imagine. »

Comme j'avais des entrevues qui devaient durer toute la journée, Peter est allé au Walmart le plus près pour acheter deux anneaux en or. Eh oui, c'est là qu'on a acheté nos anneaux, on n'a pas eu le temps d'aller voir ailleurs.

* * *

Le 14 juillet, on s'est rendus au palais de justice, qui avait autant de charme qu'une quincaillerie. Mon témoin était Eric Van den Eynde, mon entraîneur de vélo ; celui de Peter était Steve Anderson, son colocataire lorsqu'il étudiait à l'Université du Massachusetts. La juge de paix nous a fait entrer dans une salle turquoise très laide et, comme son anglais n'était pas très bon, elle s'est dépêchée de lire les vœux.

Elle nous a demandé : « Avez-vous les anneaux ? »

Peter a fouillé dans ses poches jusqu'à ce qu'il réussisse à les trouver. On riait tous les deux.

« Je vous déclare maintenant mari et femme. »

La cérémonie a duré deux minutes et demie, du début à la fin, comme en témoignent nos photos, sur lesquelles on peut voir une horloge en arrière-plan. Des photos ont été prises uniquement parce qu'on avait préalablement invité deux amis de Montréal pour la fin de semaine. On n'a donc pas changé nos plans, et on ne leur a pas dit qu'on se mariait.

On est retournés à la maison avec les gens qui étaient présents au mariage, et on a bu du champagne avec nos voisins. Peter et moi avons ensuite fait une promenade dans les collines boisées derrière notre maison, où on a entendu l'oiseau de notre mariage chanter. Plus tard, on a coupé le gâteau de mariage. Je l'avais fait moi-même, c'était un gâteau aux carottes avec du glaçage au fromage à la crème, décoré de fleurs qui poussaient sur notre terrain.

* * *

J'ai reçu mon plus gros cadeau de mariage à la fin de l'été, quand Peter est venu me rejoindre à Calgary, où on a sous-loué un appartement pour l'hiver. Pour lui, ça constituait un sacrifice, et ça nous a permis de nous rapprocher. Ça m'a appris ce que j'aurais déjà dû savoir. Si j'avais besoin de Peter, je n'avais qu'à le dire, et il lâcherait tout ce qu'il était en train de faire pour venir me rejoindre.

Les Rocheuses, à 100 kilomètres de chez nous, visibles par temps clair, représentaient une tentation autant pour lui que pour moi. Elles nous rappelaient les sierras et suscitaient le désir intense d'aller grimper ces sommets de granite. On était aussi très heureux de pouvoir profiter du point de vue sur les eaux limpides et peu profondes de la rivière Elbow, qui coulaient sous notre fenêtre.

On était passé du doux chant des oiseaux, du bruissement du vent dans les érables qui devenaient écarlates et des précieux moments de silence au grondement incessant de la ville : la circulation des voitures, les klaxons, les sirènes, les avions. À Glen Sutton, même le bourdonnement du réfrigérateur nous agaçait. À Calgary, on le remarquait à peine au milieu de la cacophonie métallique et électronique, que j'appelais « la vie dans la grande ville de merde ».

Alors que je me préparais pour les Jeux de Salt Lake City de 2002, Peter s'est inscrit à des cours de français et d'écriture à l'Université de Calgary. Il lui arrivait d'aller courir pendant trois ou quatre heures, et, un jour, ses cils ont presque collé à ses paupières qui avaient gelé tandis qu'il marchait vingt kilomètres pour me voir patiner à l'anneau. Il tuait littéralement le temps en ville, un endroit qu'il détestait sans me faire savoir à quel point.

Au cours de l'hiver 2004-2005, Peter a travaillé au Parc olympique du Canada au sein d'une équipe d'entretien des pistes de bobsleigh et de luge, en essayant de mettre à profit un autre hiver de la meilleure façon. Il avait toutefois de belles possibilités de partir à l'aventure, comme lorsqu'il est allé en kayak pendant trois mois en 2006, de l'archipel de San Juan dans l'État de Washington à Skagway, en Alaska, en suivant le Passage Intérieur. Je savais qu'il avait parfois besoin de se retrouver seul et j'appréciais le fait qu'il écoute ses envies, alors on a trouvé un équilibre qui nous permettrait d'encourager les intérêts de chacun de nous tout en passant plus de temps ensemble.

Chaque fois que je me sentais stressée ou confuse, je me rappelais les deux grosses roches sur notre terrain, à Glen Sutton, où j'adorais m'étendre pour contempler les feuilles flotter au vent sur les branches des érables et des bouleaux. J'y étais totalement en paix. Ça demeure un endroit tranquille où je retourne chaque fois que j'ai besoin de me calmer. Je peux me retirer dans ce lieu en tout temps, car il me suit partout où je vais.

À présent, je vivais réellement mon rêve.

Les Jeux olympiques
de Salt Lake City 2002

Comparativement aux Jeux d'été, les Olympiques d'hiver étaient un petit événement privé. Avec 2 399 athlètes (plutôt que 10 000) qui représentaient soixante-dix-huit pays pour participer à sept disciplines sportives, Salt Lake City faisait davantage penser à un festival qu'à un phénomène d'envergure mondiale.

J'habitais avec d'autres patineurs dans un condo à Kearns, dans l'État de l'Utah. Cette communauté du comté de Salt Lake avait d'abord été fondée pour accueillir une base militaire de l'armée de l'air pendant la Seconde Guerre mondiale. À présent, c'était un quartier vraiment malfamé, dont une large partie de la population était issue de l'immigration et où on trouvait toutes sortes de marchés latinos et mexicains. C'était un quartier très dur, où des fusillades se produisaient régulièrement, mais je préférais cette ambiance électrisante à celle du village des athlètes.

Comme le relais de la flamme olympique passerait tout près de notre condo, j'ai demandé à mes colocataires s'ils prévoyaient y assister. Ils étaient tous trop blasés, trop inquiets à propos de leurs épreuves ou trop effrayés par le quartier pour quitter notre nid, alors j'y suis allée seule et j'ai attendu patiemment au bord du trottoir avec la foule.

Dès qu'on a pu apercevoir le flambeau, j'ai commencé à applaudir en même temps que tout le monde. Il avait déjà parcouru près de 22 000 kilomètres, été porté par plus de 12 000 personnes, et il était magnifique, une flamme bien haute qui dansait au-dessus de nos têtes. La poésie du moment m'a fait monter les larmes aux yeux. Je rêvais d'une telle pureté depuis 1988, lorsque la performance de Gaétan Boucher avait frappé mon imagination. À ce moment-là, tout comme aujourd'hui, je voyais l'importance des Olympiques selon le point de vue d'une spectatrice plutôt que comme une athlète qui doit faire face à la pression d'y participer.

Je suis retournée à notre condo en cachant mon visage dans le collet de mon manteau, un peu gênée d'avoir été aussi émotive. Et puis cet instant m'appartenait, il était à moi et à personne d'autre. Je voulais m'y accrocher jusqu'au moment où je devrais poser les pieds sur la patinoire.

La cérémonie d'ouverture était elle aussi très émouvante. Je l'ai regardée en même temps que la foule de 50 000 personnes qui se trouvait dans le stade, en plus des deux milliards de téléspectateurs, lorsqu'une garde d'honneur d'athlètes américains, accompagnée de pompiers et de policiers new-yorkais, a porté un drapeau rescapé du World Trade Center à la suite de la destruction des tours. Le thème de la cérémonie était *Attisez votre feu sacré* et, pour la première fois, les cinq tribus autochtones américaines de l'Utah sont apparues ensemble, entrant dans le stade à dos de cheval, avant d'offrir un superbe spectacle de danse traditionnelle. Des marionnettes géantes d'animaux de la région ont été déployées sur la glace, devant la beauté rouge et or des paysages de l'Utah. Ils m'ont rappelé les spectacles de marionnettes en peau de phoque sur la mythologie inuite que mon père nous avait emmenées voir, ma sœur et moi, au Musée des beaux-arts de Winnipeg. Je me suis également remémoré nos visites à l'atelier de l'artiste autochtone Jackson Beardy. Il m'avait donné un petit sac médecine en forme de tortue en cuir, que j'avais traîné avec moi partout dans le monde. J'ai pensé à mes amis autochtones d'Elmwood et je me suis demandé ce qu'ils étaient devenus, eux qui avaient connu un départ si difficile dans la vie.

Le thème des Premières nations américaines m'interpellait, particulièrement depuis qu'on m'avait dit que les tambours autochtones étaient perçus comme les battements de cœur de la Terre.

Pour ce qui est des Jeux comme tels, j'étais sur le point d'exploser d'énergie. Habituellement, mieux je me sentais, plus j'étais confiante. Cette fois-ci, c'était différent. Peter, qui avait fait le voyage avec moi, m'a dit : « Je ne t'ai jamais vue aussi nerveuse avant une course. » Je ne parvenais même pas à manger. La panique m'avait totalement gagnée.

Xiuli m'a patiemment rappelé que je n'avais été sur la glace que pendant une saison, contrairement aux années que j'avais passées à bâtir mon expérience en cyclisme. Ce serait absurde d'arriver au même niveau aussi rapidement.

Elle avait raison. Certains jours, je m'exclamais encore, incrédule : « Je suis capable de patiner, je suis vraiment capable de patiner ! »

Tranquillement, la confiance a remplacé la peur, à mesure que je redécouvrais mon rythme : le sentiment de flotter avec aisance sur la glace, complètement détendue, tout en fluidité. C'était la troisième fois que je participais aux Olympiques, mais c'était la première fois que je me sentais capable de m'amuser en faisant quelque chose que j'aimais.

* * *

Le jour de mon 3000 mètres, j'ai roulé à vélo jusqu'au stade, j'ai passé la sécurité et je me suis échauffée sur une patinoire vide. J'ai fait du vélo stationnaire et je me suis étirée. Je me sentais seule parmi les autres athlètes. Même si Cindy Klassen, Kristina Groves et moi allions toutes patiner pour le Canada, nous étions extrêmement compétitives, même si aucune d'entre nous ne l'admettait. Sans pour autant souhaiter de malchance aux autres, chacune restait avec son entraîneur, chacune se concentrait sur son programme. Le fait que Xiuli ne travaillait pas avec des athlètes «d'élite» créait également une division entre nous.

Après avoir quitté la glace, j'ai fait mes échauffements, je me suis reposée au vestiaire, puis j'ai étudié mon horaire, en remontant le temps jusqu'au départ de la course, à 14 h 43. J'en avais aussi laissé des copies à Xiuli, à mon technicien en patins et à mon massothérapeute, en leur donnant l'instruction de ne me contacter que si une catastrophe naturelle s'abattait sur les Jeux.

J'ai fait mes derniers échauffements à vélo: vingt minutes d'exercices anaérobies, trois minutes d'effort, deux minutes d'arrêt; deux minutes d'effort, une minute d'arrêt; une minute d'effort, trente secondes d'arrêt. J'ai poursuivi avec quelques sprints, encore trois minutes d'exercices anaérobies, puis une période de récupération avec quelques étirements finaux. J'ai enfilé ma combinaison, je suis allée chercher mon sac de patins, mon manteau et mon pantalon sport, puis j'ai traversé le tunnel pour me rendre dans la zone intérieure. J'étais complètement présente dans l'instant, déterminée et prête.

Tout ça a changé au moment où je suis entrée dans la zone intérieure. Une patineuse américaine était à mi-parcours de son 3000 mètres, et une énergie et une électricité retentissantes régnaient dans le stade. Malgré mes expériences olympiques, je me sentais submergée par cette énergie. Je me tenais au milieu de ce tourbillon grandiose et terrifiant, et j'avais peur de m'effondrer. J'ai fermé les yeux, puis je me suis donné l'ordre de respirer et de me réfugier dans un endroit plus sûr. C'est alors que je me suis souvenue du petit sac médecine en forme de tortue que m'avait offert Jackson Beardy. Il était rangé avec mes patins. Je l'ai pris dans mes mains: c'était un esprit totem qui symbolisait la sagesse de la Terre et qui me rappelait que j'étais exactement là où je devais être à cet instant précis.

À ce moment-là, Xiuli est arrivée à mes côtés, elle semblait préoccupée. Elle m'a dit de prendre encore quelques grandes inspirations. Même si j'arrivais à peine à parler, je l'ai rassurée : « Je suis correcte. »

La ligne de départ. Le coup de feu. La course…

Je suis arrivée en neuvième position, une place respectable dans une épreuve où un record du monde avait été battu. Cindy Klassen a gagné le bronze, la première médaille du Canada aux Jeux. J'avais dit à Eric Van den Eynde : « Si je finis dans les dix premières au 3000 mètres, je vais gagner une médaille au 5000 mètres. »

Je me trouvais maintenant dans une position qui me permettrait de mettre cette théorie à l'épreuve.

* * *

Ma course était la dernière épreuve de patinage de vitesse des Jeux, alors je disposais de beaucoup de temps avant d'y arriver. Je me rappelle m'être assise à une table, au village des athlètes, avec l'équipe américaine de hockey féminin, pour regarder l'équipe canadienne de hockey féminin se battre tant bien que mal contre les Suédoises. Les Américaines se moquaient de notre équipe, les traitaient de perdantes. Elles ne cessaient de nous lancer des insultes, jusqu'à ce que la patineuse artistique canadienne Jamie Salé finisse par leur dire : « Vous allez voir, le Canada va vous écraser ! »

Les Américaines étaient de toute évidence beaucoup trop arrogantes et, comme de raison, l'équipe de hockey féminin du Canada a bel et bien battu ces femmes vantardes et a remporté l'or. Notre équipe de hockey masculin a fait la même chose aux Américains, raflant l'or une fois de plus. Jamie et son partenaire, David Pelletier, ont également réussi la compétition de patinage artistique en couple haut la main, même si leur victoire n'a été reconnue qu'après la résolution d'un scandale lié à la notation. Si les Canadiens avaient sans conteste offert la meilleure performance, c'est le couple russe qui avait été déclaré gagnant. Finalement, les deux couples ont partagé l'or.

Pour ce qui est de ma discipline, le patinage de vitesse s'avérait une déception pour le Canada. On n'avait obtenu que deux médailles : Cindy Klassen avait remporté le bronze au 3000 mètres et Catriona Le May Doan avait remporté l'or au 500 mètres féminin. Jeremy Wotherspoon, de Red Deer en Alberta, considéré comme l'un des plus grands sprinteurs de tous les temps et le favori pour ces Jeux, était tombé au départ du 500 mètres. Il a ensuite terminé treizième au 1000 mètres. Les gens parlaient de ça jusqu'à l'écœurement, et ce n'était pas ce dont j'avais envie d'entendre parler pendant que je me préparais pour mon épreuve. Je ne cessais de me répéter : *Écoutez, tout le monde, c'est vraiment dommage, mais c'est arrivé à Jeremy, pas à moi.*

À cette étape des Jeux, la plupart des athlètes et leurs entraîneurs avaient déjà terminé leurs épreuves. Ils fêtaient constamment avec le personnel, mais Xiuli m'aidait à conserver ma concentration en me répétant : « Ne prête attention qu'à toi-même et à ce que tu es venue faire ici. »

Un gars m'a crié, d'une voix pâteuse : « Hé, viens-tu voir les Tragically Hip, ce soir ? »

J'ai répondu : « Non, ma course est dans deux jours. »

Il a maugréé : « Ah, dommage, parce que ça va vraiment être un bon spectacle. »

Peter était le compagnon idéal pour ce genre d'événements. Il était indépendant, peu exigeant et toujours positif. Il m'a fait reprendre mes esprits : « Clara, c'est n'importe quoi. Tu peux aller voir un concert n'importe quand. Tu peux acheter un billet. Ces athlètes-là n'ont plus d'autre chance, mais toi, oui, alors ne la gaspille pas. »

Un soir, deux jours avant ma course, je suis rentrée au condo à Kearns pour découvrir que tout le monde était parti ailleurs et que j'étais enfermée dehors. J'ai mis une heure avant de trouver le gérant et, à ce moment-là, je bouillais de rage. Après avoir finalement pu entrer dans l'appartement, j'ai tenté de laisser aller ma colère. Je me suis alors rendu compte que, dans l'appartement, il y avait aussi un coéquipier qui n'avait pas réussi à accomplir ses objectifs olympiques et qui était tombé dans un état terriblement dépressif. La raison pour laquelle je partageais ma chambre avec un homme dépassait mon entendement, mais ce n'était pas ce qui me préoccupait à ce moment-là. J'avais tellement peur qu'il tente de se faire du mal que j'ai appelé tous les gens qui pourraient l'aider. J'ai finalement trouvé un entraîneur qui a contacté ses parents, qui sont venus chercher le pauvre garçon et ont déménagé ses affaires. Il semblait que tout le monde était maintenant un touriste à ces Jeux, sauf moi.

Il me restait encore une bataille.

J'avais apporté un paquet de livres, dont un que Peter m'avait offert, *Zen Mind, Beginner's Mind*, par Shunryu Suzuki. Une des phrases de cet ouvrage se lisait comme suit : «Dans l'esprit du débutant, il existe de multiples possibilités, mais dans l'esprit de l'expert, il n'y en a que très peu.» Je me suis rappelé que j'étais une débutante qui cheminait au milieu d'experts. Ainsi, je n'avais rien à perdre, et toutes les possibilités s'offraient à moi. J'ai refermé le livre en me disant que j'avais appris quelque chose d'essentiel sur la place que j'occupais pendant ces Jeux.

Sur Internet, je suis également tombée sur le courriel d'une famille crie que Peter et moi avions visitée à La Ronge, en Saskatchewan. Je me souvenais parfaitement d'avoir descendu la route en courant avec leurs trois enfants, Sekwan, Takwagen et Keewetin, pour nous précipiter vers le lac comme de jeunes faons bondissant dans les bois. Leur mère, Bonnie, m'avait écrit pour me dire que sa famille et elle priaient aux quatre vents – le nord, le sud, l'est et l'ouest – pour mon succès et mon bien-être. J'ai relu le courriel de nombreuses fois, en mesurant sa sagesse.

EKWA !!! CLARA,
Ça veut dire MAINTENANT.
Les enfants, Tim et moi sommes avec toi.
Avec les enfants, je vais brûler du foin d'odeur
et prier aux quatre vents et demander de l'aide au créateur
pour qu'il te donne plus de force.
Ou pour qu'il te sourie.

En me réveillant, le matin de ma course de 5000 mètres, j'étais anxieuse. À l'anneau, j'ai vérifié mes patins, inquiète.

Quelques jours plus tôt, un ami les avait manipulés et avait compromis le mécanisme clap. Ils avaient été réparés et ils étaient maintenant fonctionnels.

J'ai commencé à faire un échauffement énergique, jusqu'à ce que Xiuli intervienne : « Vas-y doucement. »

Elle savait que j'avais en moi une énergie monumentale que j'étais prête à faire exploser, et elle voulait que je la garde pour la course. Il n'y avait que Xiuli pour comprendre ça, et c'était précisément pour cette raison qu'elle était mon entraîneuse.

Malgré l'anxiété, je me sentais en vie, vibrant de la tête aux pieds, pleine de force, d'endurance et de vie. J'ai trouvé un stylo et j'ai écrit *EKWA* sur ma main en guise de rappel.

Gretha Smit, des Pays-Bas, a été parmi les premières à patiner, et elle a livré une performance phénoménale. Lorsqu'elle a franchi la ligne d'arrivée pour prendre la première place, un gars de l'équipe russe a mis ses mains devant mon visage, comme pour dire : « Bon, j'imagine que c'est foutu pour toi. »

J'ai pensé : *Oh non, ce n'est pas foutu. Si elle peut le faire, moi aussi.*

On m'a appelée à la ligne de départ.

Comme le patinage de vitesse est un sport solitaire, le résultat appartient entièrement à l'athlète. Pendant que j'attendais, j'ai déroulé le tissu de ma combinaison sur ma main, à l'endroit où j'avais inscrit *EKWA*, et ça m'a calmée.

Le coup de feu a retenti et j'ai franchi la ligne de départ, prête à faire la course que j'avais visualisée des centaines d'heures durant. J'allais au même rythme que s'il s'était agi d'un 3000 mètres, très vite. Très, très vite, sans m'épuiser. J'ai accroché le côté de mon patin à l'avant-dernier tour et j'ai manqué trébucher, puis je me suis poussée encore plus pour attaquer de nouveau.

Pendant la dernière ligne droite, j'étais envahie d'une douleur pure, absolue, qui me pénétrait jusqu'à la moelle. Je ne m'étais jamais fait aussi mal que dans cette course. J'ai puisé si loin dans mes réserves et dans mes fibres musculaires que j'étais à présent en état de choc toxique. Lorsque j'ai franchi la ligne d'arrivée, je me suis arrêtée en chasse-neige, j'ai titubé pour sortir de la patinoire et je me suis effondrée lourdement sur le banc, dans un grand boum. J'avais de nombreuses crampes musculaires et j'étais prise de nausées. J'ai cru que j'étais en train de faire une crise cardiaque, peut-être un anévrisme, quand j'ai pris conscience de ce qui m'arrivait : *Clara, tu viens de faire la course en 6 minutes 53 !*

J'avais patiné en sept secondes de moins que mon record personnel, et j'étais en deuxième place. Xiuli m'a massé les jambes, mais la douleur était encore si vive que je pleurais sans pouvoir m'arrêter, avec toute cette souffrance qui se déversait hors de mon corps.

J'ai regardé les paires suivantes patiner. J'étais toujours en deuxième place, puis Claudia Pechstein, de l'Allemagne, qui avait gagné l'or au 5000 mètres lors des deux derniers Jeux, a battu le record du monde, ce qui m'a poussée en troisième place. J'étais convaincue que la dernière paire allait me battre, mais elles ont faibli trois tours avant la ligne d'arrivée.

Xiuli s'est exclamée :

« Clara, je pense que tu as réussi !

— Non, *on* a réussi. »

* * *

Par la suite, je me suis rendue à la cérémonie de remise des médailles et je suis montée sur le podium pour recevoir la médaille de bronze : j'étais devenue l'unique athlète cana-dienne à avoir gagné des médailles aux Jeux d'hiver et aux Jeux d'été. À cet instant, j'ai pensé à mon premier entraî-neur de patinage de vitesse, Peter Williamson, mort à un si jeune âge. C'était Peter qui, le premier, avait cru en moi, qui avait vu dans ma fougue de jeunesse les débuts d'une athlète à l'état brut. Lorsque j'avais patiné ici, en Utah, j'avais senti l'intensité de Peter dans mon cœur, son ardent désir de vaincre dans mon sang. Quand j'ai dit à Xiuli qu'*on* avait gagné, j'ai également vu le visage souriant de Peter Williamson.

Cette nuit-là, mon Peter et moi avons à peine dormi et, le lendemain matin, je lui ai demandé : « Est-ce que c'est vraiment arrivé, Pete ? »

J'ai sorti ma médaille de son sac et j'ai dit, avec une fierté enfantine : « Regarde ce que j'ai eu ! »

En fait, nous nous sentions vraiment comme des enfants, hébétés et pris d'un magnifique vertige. Puis, presque immédiatement, je suis tombée malade, l'effet du soulagement, j'imagine.

Pendant la cérémonie de clôture, j'ai regardé KISS et Bon Jovi jouer, assise dans les gradins, en me rappelant à quel point j'avais aimé ce dernier groupe lorsque j'étais une adolescente révoltée, et à présent, j'étais là, en train d'assister à leur concert, aux Olympiques, où j'avais gagné une médaille.

J'étais remplie de joie.

J'ai aussi pensé à ces autres Olympiens, comme le garçon avec qui je partageais ma chambre, dont l'échec à accomplir l'objectif qu'ils s'étaient personnellement fixé les avait menés au bord du gouffre. Je connaissais ce sentiment et je soupçonnais que ma médaille n'apporterait qu'un soulagement temporaire à des problèmes que j'aurais à affronter et à surmonter un jour, dans une autre sphère de ma vie.

Ma victoire psychologique était la suivante : au moins, maintenant – *ekwa !* –, je me donnais le droit de profiter de l'instant présent.

Au sommet du monde

En guise de récompense pour ma participation olympique, Air Canada m'avait offert deux billets pour aller n'importe où dans le monde. Mon choix ? Le Grand Nord, pour un voyage de noces tardif.

Peter m'avait longuement parlé des paysages qui entouraient le territoire du Yukon, les rivières sans fin et les terres magnifiques. On a décidé de faire du vélo sur la route Dempster, en quête de lumière, d'air et d'espace, avec une ouverture d'esprit que la bulle dans laquelle je devais m'enfermer pour m'entraîner ne pourrait jamais m'apporter.

La route Dempster comporte 737 kilomètres praticables en tout temps et part de Dawson City pour aller vers le nord-est en passant par le cercle arctique, jusqu'à Inuvik. Officiellement ouverte en 1979, elle a été nommée en l'honneur de l'inspecteur de la GRC William Dempster, dont les courses en traîneau à chiens ont créé le tracé de la majeure partie de la route.

Bien des gens pourraient considérer mon choix de « pause » de l'entraînement comme étant plutôt surprenant, mais ce sont les activités exténuantes qui me permettent de me sentir le plus vivante et le plus heureuse. C'est la même chose pour Peter. Notre degré de tolérance pour l'activité physique est beaucoup plus élevé que celui de la majorité des gens. Pour moi, me déplacer dans la nature est complètement thérapeutique, aussi bien psychologiquement que physiquement.

Comme Peter avait déjà passé un mois à voyager au Yukon et en Alaska, je devais prendre l'avion jusqu'à Whitehorse avant de le rejoindre à Dawson City, qui avait autrefois été au centre de la ruée vers l'or du Klondike. Je troquerais mon vélo de course à 18 000 dollars que j'utilisais pour les contre-la-montre contre un vélo de touriste à 150 dollars, ce qui revenait à troquer une Ferrari contre un minibus Volkswagen.

Peter préférait souvent emprunter les chemins de terre, mais ce n'était jamais mon cas, étant donné qu'ils étaient généralement synonymes d'un travail acharné et laborieux sur des routes cahoteuses couvertes de sable fin, de cailloux et de nids-de-poule. Nous étions néanmoins toujours attirés par l'aventure que nous promettaient ces routes-là.

Après avoir passé quelques nuits à l'auberge de jeunesse de Dawson City, on a ramassé notre équipement, la tente, le réchaud, le chaudron, la poêle en téflon, les vêtements, les imperméables, les lunettes de soleil, le répulsif à ours, le couteau suisse, les lampes frontales, le *duct tape*, la clé Allen, des tubes de rechange, notre trousse de réparation et la pompe à vélo. On y a ajouté de la nourriture : des pâtes, du pain, de la préparation pour crêpes, des tomates séchées, des biscuits, du chocolat, du thé, du café, du lait en poudre, du sucre, du sirop d'érable, de la confiture, du beurre d'arachide, de l'huile d'olive, des pommes et un chou (on l'a coupé au bout de trois jours et on l'a mangé cru, avec de l'huile d'olive, du sel et du jus de citron frais. Délicieux !). Après qu'on a empaqueté tout ça dans nos sacoches, nos vélos devaient peser environ 75 livres chacun. On est partis vers 18 heures, en sachant qu'on pourrait bénéficier de la lumière du jour jusqu'à une heure du matin.

Cette première soirée s'est déroulée dans l'euphorie du cyclotourisme, comme si on roulait sur les pages d'un livre d'histoire qui aurait contenu un coucher de soleil aux nuances les plus exquises, alors qu'on se dirigeait à quarante kilomètres à l'est de l'embranchement de la route Dempster. L'air s'est rafraîchi lorsque le soleil s'est couché lentement derrière les sommets, à l'ouest, dont les ombres masquaient la végétation verdoyante. On s'est arrêtés au bord d'un ruisseau pour se faire des pâtes et du thé. On a sorti des vêtements plus chauds de nos sacs et on a commencé à voir notre souffle dans l'air calme de la soirée. Il était 23 heures quand on a aperçu un endroit invitant où installer notre campement, près d'un ruisseau.

Après avoir aménagé notre tente, on a rempli notre gourde d'eau de montagne glacée, puis j'ai entamé ma danse de l'eau froide. Rien ne m'apaise autant qu'une douche froide après une journée de vélo. C'était une relation amour-haine que j'ai développée avec les douches de camping.

La lumière de l'aube a révélé une forêt de trembles, de saules et d'épicéas qui s'étendait sur les sommets avoisinants. Des buissons de canneberges, des champignons, des fruits de camarine, du lichen, de la mousse, du kinnikinnick et des bouleaux nains tapissaient le sol spongieux de la forêt. C'était la première fois que j'avais la chance d'observer l'éventail spectaculaire de la flore boréale.

On roulait vers le nord lorsque j'ai aperçu un mouvement dans l'un des bassins d'eau naturels. J'ai cru qu'il s'agissait d'un petit animal, comme un canard ou un castor. À mesure qu'on s'approchait, j'ai été enchantée de constater qu'il s'agissait plutôt d'un orignal massif qui prenait gracieusement son bain matinal.

Une pluie verglaçante s'est mise à tomber lorsqu'on est arrivés au camping des monts Tombstone. On s'est réfugiés dans un abri à pique-nique entouré de moustiquaires, où un poêle-tonneau réchauffait nos extrémités gelées.

On espérait que la pluie cesserait avant qu'on entreprenne l'ascension du North Fork Pass, le point le plus élevé de la route Dempster, situé à une hauteur de 1289 mètres. Mais à mesure qu'on gagnait de l'altitude, la pluie s'intensifiait et les températures baissaient. Un voile de nuages gris sombre cachait les lointains monts Tombstone. J'étais déçue d'avoir à enfiler encore plus de vêtements de pluie plutôt que d'admirer la chaîne de montagnes nordique que j'avais vue en photo.

On a patiemment monté la pente abrupte, chargés de nourriture et d'équipement de camping, en se sentant tout de même heureux d'être autonomes et prêts à toute éventualité. En compagnons constants, les sommets apparaissaient et disparaissaient sans cesse de notre champ de vision. Comme le sol mouillé avait découragé la circulation automobile, on était seuls dans cette vaste étendue de vallées et de montagnes. J'ai pensé aux premiers habitants de cette terre, la Première nation Gwich'in, qui menaient une vie de subsistance, sans véhicules et sans routes pour s'approvisionner. Même à présent, cette terre nous paraissait isolée. Je me suis rappelé la citation de Percy Henry, un aîné Tr'ondëk Hwëch'in, que j'avais lue dans le guide touristique du Parc territorial Tombstone et qui résonnait maintenant dans ma tête comme un poème : « Ici, tu peux trouver tout ce que tu veux. Toutes sortes de baies, de poissons et de petits animaux vivent dans ce pays. Ce pays m'a vu naître et grandir. C'est mon université. »

Au lac Two Moose, on s'est arrêtés pour dîner et manger des bagels et des biscuits, tout en admirant les superbes oiseaux aquatiques. Des panneaux explicatifs détaillaient l'histoire des Premières nations. On était sur un territoire de chasse à l'orignal, mais les tribus n'avaient jamais chassé plus que ce dont elles avaient besoin et n'avaient jamais mangé près du lac, en signe de respect pour le territoire de l'orignal, j'imagine.

On a traversé les hautes terres de Blackstone, aidés par un vent arrière bienvenu qui facilitait nos déplacements à vélo dans ce territoire mystique. Une pluie froide a commencé à tomber pendant qu'on se dépêchait de monter notre tente. Alors que je défaisais mes bagages, dos à la rivière, Peter m'a suggéré de regarder derrière moi. Il avait vu un loup, qui s'était volatilisé dans le crépuscule envahissant. J'étais triste d'avoir raté cette créature furtive et j'espérais que j'aurais une nouvelle chance de l'apercevoir, tandis que le murmure de la rivière nous entraînait doucement vers le sommeil.

Le lendemain, la pluie a commencé à tomber après vingt-cinq minutes de route. À l'approche des monts Ogilvie, un camion qui traînait une roulotte a ralenti, puis s'est arrêté dans le brouillard bruineux. Un visage souriant est apparu à la fenêtre. Le conducteur nous a décrit le paysage qui nous attendait : des falaises de calcaire en forme de forteresses surmontées d'épinettes. « On dirait des gens qui vous observent d'un regard protecteur. C'est plus beau que l'Évangile et le royaume des cieux rassemblés. » Son ton révérencieux reflétait toute l'admiration qu'il avait pour ce territoire ancien, mais ses derniers mots indiquaient qu'il savait à quel point notre parcours allait devenir difficile : « Ne lâchez pas, ne lâchez surtout pas. »

On peut éprouver un certain confort sous la pluie si on porte les bons vêtements. Mon imperméable poncho, aussi bizarre pût-il paraître lorsqu'il claquait au vent, était suffisamment chaud et respirait bien. Après avoir dévalé le Windy Pass, Peter et moi avons roulé côte à côte, nous déplaçant silencieusement à un rythme de tourisme. Même si la pluie déformait ce qui se trouvait au loin, j'étais sûre qu'il y avait quelque chose sur la route. À mesure qu'on approchait, la mystérieuse forme s'est matérialisée : c'était un grizzly. On s'est arrêtés à 200 mètres de l'ours, en se foutant du froid inévitable qui allait nous assaillir si on demeurait immobiles. Après avoir frissonné pendant vingt minutes, on a repris la route, non sans hésitation, en regardant une dernière fois à travers les jumelles. Peter a repéré le grizzly, bien haut à flanc de montagne, son corps massif se déplaçant avec aisance sur le territoire.

On était sales et mouillés à notre arrivée au camping Engineer Creek, surmonté par d'imposantes falaises de granite. Le dîner qu'on avait prévu avaler en vitesse dans l'abri à pique-nique s'est transformé en arrêt de six heures. Un couple d'Allemands, Heiko et Ankje, nous a offert du vin rouge chaud épicé, de délicieuses truffes au chocolat, une conversation amicale et des rires.

Nous pédalions à la lumière de fin de journée à 20 h 30, contents et repus, sous une averse de pluie en plein soleil. Vingt minutes plus tard, on a repéré une créature à la silhouette indistincte, illuminée par la douce lumière de cette heure du jour, plus bas, au bord de la rivière Ogilvie. Un loup! Avec ses longues pattes dégingandées plantées fermement au sol et sa tête penchée, il était dans une position montrant qu'il était prêt à détaler. Je l'ai appelé en imitant un hurlement de loup, et il s'est arrêté pour regarder vers nous, curieux. J'ai continué ma plainte étrange et il a baissé les yeux. Cinq minutes plus tard, notre loup a disparu dans la forêt.

Dix kilomètres plus loin, on a aperçu quatre goélands qui bombardaient furieusement un pygargue à tête blanche en piqué. Le pygargue demeurait sur son perchoir, vraisemblablement peu impressionné.

Pendant qu'on installait notre campement, on a pu observer les acrobaties aquatiques d'un castor solitaire qui jouait dans l'eau calme du lac, derrière la rivière. Chaque fois qu'il faisait claquer sa queue sur l'eau, il attirait notre attention et il semblait s'amuser follement alors qu'il se donnait en spectacle pour nous, les touristes. On a pensé à tous les gens qu'on avait rencontrés qui voyageaient en voiture, obsédés par les conditions routières et la météo, et à leur sempiternelle question : «Avez-vous vu des animaux?» Comment pouvaient-ils s'attendre à de telles rencontres, quand les moteurs de leurs voitures pouvaient être entendus par les animaux sauvages à des kilomètres de distance?

Le bourdonnement menaçant des moustiques nous a réveillés de bonne heure. Je criais et me grattais sans cesse en pliant bagage. Comment Peter faisait-il pour garder un tel calme, tandis qu'il préparait les crêpes dans cette horrible cacophonie? Au bord de la rivière, j'ai pleuré de frustration, en me demandant si j'allais m'en sortir vivante. Je suis partie en furie, en avalant des crêpes avec de la confiture de cassis tout en pédalant.

On a rapidement atteint la montée ardue de la vallée de la rivière Ogilvie, en haut des Eagle Plains. On s'était imaginé que « *plains* » signifiait qu'on roulerait sur du plat, mais notre interprétation aurait difficilement pu être plus erronée. La pente abrupte nous révélait de magnifiques panoramas alors qu'on roulait parallèlement aux monts Ogilvie, mais mon épuisement m'empêchait de profiter des paysages. Chaque fois qu'on parvenait au sommet d'une côte exigeante, j'en voyais une autre se profiler derrière. Après trente-deux kilomètres, j'ai craqué. Affamée et fatiguée, je me suis effondrée au bord de la route et j'ai commencé à manger du sucre d'érable, cherchant à tout prix à avaler quelque chose de sucré pour faire cesser mon mal de tête lancinant. J'avais « la fringale », un état qui s'apparente au diabète, où le taux de glucose dans le sang est insuffisant. Les athlètes qui ne mangent pas assez sont souvent sujets à sombrer dans un tel état. Je ne pouvais blâmer personne d'autre que moi, car c'était uniquement ma faute si j'avais mangé toutes nos collations la veille, sans penser aux kilomètres qui restaient à parcourir.

Peter a trouvé de l'eau et a fait cuire des pâtes dans un endroit abrité, à l'écart de la route. On s'est régalés d'oignons sautés, un aliment que je n'avais jamais particulièrement aimé. Mais ce jour-là, ma faim a donné à ce légume qui fait larmoyer le goût du mets le plus exquis. On a également mangé des pâtes avec de l'huile d'olive, des tomates séchées et du parmesan, puis d'autres crêpes. J'étais tellement fatiguée qu'on a passé la nuit sur place.

La pluie tombait de façon intermittente, mais, le lendemain, le soleil était là pour nous accueillir, avec un léger vent arrière, ce qui a validé notre décision de la veille de rester. J'apprenais lentement que, lorsqu'on voyage, il vaut mieux suivre l'évolution naturelle des événements plutôt que de se dépêcher de se rendre quelque part.

Les 130 kilomètres suivants nous ont fait traverser les pentes escarpées des Eagle Plains, une mer d'épicéas qui s'étalait jusqu'à la ligne d'horizon. On s'est reposés dans une zone incendiée de la forêt en se régalant des bleuets sauvages qui poussaient partout au bord de la route. On en a mangé de pleines poignées, encore et encore, jusqu'à en avoir des crampes à l'estomac, car on s'était empiffrés le ventre vide. Peu de temps après, on s'est retrouvés dans les buissons à payer le prix de notre gourmandise.

Moins de un kilomètre plus loin, on a découvert qu'on n'était pas les seuls à profiter de l'abondance des fruits. Deux ours noirs, à 100 mètres de nous, fouillaient les bosquets pendant qu'on les dépassait, hésitants. Heureusement, ils préféraient les petits fruits aux touristes à vélo.

Plus tard ce jour-là, on a aperçu les monts Richardson qui luisaient doucement dans la lumière du crépuscule. On a entrepris la dernière montée des Eagle Plains, qui menait à une station-service et à un hôtel et terrain de camping qui s'annonçaient comme «l'unique relais routier». On avait maintenant parcouru la moitié du chemin de la route Dempster. Après avoir mangé un repas et pris une douche chaude pour se débarrasser de toute la poussière qui encrassait nos pores, on a établi notre campement.

Au comptoir, la boîte de nourriture qu'on avait emballée à Dawson City nous attendait. On avait pu profiter du service de livraison gratuit offert aux cyclistes. Parmi les gâteries qu'on a pu déguster, il y avait du chocolat, des mangues, des oranges, des pommes et du fromage.

On est seulement repartis le lendemain à 16 h 30. On était propres de la tête aux pieds et bourrés de burgers au poulet, de frites et de soupe. Même s'il avait plu toute la matinée, le climat devenait plus sec, avec un vent du sud-est. En roulant vers le cercle arctique, on a remarqué des chicoutais orange en bordure de la route et on s'est arrêtés pour ramasser quelques délicieuses baies charnues, tout en faisant attention de ne pas se gaver comme avec les bleuets.

Des vents froids de l'est ont continué de nous geler la peau lorsqu'on est arrivés au cercle arctique, à 66° 33' de latitude Nord, annoncé par des panneaux d'information et des toilettes publiques. Après avoir dévoré des barres de chocolat, on a encore une fois pédalé fort pour tenter de ne plus frissonner. Alors qu'on roulait comme des fous vers la chaleur, un porc-épic a dévalé la colline vers le sud, comme une boule de feu scintillante dans le soleil couchant.

On croyait que les surprises que nous réservait la route Dempster étaient arrivées à leur fin, mais on était chaque jour récompensés par de nouvelles versions toujours plus excitantes des paysages nordiques. Avant la poussée finale vers le camping Rock Creek, on s'est arrêtés pour une autre collation, des canneberges, des amandes et des noix de Grenoble, en jetant un coup d'œil aux montagnes pour bien profiter de la vue. C'est à ce moment-là qu'on a remarqué le silence ambiant. On a cessé de parler pour écouter : c'était un silence d'une qualité inégalée, comme la beauté du paysage. Un silence assourdissant, solitaire, qui donne envie de parler aux gens troublés, de pleurer aux gens tristes et de courir aux gens effrayés. C'est si rare, dans le monde dans lequel on vit. On s'est assis, on a écouté et on est repartis.

On est arrivés au camping avec un seul but : se réchauffer. En roulant vers l'abri à pique-nique, on a parcouru des yeux les sites abandonnés dans l'espoir de trouver du bois déjà coupé pour allumer le feu dans notre poêle-tonneau, en vain. Un couple plus âgé de la Colombie-Britannique qui voyageait en caravane nous en a offert et, à présent, l'abri à pique-nique semblait être devenu un hôtel cinq étoiles. On avait l'impression de vivre grassement dans une contrée sauvage, avec des crêpes aux pommes et à la cannelle, et des conserves de cerises. On est repartis passé 14 heures le lendemain. On espérait atteindre Fort McPherson ce soir-là.

On a entendu le rugissement des vents du sud. Au début, on a naïvement pensé que cette poussée rendrait notre randonnée plus facile. Il fallait plutôt se battre pour rester sur la route, car les vents nous projetaient sur le côté et la pluie glaciale nous gelait la peau. Alors qu'on roulait sur les monts Richardson, près de la frontière des Territoires du Nord-Ouest, le vent traversait nos vêtements et nous jetait hors de la route, nous forçant à lutter pour ne pas tomber.

On a miraculeusement réussi à monter et à traverser le col, en espérant que le pire était passé. Normalement, une telle montée aurait été suivie d'une descente gratifiante, mais on pouvait maintenant voir que la route piquait vers le bas de façon tout aussi escarpée, et le vent hurlait de plus belle derrière nous. C'était dangereux.

Le poncho imperméable de Peter lui faisait l'effet d'une voile. Les rafales l'obligeaient à déraper de côté en descendant la pente, en traînant un pied au sol pendant que sa roue arrière semblait vouloir passer par-dessus sa roue avant. Il s'est battu pour ne pas tomber à la renverse alors que le vent s'intensifiait, déterminé à le faucher. Lorsque Peter s'est arrêté pour tenter maladroitement d'enlever son poncho, le même vent s'est attaqué à moi.

Lorsque le vent a tourné sur notre gauche, il est devenu trop fort pour qu'on puisse continuer à pédaler. On était bloqués et complètement frigorifiés. Comme la route était tapissée d'argile glissante, le vent poussait nos vélos aussi facilement que si on avait roulé sur de la glace. J'essayais de contrôler le mien, mais je ne pouvais que patiner sur la route. Un camion qui allait vers le sud a ralenti pour s'arrêter près de nous. Alors que Peter luttait pour maintenir son vélo au sol, je me démenais contre le vent pour atteindre la fenêtre ouvrante du camion. Dans la cabine se trouvait une famille de huit personnes serrées les unes contre les autres, les yeux écarquillés, incrédules, pendant que le chauffeur nous demandait : « Êtes-vous corrects ? Ce n'est vraiment pas beau, là-haut. »

J'ai dû sembler un peu folle pendant que je bredouillais, avec ma mâchoire gelée, en racontant par bribes les dix-neuf kilomètres qu'on venait de rouler. Ils étaient inquiets de ne pas réussir à traverser le col avec leur véhicule, même si on y était arrivés avec nos vélos.

Il fallait qu'on avance pour ne pas geler, mais tout ce qu'on a pu faire, c'est jeter une jambe par-dessus le tube supérieur du cadre et poser un pied sur la pédale avant que le vent nous empêche d'avancer d'un centimètre de plus. Nos frissons se transformaient en convulsions pendant que nos bouches transies refusaient d'émettre le moindre son intelligible. Alors que je tentais de récupérer mon gant qui s'était envolé, on a aperçu un ravin plus ou moins couvert. Ce fossé idéalisé est devenu notre campement pour la soirée.

Sous mon poncho détrempé, j'essayais désespérément d'enfiler des vêtements secs. Peter préparait vaillamment tasse après tasse de chocolat chaud, de nouilles et de thé. Deux heures plus tard, les nuages continuaient leur course dans le ciel hivernal. Notre petite provision d'eau était épuisée. Heureusement, Peter a trouvé un ruissellement d'eau dans la toundra, à moins de cinquante mètres de notre campement.

C'était plutôt cocasse d'essayer d'étendre notre tente pendant qu'elle menaçait de s'envoler. Peter a attaché quatre blocs de roche à chaque coin. Après qu'on a inséré les arceaux, ma tâche consistait à m'asseoir à l'intérieur pour stabiliser davantage la mince structure de nylon. Nous avons mis encore plus de roches à l'intérieur, mais elle semblait toujours vouloir partir au vent.

Nos provisions de nourriture étaient bien cachées sous de petits rochers, plus loin. À l'extérieur, la tempête faisait rage.

On a passé le reste de la nuit à écouter le tambourinement intense de la pluie. C'est le genre de conditions auxquelles on est préparé lorsqu'on escalade des montagnes, pas en cyclotourisme.

Le lendemain matin, une neige légère nous attendait. Les vents s'étaient calmés pour ne laisser qu'une brise, et des flocons mouillés continuaient à tomber. Notre plan consistait à lever le camp de cet abri de fortune et à rouler soixante-dix kilomètres jusqu'à un camping officiel, dans l'espoir que quelqu'un aurait allumé un feu dans un poêle à bois. Six heures plus tard, ce souhait s'est non seulement réalisé, mais il a même été surpassé.

Lorsque je me suis rendue au centre d'accueil des visiteurs, j'ai dû avoir l'air tellement malmené par la vie qu'Orrie, le responsable du camping, a refusé mon argent et nous a offert, à Peter et à moi, une cabane en bois chauffée munie d'une douche chaude. Il est rare qu'on ait la chance de rencontrer quelqu'un d'aussi compréhensif qu'Orrie, mais, quand c'est le cas, les épreuves semblent disparaître. Peter et moi étions émerveillés de penser qu'après avoir passé deux journées aussi difficiles on allait pouvoir rester au chaud, propres et en sécurité pendant une nuit entière. C'était Noël et on était des enfants qui regardaient fixement un sapin imaginaire en écarquillant les yeux. Dans notre cabane, il y avait des étagères remplies de nourriture laissée par d'autres touristes : des barres de céréales, de la soupe, des noix, des fruits séchés, du Kraft Dinner. Une note indiquait : « *Mangez tout ce que vous voulez, sinon ça ira à la poubelle.* »

Le sommeil nous est venu rapidement dans notre refuge bien chaud et, le lendemain matin, un ciel bleu, du moins en partie, nous attendait. On était encore épuisés par les deux derniers jours, alors quand Orrie nous a offert de rester dans la cabane une autre nuit, on a accepté sans hésiter. On s'est prélassés en dévorant des crêpes remplies de confitures de cerises et de fromage à la crème et en buvant du café et du thé chai.

Dans le centre d'accueil des visiteurs, un feu chaud et invitant brûlait dans le foyer, et on pouvait lire au sujet de la culture Gwich'in sur des panneaux rustiques qu'avaient fabriqués les aînés de la région. On a facilement pu se faire conduire à Fort McPherson, la première communauté vraiment nordique qu'on allait trouver sur notre route, pour se réapprovisionner. Les maisons étaient couvertes de bardeaux de bois et chacune avait une motoneige stationnée dans l'entrée. Tout était boueux en raison du réseau de chemins de terre du village. Des huskies enchaînés hurlaient dans leur chenil. Ce n'était pas le genre de destination touristique typique, mais les habitants avaient pris soin de mettre des renseignements à la disposition des passants, alors on a lu leurs panneaux explicatifs, qui relataient l'histoire de la Compagnie de la Baie d'Hudson et d'autres aspects de la culture Gwich'in.

On avait prévu partir tôt pour arriver à Tsiigehtchic, à soixante-cinq kilomètres au nord, à temps pour faire le tour du village, mais ce n'est pas ce qui s'est produit. On était prêts à rouler, mais nos vélos ne l'étaient pas. Nos dispositifs de changement de vitesse ne fonctionnaient plus, la vase et la boue les avaient bloqués. J'ai brisé le mien en essayant de le décrasser. Pendant une heure, Peter a patiemment tenté de le réparer, en utilisant une clé hexagonale, des pinces, un couteau suisse et du *duct tape*. Et il a réussi ! Bon, disons en partie. J'avais seulement quatre vitesses.

Nos vélos étaient en mauvais état à cause de l'humidité hors saison de ce mois d'août sur la route Dempster. Pendant les cinquante-sept kilomètres suivants, c'est comme si on roulait sur de l'argile. J'avais des douleurs musculaires en raison de mes vitesses limitées, et mon vélo était méconnaissable, car totalement recouvert de boue séchée. Des épicéas chétifs cachaient le sol. L'étrange monticule qui apparaissait au loin ressemblait à un porc-épic en état d'alerte. On voyait des lacs émerger à chaque tournant.

Vers 20 h 45, on est arrivés à destination : le fleuve Mackenzie, où on devait prendre le traversier pour se rendre à Tsiigehtchic. C'était dimanche et il était trop tard pour faire la traversée. En hiver, les véhicules voyagent sur un pont de glace considéré comme une portion de la route Dempster. Lorsque l'eau n'est pas gelée, il ne reste que le traversier.

On devait trouver un endroit où camper. Quand Peter a demandé de l'eau à George, le responsable du traversier, ce dernier nous a invités à passer la nuit dans sa tente, au bord du fleuve. On lui en a été très reconnaissants, parce qu'on allait ainsi pouvoir lever le camp beaucoup plus rapidement au matin. C'était une grande tente, munie d'un matelas et d'un vestibule. On a infusé du thé à l'intérieur, sachant qu'à l'extérieur il y avait trop de moustiques. Le soleil couchant teintait les nuages épars d'une vaste palette de couleurs. Le ciel presque dégagé nous donnait envie de rester éveillés dans l'espoir d'apercevoir des aurores boréales, mais à 1 heure du matin, il faisait encore trop clair, alors on s'est satisfaits des faibles lueurs de ce qu'on s'est plu à prendre pour des aurores boréales.

Le mercure a chuté à -5 degrés Celsius pendant qu'on se blottissait confortablement dans des sacs de couchage de duvet.

Au matin, les inévitables nuages avaient envahi le ciel et réchauffé la terre comme une couverture atmosphérique. L'odeur de la pluie fraîche qui flottait au-dessus des arbres, jusqu'au fleuve, annonçait des ennuis pour nous, les touristes à vélo. On a rempli nos sacoches à la hâte, puis on s'est dépêchés de se rendre au traversier. Quatre grues du Canada ont crié sur la rive. Une des seules erreurs qu'on a commises au cours de ce voyage a été de ne pas s'arrêter pour prendre le temps de bien observer ces immenses créatures exotiques. Alors que le traversier quittait la berge sablonneuse, George, notre bienfaiteur, nous a invités à boire un café bien chaud dans son bureau.

Au sommet d'une falaise, dominé par le clocher d'une église, Tsiigehtchic est un village pittoresque situé au confluent du fleuve Mackenzie et de la rivière Arctic Red. À la petite épicerie du village qui faisait aussi office de café, on a rencontré un autre cycliste, Charlie, qui retirait la boue collée à son vélo retourné. Charlie était un bon conteur et avait une bonne écoute, alors on s'est raconté les récits de nos épreuves, heureux de savoir qu'on avait survécu au même froid, au même vent, à la même pluie, à la même boue… On a préparé des sandwichs au fromage, qu'on a chauffé dans le four micro-ondes du magasin, l'un après l'autre, puis on a mangé du yogourt et des bananes. On a parlé à des gens du coin et on s'est familiarisé au village avec une population d'environ 150 habitants. Même si ceux-ci pouvaient paraître difficiles d'accès, ils devenaient amicaux dès qu'on brisait la tension en souriant.

À bord du deuxième bateau qu'on a pris pour traverser une étendue d'eau qui se transformait en portion de la route Dempster en hiver, on a rencontré un touriste, Oli, qui venait de Majorque, en Espagne. On a poursuivi la route ensemble. C'est Oli qui a d'abord imposé le rythme en montant la côte qui partait de la rive du fleuve, puis donnait sur un chemin plat de terre bien tapée. On était poussés par un vent arrière et on allait à l'avant chacun notre tour. Après quarante kilomètres, Oli commençait à être fatigué, alors que Peter et moi, encore en forme pour avancer à un bon rythme, avons continué à pédaler à vive allure.

Plus loin sur la route, on a aperçu la silhouette d'un vélo sens dessus dessous, avec quelqu'un qui travaillait sur la roue arrière. C'était Charlie, frustré par un rayon brisé.

« Je suis à deux doigts de faire du pouce pour me rendre à Inuvik », s'est-il exclamé.

On l'a encouragé à continuer à vélo, puisqu'il roulait depuis six semaines, était parti de Vancouver et était maintenant si près du but. On a ensuite dîné au bord de la route, et Oli s'est arrêté pour se joindre à nous. Il semblait reposé. Bientôt, on est repartis tous les quatre, chacun à son rythme, en se donnant rendez-vous au camping Caribou Creek.

Il s'est mis à pleuvoir et le vent arrière s'est transformé en vent de travers. Comme le camping où nous avions prévu nous retrouver ne comportait aucun abri, Peter et moi avons décidé de continuer à rouler dans l'espoir de trouver un meilleur terrain, plus loin sur la route. La pluie tombait de plus belle. Les vents sont devenus plus violents, mais on a poussé, malgré nos frissons et notre épuisement, jusqu'à Inuvik, quarante-cinq kilomètres plus loin. On s'est arrêtés pour manger des bagels au beurre d'arachide et à la confiture, puis on est repartis sous la pluie glacée et les vents de face. Pour moi, c'était le parcours le plus froid, le plus mouillé, le plus difficile qu'on avait effectué jusqu'à présent. On est arrivés à 23 heures, couverts de boue, gelés et épuisés, et soulagés de se trouver dans un camping où il y avait des douches, après avoir roulé plus de 120 kilomètres sur la route Dempster mouillée et boueuse.

Mais mon malheur s'est poursuivi. Dans la douche des femmes, j'ai pleuré sous le jet froid, les lèvres mauves, parcourue de frissons encore plus intenses que lorsque j'étais exposée aux intempéries. Peter est sorti de la douche des hommes, souriant et bien réchauffé. Je me suis précipitée à sa suite, et j'ai calmé le froid violent qui m'assaillait sous l'eau chaude.

Plus tard, on s'est assis autour d'un feu et on s'est remémoré l'entièreté de notre voyage sur la route Dempster : les difficultés, les paysages magnifiques, la quasi-absence de circulation et tous les gens aimables qu'on avait rencontrés. On s'est dit qu'aucune autre route ne pouvait prétendre à un aspect si sauvage, avec les ours, les loups et tous les autres animaux, et si peu de développement humain, si peu de déchets, si peu de touristes. On s'est aussi dit qu'on n'aurait rien changé à notre voyage, excepté notre regret d'être passés trop vite à côté de ces grues du Canada.

Autrement, on avait eu une lune de miel parfaite.

La gloire, avec un budget serré

J'étais la seule Canadienne à avoir gagné à la fois aux Jeux olympiques d'hiver et aux Jeux olympiques d'été, et c'était un accomplissement extraordinaire. Mais dans les faits, après les Jeux de Salt Lake City je n'avais aucun commanditaire.

Les athlètes canadiens sont comme des artistes fauchés. Les gens s'imaginent qu'on puise notre satisfaction dans la chance qu'on a d'exercer un métier enrichissant et glamour. Le concept d'amateurisme et de professionnalisme dans le milieu des compétitions sportives internationales est complètement archaïque. Je courais contre des athlètes qui, dans des pays comme l'Allemagne ou les Pays-Bas, gagnaient des millions d'euros par année. Même Catriona Le May Doan, elle aussi membre de l'équipe nationale canadienne et représentée par la même agence que moi, gagnait bien sa vie. Mais pour une raison que j'ignore, je n'étais pas perçue comme étant «commercialisable».

Claude Chagnon, dont la famille possédait à l'époque l'entreprise de télécommunications canadienne Vidéotron, a entendu parler de ma situation difficile. Il avait mis sur pied la Fondation de l'athlète d'excellence du Québec, qui permettait à des athlètes québécois de poursuivre leurs études tout en recevant des bourses pour financer leur pratique sportive. Il m'a recommandé de m'inscrire à des cours pour me qualifier pour le programme, puisque j'avais le statut de résidente au Québec. Hubert Lacroix, le PDG de CBC/Radio-Canada et l'un des donateurs de la fondation, a appuyé Claude Chagnon sans réserve : « Lorsque j'ai vu Clara patiner aux Jeux de Salt Lake City, je ne savais pas qui elle était. J'ai vu comment elle a calculé ses efforts de façon à franchir la ligne d'arrivée précisément au bon moment, puis je l'ai vue s'effondrer de douleur. Je n'avais jamais vu aucun athlète se donner à ce point-là. Je me suis demandé : *D'où elle sort ? Est-ce que ça s'est vraiment passé ?* Lorsque Clara est venue à Montréal pour le championnat de patinage de vitesse sur courte piste, j'ai su qu'elle était vraiment comme je l'avais imaginée. Elle pensait toujours à redonner aux autres. Ses motivations étaient claires, autant sur la glace qu'à l'extérieur de la patinoire. Pour moi, c'était la meilleure athlète qu'on puisse aider à se réaliser entièrement. »

Je me suis inscrite à quelques cours d'arts, et la fondation m'a parrainée en m'offrant une bourse de 30 000 dollars. J'ai suivi les conseils de mon entraîneur en cyclisme, Eric Van den Eynde, et j'ai continué à pratiquer le vélo pour que les prix en argent que je gagnerais grâce à cette deuxième discipline me permettent de me renflouer. Après être revenue de Salt Lake City, je me suis qualifiée pour courir avec l'équipe nationale de cyclisme aux Jeux du Commonwealth, à Manchester, en Angleterre. J'ai remporté l'or à Manchester au contre-la-montre, ainsi que le bronze à la course aux points sur piste. C'était moins de six mois après les Jeux d'hiver de Salt Lake City, et juste avant que je rejoigne Peter sur la route Dempster.

* * *

En septembre, après mon voyage sur la route Dempster, je suis rentrée pour la saison de patinage 2002-2003. Je me traînais sur la glace, bien droite, au lieu d'être penchée vers l'avant, et j'avais du mal à me rappeler comment j'avais pu gagner une médaille de bronze aux Olympiques à peine quelques mois plus tôt. Dès que je me plaçais dans la position accroupie et aérodynamique d'une patineuse de vitesse, mon corps criait grâce au bout de trente secondes. J'imaginais difficilement comment je pourrais être prête pour les épreuves de la Coupe du monde, qui allaient commencer la première fin de semaine de novembre.

Lorsque mon équipe a quitté Calgary pendant neuf jours pour effectuer un entraînement en altitude dans les montagnes de l'Utah, mon entraîneuse, Xiuli, et mon physiologiste, doc Smith, ont décidé que je n'y irais pas. Ils ont jugé qu'un entraînement dans les montagnes serait trop ardu pour moi après l'été que je venais de passer à vélo. Mon désir – qu'on pourrait aussi appeler mon *ego*, j'en conviens – me disait le contraire, mais on s'attire facilement des problèmes lorsqu'on écoute son *ego*.

Même au cours des premières semaines d'entraînement, Xiuli m'avait tenue à l'écart du groupe, me permettant seulement de faire cinq minables tours pendant l'échauffement. Pendant ce temps, mes coéquipières filaient sur la glace comme des loutres dans l'eau, dans leurs combinaisons d'entraînement noires et luisantes. Ça me paraissait injuste, même si je savais qu'elles s'étaient exercées à leur posture pendant des mois durant la saison morte, avant de retourner progressivement sur la glace. Alors que j'essayais maladroitement de me tenir en équilibre sur un pied, tout en m'accroupissant pour étirer l'autre jambe vers la droite, puis vers la gauche, mes muscles de patinage, que je n'avais pas utilisés pendant tout un été à pédaler, me faisaient savoir à quel point ces exercices rudimentaires étaient nécessaires.

Lorsque je patinais en équipe, tout allait bien jusqu'à ce qu'on arrive au premier virage et que mon instinct refuse de se réveiller. Pendant que la longue file de patineuses passait du type d'enjambées requises dans les droits au type d'enjambées requises dans les virages, je paniquais : *Qu'est-ce que je fais ? Oh, je dois tourner… tourner à gauche !* C'est incroyable comme une action qu'on a tellement répétée peut soudainement sembler si étrange. Après une fraction de seconde qui paraissait avoir duré une éternité, j'ai enfin réussi à passer aux enjambées croisées. À mesure que la douleur dans mes muscles de patinage se calmait, je me sentais à nouveau comme une enfant insouciante. Il ne fait aucun doute que, pour un être humain, glisser est la façon la plus magnifique de se mouvoir.

Lorsque mon équipe est revenue, j'ai finalement eu le droit de patiner avec elle. J'ai rejoint le train noir qui sifflait en formation parfaite autour de la piste. Je me suis rendu compte qu'en patinant seule j'avais eu l'occasion de réapprendre, une enjambée à la fois, quelle était mon identité en tant que patineuse et ce pourquoi j'étais retournée sur la glace avec une telle joie. Une autre ligne droite, puis un autre virage, et je faisais les enjambées à l'unisson avec le groupe. Nous étions un poème en mouvement, chaque patineuse formant un vers, chaque tour formant une strophe, le bruissement du transfert de poids et le claquement de nos lames marquant le rythme.

* * *

Pendant la saison 2002-2003, notre entraînement a été réorganisé afin que nous formions une équipe plus unie. Du jour au lendemain, j'ai appris à connaître les femmes avec qui j'avais voyagé pendant les deux dernières années.

Xiuli avait été promue au rang d'entraîneuse nationale et, bien vite, elle a fait en sorte que notre petit groupe – Tara Risling, Kristina Groves, Cindy Klassen, Catherine Raney et moi – devienne la terreur des autres équipes partout où on allait, en Europe. Chacune d'entre nous réalisait sa meilleure saison à vie, et je montais sur le podium après presque toutes les compétitions auxquelles je participais. On a mis fin au quasi-monopole des Allemandes en patinage sur de longues distances pour devenir une véritable force dans le domaine. Les entraîneurs, les chefs d'équipe, les patineurs et les thérapeutes ont commencé à nous demander : « Qu'est-ce que vous faites, à Calgary ? C'est quoi, votre secret ? »

Notre « secret », c'était le travail acharné, les compétences de Xiuli comme entraîneuse et le fait que chacune d'entre nous croyait que le succès d'une coéquipière était une victoire pour nous toutes. On se nourrissait de l'unité de notre équipe. C'était beau, c'était amusant et c'était notre meilleure arme. On partageait avec les autres les informations sur les conditions de la glace. On restait au bord de la piste pour crier des encouragements aux autres. On prouvait à tous qu'on faisait partie des meilleures patineuses au monde.

En mars 2003, Équipe Canada devait effectuer un dernier gros voyage en Europe. Même si j'étais très motivée, je commençais à rêver de rentrer à la maison pour retrouver Peter dans le beau village de Glen Sutton. J'étais partie depuis un long moment. Il était maintenant temps de nous asseoir dans notre cour pour écouter les oiseaux chanter. Peter me manquait. Il avait passé l'hiver à faire de la randonnée sur le Long Trail, dans le Vermont, et, pendant son voyage, j'avais encore une fois loué une chambre dans la maison de Tanya Dubnicoff, à Calgary.

Lorsque tout coule de source, c'est dans la nature humaine de croire que la vie va se poursuivre de la même façon. On oublie à quel point on doit demeurer vigilant à tout moment de notre existence pour rester en santé, surtout lorsqu'on pratique un sport risqué.

En ce jour de malheur, j'étais au sous-sol chez Tanya, en train de rassembler mon équipement pour la prochaine Coupe du monde, aux Pays-Bas, à la suite de quoi je devais me rendre au championnat du monde distance unique à Berlin. J'avais déjà rangé mon vélo de course TREK de dix-huit livres et, à présent, je démontais mon vélo de tourisme, que j'utilisais tout au long de l'hiver pour me déplacer. Sans faire attention, j'ai soulevé cette bête d'acier comme s'il s'agissait d'un vélo léger, et c'est alors que ça s'est produit. Mon dos a bloqué. Les spasmes étaient tellement forts que je ne pouvais pas me relever. C'est la douleur la plus intense, la plus impitoyable que j'aie jamais ressentie, et j'ai même été prise de vomissements.

J'étais seule au sous-sol, j'avais l'impression que ma colonne vertébrale avait cédé et je me maudissais d'avoir été aussi stupide. J'ai grimpé l'escalier lentement, avec difficulté, jusqu'au salon où je me suis assise sur un sofa. J'ai essayé de me placer en position de patinage. Une douleur fulgurante m'a traversé le corps.

J'ai appelé Xiuli. Elle est arrivée à toute vitesse en apportant une étrange compresse brune qui provenait de Chine. « Mets-la, ça va aider. »

Ça n'a pas aidé.

On a appelé Lorrie Maffey, la physiothérapeute qui devait partir avec notre équipe le lendemain, et on a élaboré un plan.

Après qu'on a passé l'enregistrement et la douane, à l'aéroport de Calgary, Lorrie a ouvert boutique dans l'aire d'attente. Elle a étalé des manteaux sur le tapis sale et je m'y suis couchée sur le ventre pour qu'elle puisse masser les muscles tendus de mon dos, m'administrer un traitement par ultrasons, puis faire craquer mon dos si fort que les voyageurs qui ne nous regardaient pas déjà se sont tous retournés pour nous observer. Grâce au soulagement que Lorrie m'a apporté, j'ai pu survivre au vol.

* * *

Cette année-là, Heerenveen, où les patins à longues lames sont plus courants que ceux de hockey, s'apprêtait à accueillir toutes les épreuves de patinage de vitesse, plutôt que de séparer les équipes d'endurance des sprinteurs.

Les dynamiques propres à chaque type de coureurs sont devenues apparentes dès le premier repas qu'on a pris ensemble. Les sprinteurs s'échangeaient des moqueries avec vivacité et bonne humeur, aussi rapides que la contraction des fibres musculaires de leurs jambes. Nous, les athlètes d'endurance, plus calmes, n'avions souvent une bonne répartie que plusieurs heures plus tard, comme nous ne prenons parfois conscience de notre performance qu'à la fin d'une course. C'était amusant d'être entourée de personnes qui fonctionnaient tout le temps à plein régime. Après avoir observé ces Ferrari glisser à vive allure autour de la piste, je me suis dit qu'on devait ressembler à des karts, surtout les mordus de longue distance comme moi, qui patine essentiellement à une seule vitesse que je peux garder pendant 5000 mètres. Les Allemandes m'avaient surnommée « *the bicycle girl*».

Mon dos a mis quatre semaines à guérir et, même si j'étais plutôt habituée à la douleur, je n'ai jamais rien vécu de comparable aux élancements lancinants que provoque une blessure au dos. Au championnat du monde distance unique, j'ai commencé à sentir que j'avais atteint le maximum de mes capacités. Pendant le 5000 mètres, je me suis concentrée sur mon mot magique – *EKWA!* –, et j'ai gagné la médaille d'argent. J'étais tout de même déçue, car, sans cette blessure au dos, j'aurais pu gagner l'or.

* * *

J'étais partie de Glen Sutton depuis sept mois et demi, à l'exception d'une dizaine de jours dans le temps des fêtes, ce qui avait ravivé mon mal du pays davantage que ça ne m'en avait guérie. Rien ne me faisait plus de bien que le silence des montagnes du Québec. Alors que j'étais assise avec Peter, à siroter un café et à admirer la douce lumière du matin qui donnait à notre vallée de tendres couleurs printanières, je me suis rendu compte qu'il s'agissait précisément du moment dont j'avais rêvé lorsque j'étais sur la route. Et pourtant... l'attrait de la distance, du voyage, du mouvement a rapidement repris le dessus, comme Peter et moi l'avions imaginé.

On s'est rendus en avion en Californie, puis on a entamé notre périple vers la Basse-Californie à partir de Chula Vista. Cette péninsule montagneuse, qui possède une route asphaltée longue de 1700 kilomètres environ, nous attendait, une fois de plus. Pour moi, c'était aussi un excellent moyen de me remettre en état, après une saison de courses éreintante. C'est malheureux, mais on perd souvent la forme pendant les compétitions, parce qu'il est nécessaire de réduire le volume d'entraînement pour atteindre un sommet en période de course. Cette endurance doit être reconstruite, un kilomètre à la fois, et le cyclotourisme est la meilleure manière d'y arriver. Ça permet de se déplacer assez lentement pour se gorger les sens de sons, de paysages et d'odeurs, et assez vite pour parcourir de grandes distances.

On avait prévu rouler 90 kilomètres par jour sur nos vélos de montagne équipés de pneus semi-lisses. C'était libérateur de parcourir ces distances grâce à la force de nos jambes. Les routes de béton qui sillonnaient la Basse-Californie étaient flanquées d'une jungle de cactus aux ombres mystérieuses. Camper dans ce fouillis presque désert me procurait une sensation de force et de tranquillité, et mon anonymat, en ces lieux, me donnait une énergie et une liberté revigorantes, après des mois passés sous l'œil du public.

Selon notre plan, on devait rester sur les routes goudronnées, mais, comme d'habitude, l'attrait de l'arrière-pays s'est avéré trop puissant. On s'est finalement retrouvés sur des chemins de terre presque impraticables. C'était peut-être inévitable, mais j'ai recommencé à avoir mal au dos. Mon moral en a pâti, et Peter a été obligé d'endurer ma mauvaise humeur.

Au bout d'un mois, environ, on est arrivés à destination, à l'extrémité sud de la péninsule, soit à Cabo San Lucas. On a choisi de prendre l'autobus pour retourner à San Diego plutôt que l'avion, en pensant que ce serait amusant. Erreur. C'était franchement ennuyant de regarder le paysage défiler à 90 kilomètres à l'heure et, quand j'ai soulevé mon vélo pour le monter dans un tramway, à San Diego, je me suis coincé le dos encore une fois. Même vélo, maintenant équipé de tous mes accessoires de voyage. Même mouvement imprudent. Même dos endolori. J'avais trente ans, et mon corps le savait. Je n'avais plus la force et la flexibilité de ma jeunesse. C'était déplaisant.

À présent, avec la saison de cyclisme qui approchait, j'ai décidé que je ne voulais plus participer à des compétitions. Lorsque j'ai fait part de cette décision à Eric, il m'a dit : « Clara, ce n'est pas comme ça que tu devrais te retirer du sport qui a joué un rôle si important dans ta vie. Repose-toi pendant quelques semaines et, quand tu seras prête, on se préparera pour les Jeux panaméricains. »

J'ai accepté.

Je suis allée aux Jeux panaméricains 2003, en République dominicaine. J'ai gagné l'or à la course aux points. J'ai gagné l'argent au contre-la-montre individuel. J'ai gagné le bronze à la poursuite individuelle. Je n'ai apprécié aucune de ces victoires. J'étais debout sur le podium, les médailles autour du cou, et je souriais, tout en pensant : *Ce n'est plus moi, ça. J'ai gagné ces courses parce que j'ai du talent et que je me suis entraînée, pas parce que j'aime le cyclisme.*

J'ai dit à Eric : « C'est assez ! »

Puis j'ai recommencé à patiner à temps plein.

* * *

Le 6 novembre, notre équipe est partie à Hamar, en Norvège, pour entamer la saison 2003-2004. C'est toujours excitant, au début. C'est comme voir un champ de neige infinie dans lequel sculpter un avenir inconnu.

Voyager en équipe est une entreprise complexe. La plupart du temps, on se retrouve dans des aéroports, des gares et des halls d'hôtel, bien visibles avec notre uniforme rouge et blanc à l'effigie du drapeau canadien. Notre regroupement renforce notre esprit de solidarité, mais il bloque aussi le passage aux autres voyageurs pendant qu'on attend comme un troupeau de moutons que nos entraîneurs nous guident. Certains passants nous envoient un amical : « Oh, Canada ! », mais d'autres cèdent à la colère.

On allait voyager en train, en autobus et en avion de la Norvège aux Pays-Bas, puis en Allemagne. On allait souffrir du décalage horaire, des délais imprévus et de l'air vicié des véhicules fermés. Pendant notre avancée dans les paysages européens, parsemés de couleurs automnales, la beauté des collines vallonnées m'a donné envie de rouler à vélo, avant que je me rappelle que je n'étais plus une créature sur deux roues, dorénavant.

Chaque saison est différente. Les gens qui ont brillé par le passé auront peut-être perdu de leur éclat, alors que d'autres auront gagné du lustre. Cette année, ça ne se passait pas aussi bien pour nous ; on était fortes, mais pas aussi précises. Pendant que l'automne laissait place à l'hiver, on s'est battues pour retourner au sommet, là où on devait être, avec les meilleures patineuses au monde.

J'ai décidé de célébrer mon retour au patinage à temps plein en m'achetant une nouvelle paire de patins. Et où aurais-je pu faire ce choix crucial, si ce n'est aux Pays-Bas, le pays où les patins clap ont été inventés, permettant aux patineurs néerlandais de rafler les titres mondiaux avant que les autres pays adoptent cette technologie ?

Les patins à 1400 dollars que je m'étais procurés lors de mon retour sur la glace m'avaient permis de gagner une médaille de bronze aux Jeux olympiques de 2002. Ils m'avaient suivie durant deux saisons, mais, à présent, ils tombaient inévitablement en morceaux. Pendant la Coupe du monde qui se déroulait en Hollande, j'ai visité la manufacture Viking, qui se trouve sur l'autoroute séparant Amsterdam de Heerenveen. Les murs immaculés de la salle d'attente de cette manufacture moderne étaient recouverts d'affiches de patineurs célèbres portant des Viking, décorés de médailles olympiques d'or, d'argent et de bronze. Dans le coin, un téléviseur diffusait le documentaire *100 Years of Dutch Skating*, où s'animaient certaines des images qu'on voyait sur les murs. Différents modèles de patins Viking conçus au fil des ans étaient disposés dans des boîtes de verre, rendant l'évolution de notre sport tangible.

Je voulais le modèle classique, comme mes anciens patins, pas le nouveau modèle, à l'allure trop soignée avec ses couvre-lacets à fermeture éclair. Après avoir essayé plusieurs paires, j'ai trouvé des patins qui m'allaient à la perfection, comme s'ils avaient été fabriqués sur mesure pour moi. J'étais aussi excitée qu'à seize ans, lorsque j'avais acheté mes patins d'occasion à 800 dollars. Et le prix était juste : c'était un cadeau de Viking pour récompenser, je présume, la loyauté envers la tradition, à l'époque des bottines moulées sur mesure.

J'ai promis d'envoyer une photo signée à Viking en guise de remerciements, et j'ai ressenti une drôle d'émotion en imaginant ma photo sur le mur de la salle d'attente, à côté de toutes ces légendes du sport.

On est finalement arrivés à notre dernière destination de la saison : le championnat du monde distance unique de Séoul, en Corée, la course la plus importante de l'année. À en juger par les résultats, cette saison avait pour moi à peine été meilleure que la précédente. Plutôt que d'être démoralisée par ma performance, toutefois, je me suis motivée grâce aux sages paroles de Lao Tseu, que Peter m'avait envoyées : « La protection de l'infiniment fragile et tendre est le secret de la force. »

Comme mon corps était fatigué et que mon esprit de compétition s'était un peu calmé, je me suis tournée vers la technique et le recul, des outils que je pouvais affûter. Avec l'aide de mes entraîneurs, je me suis exercée à ressentir l'effet qu'avait ma technique sur mon corps et mon esprit, en assimilant le patinage à une forme de méditation.

Lorsque j'ai attrapé une laryngite, plutôt que de sombrer dans la panique, j'ai accepté la maladie comme si c'était prévu, comme si ça faisait partie de ma préparation, et j'ai continué à m'entraîner en travaillant à la guérison de ma gorge et de mes poumons. Je me sentais tellement lucide, tellement prête à tout que, si quelqu'un avait jeté des billes sur la glace, j'aurais pu patiner dessus en me disant qu'elles avaient une raison d'être là. Je percevais la glace et mes adversaires comme des données inconnues que je devais explorer avec prudence et sagesse, et j'étais consciente qu'elles pouvaient toutes les deux m'apporter des surprises qui exigeraient que je fasse preuve de flexibilité.

Notre équipe s'est envolée de Calgary vers Séoul le 4 mars pour un séjour de dix jours, transportant le patinage de vitesse dans l'une des villes les plus densément peuplées au monde. On se promenait dans les rues, stupéfiés au milieu de lentes files de voitures et de gens, d'enseignes au néon et de gigantesques panneaux d'affichage à écran plat qui clignotaient au-dessus du tumulte. Je m'étais rarement sentie aussi parfaitement étrangère et, à mesure que les courses approchaient, je pouvais voir le stress de cette contrée inconnue se refléter également sur le visage de mes collègues. C'était frustrant de ne pas comprendre la langue. Tout ce que j'arrivais à prononcer était une version lamentable de « merci » – *gamsa hamnida* –, généralement accueillie par un air confus. Même au championnat, j'étais pratiquement anonyme : une patineuse de vitesse sur longue piste dans un monde dominé par le patinage sur courte piste.

La glace était dans un état si pitoyable que je me suis dit que c'était comme jouer au hockey, comme si c'était une bonne nouvelle. La veille de la course de 3000 mètres, j'ai même accueilli la sensation d'avoir les jambes lourdes comme si je reprenais contact avec un vieil ami. C'était encore un autre rappel que je devrais travailler avec ce que la journée aurait à m'offrir, que ce soit la légèreté de vivre ou le poids de la réalité.

Étant donné que Xiuli, qui venait d'avoir un enfant, était de retour à Calgary, j'ai rencontré les autres entraîneurs sur place et accepté leurs conseils et leurs précieux mots d'encouragement. Couchée sur la table de massage, pendant que je recevais mon traitement quotidien de la part d'Ed Louie, je passais en revue mes plus récentes intuitions, ce qui consistait entre autres à purger mon esprit de la pensée que la réussite était basée sur les résultats.

Le matin de mon 5000 mètres, Peter, qui était en Californie, m'a appelée : « Je suis vraiment content pour toi, Clara. » Encore une fois, aucune mention de la victoire, plutôt une simple reconnaissance du travail que j'avais accompli pendant tant d'années pour trouver la paix dans l'instant présent.

J'ai traversé le tunnel glacé de l'anneau en chantant une chanson que j'avais entendue la veille. Alors que je montais l'escalier, j'ai entendu cette musique dans les haut-parleurs de la piste : synchronisme ! Pendant que je terminais mon échauffement, mes exercices d'agilité m'ont semblé vifs et précis. Puis, quand j'ai commencé à patiner, j'ai senti le tempo idéal que j'avais établi la veille, pendant le 3000 mètres, prendre le dessus. Je voulais accepter la douleur inévitable de l'effort physique comme une récompense pour mon travail au lieu de la percevoir comme une punition. Je voulais être juste assez motivée, mais pas trop… Je voulais que tout soit équilibré.

Le coup de feu a retenti.

Quelque chose d'extérieur à moi a pris le contrôle. J'étais en pleine méditation pendant que je bougeais. Une enjambée après l'autre, je m'approchais de la vitesse que j'avais atteinte à ma course de 3000 mètres. *Devrais-je avoir peur de ce qui se passe?* Je me suis dit: *Ne juge pas.* Je voulais découvrir ce que je pouvais faire, sans aucune retenue.

Cinq tours avant la fin, j'ai senti que l'effort allait quasiment me tuer. J'ai adapté ma technique non seulement au patinage, mais également à la gestion de la fatigue. J'ai ignoré mes muscles, qui m'imploraient de cesser cette violence. Trois tours avant la fin, j'étais dans un tel état d'ivresse et de déni, en raison de l'accumulation d'acide lactique, que j'étais convaincue qu'il ne me restait qu'un seul tour à faire. La douleur était si profonde que je pensais: *Il* faut *qu'il reste seulement un tour.* J'ai attendu le son de la cloche qui donne le signal du dernier tour. Silence. *Est-ce que quelqu'un aurait oublié de la faire retentir?* Non. Il me restait 800 mètres.

Un tour plus tard, j'ai finalement entendu la cloche et je me suis dit: *Si tu te bats, tu as encore une chance d'y arriver.* Ce n'était pas mon genre de céder à la douleur, alors j'ai trouvé un second souffle: *Pousse, pousse, pousse…*

Ces deux tours étaient parmi les plus longs de ma vie, et j'ai pourtant réussi à garder le rythme jusqu'à la ligne d'arrivée. Ensuite, tout ce que j'ai pu faire, c'est m'arrêter en chasse-neige avant de m'effondrer sur le banc le plus près. Mes jambes ne supportaient plus mon poids, et je croyais que la douleur atroce de l'effort allait me faire exploser. Lorsque les chronométreurs m'ont félicitée, ça m'a semblé moins important que ma satisfaction personnelle d'avoir transcendé la douleur pour surmonter cette épreuve. J'avais l'impression de flotter sur un nuage, pendant que je recommençais lentement à bouger.

Après avoir encouragé mes coéquipières, qui faisaient partie des paires suivantes, je suis descendue au vestiaire. Je ne voulais pas regarder les autres patineuses, pas tant parce que j'étais inquiète de perdre ma place au classement final, mais plutôt parce que je ne voulais pas que ma satisfaction s'amenuise en raison des résultats des autres. Je savais que j'avais exécuté une course aussi parfaite que possible pour moi, à ce moment-là de ma vie. J'avais atteint ma capacité maximale.

J'ai tout de même fini par retourner à l'anneau. Il restait deux tours à faire à la dernière paire. Je pouvais voir la souffrance sur leurs visages. Je me demandais à quoi elles pensaient, mais j'étais soulagée que ce soit terminé pour moi.

Lorsque j'ai vu le résultat final, avec mon nom tout en haut – gagnante de l'or au championnat du monde –, je ne savais pas comment réagir. J'avais déjà ressenti l'exultation d'avoir accompli la course de mes rêves, mais c'était maintenant agréable de partager ce sentiment avec mes entraîneurs et mes coéquipières.

J'ai souhaité que Peter soit présent autrement que dans mes pensées. Et Xiuli aussi.

Après notre banquet de célébration, Ed Louie m'a aidée à résumer comment je me sentais: «La glace, c'est juste un peu d'eau gelée. Comme l'eau d'un ruisseau, elle est parfois rapide, parfois plus lente. Tu dois travailler avec son débit pour en retirer tout ce qu'elle peut te donner, car si tu te bats contre le courant, tu n'arriveras à rien d'autre qu'à gaspiller ton énergie. Une eau vive, comme la glace vive de Calgary, te transporte avec elle, tandis qu'une eau lente, comme la glace de Séoul, demande plus d'efforts.»

J'ai trouvé la meilleure manière de travailler avec les éléments, de ne pas aller à leur encontre: une simple série de virages à gauche sur de l'eau gelée, si simple lorsqu'on la considère objectivement, et pourtant si compliquée lorsqu'elle est surchargée d'émotions, de pression et d'attentes. J'avais accepté ces douze tours et demi et je les avais laissés se répandre en moi. Ainsi, pendant 7 minutes et 10,66 secondes, j'avais moi-même fait partie des éléments.

* * *

Une fois de retour dans la solitude de Glen Sutton, lorsque toute la douleur physique de Séoul s'est effacée, j'ai pu m'asseoir avec la boîte dorée qui contenait une médaille d'or et me demander : *Est-ce que c'est vraiment arrivé ?* Puis : *Qu'est-ce que ça signifie, être championne du monde ?* Je savais à quel point j'étais chanceuse, pas d'avoir reçu cette récompense matérielle, mais d'avoir vécu l'expérience qui s'était soldée par ce souvenir doré. Atteindre une performance optimale, c'était atteindre l'extase de vivre, sans être obsédée par un résultat en particulier, mais en sentant tout l'émerveillement de l'instant. Lorsqu'on se concentre sur un objectif, on devient dépendant des actions des autres et des caprices du hasard. Il n'y a aucun jour où je pourrais dire avec assurance : «Je vais être la plus rapide.» Je dois plutôt me lancer dans chaque expérience dans le but de découvrir ce que chaque moment passager a à m'offrir.

C'est ainsi que s'est déroulée cette journée bien spéciale, pour moi, à Séoul.

Lorsque j'ai gagné ma médaille de bronze en patinage de vitesse au 5000 mètres féminin, aux Olympiques de 2002 (La Presse Canadienne)

Avec mon entraîneuse de patinage de vitesse, Xiuli Wang, aux Olympiques de Salt Lake City, 2002

Lorsque j'ai gagné ma médaille de bronze en patinage de vitesse au 5000 mètres féminin, aux Olympiques de 2002 (La Presse Canadienne)

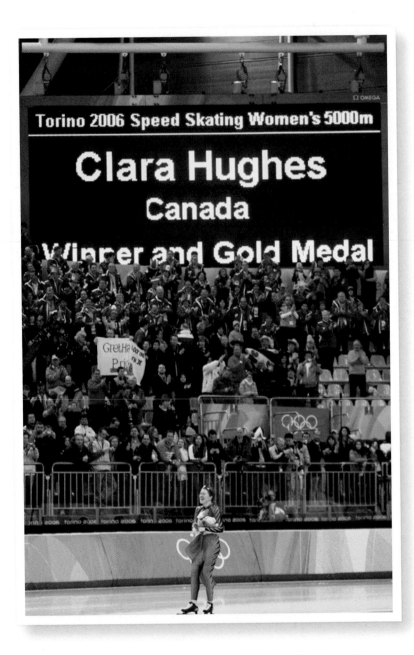

Lorsque j'ai gagné l'or en patinage de vitesse au 5000 mètres féminin, aux Olympiques de Turin 2006 (Getty)

EN HAUT Lors de ma nomination en tant qu'athlète québécoise à titre honorifique, aux côtés du Premier ministre Jean Charest, après les Olympiques de 2006 (Gouvernement du Québec)

EN BAS Prenant part au jeu, en Éthiopie avec Right to Play, 2006

EN HAUT Lorsque j'ai gagné ma médaille de bronze en patinage de vitesse au 5000 mètres féminin, aux Olympiques de Vancouver 2010 (La Presse Canadienne)

EN BAS Étreignant ma mère, après avoir gagné ma médaille de bronze aux Olympiques de 2010

EN HAUT Lorsque la gouverneure générale Michaëlle Jean m'a remis l'Ordre du Canada, 2010
(La Presse Canadienne)

EN BAS L'allée des célébrités canadiennes, 2010
(La Presse Canadienne)

EN HAUT Dans la soufflerie pour un test aérodynamique, avant le contre-la-montre aux Olympiques de 2012

EN BAS Avec Joé Juneau et les membres du Programme de développement des jeunes du Nunavik, 2010

Dans le désert de l'Utah avec Peter pour mon trente-neuvième anniversaire, 2011

EN HAUT Avec une formidable aînée déné, Madeline Catholique, au Grand lac des Esclaves, 2010

EN BAS Avec ma mère à Sydenham Hill, rebaptisée Clara's Climb, à Dundas, en Ontario (2013)

Les Jeux olympiques de Turin 2006

Juste au moment où on croit tout avoir, les choses commencent à nous échapper…

La saison 2004-2005 de patinage avait jusqu'alors été ma meilleure saison. Elle m'avait menée à mes deuxièmes Olympiques d'hiver, à Turin. C'est à ce moment-là que je me suis remise à faire la fête. J'étais seule sur la route, et c'est arrivé, tout simplement. Les athlètes de haut niveau, et peut-être toute personne ayant atteint un haut niveau dans sa discipline, quelle qu'elle soit, adoptent fréquemment une attitude du « tout ou rien » qui engendre des comportements je-m'en-foutistes. Particulièrement lorsqu'on boit et qu'on fume jusque tard dans la nuit en continuant d'obtenir de bons résultats. On pense qu'on peut faire n'importe quoi, parce que, pendant un certain temps, c'est bel et bien le cas.

Je suis allée me coucher complètement soûle bien trop souvent. Au championnat du monde toutes épreuves de 2005, à Moscou, j'ai gagné la médaille de bronze au 5000 mètres, puis j'ai bu au point de passer à deux doigts de manquer l'autobus qui nous devait nous conduire à l'aéroport, à 6 heures le lendemain matin. Je titubais dans le hall de l'hôtel lorsque

Xiuli m'a trouvée, horrifiée de voir une de ses athlètes aussi ivre. Je n'avais pas ma clé, alors je n'avais pas accès à ma chambre et je n'avais pas préparé ma valise. Elle m'a fait entrer et a rassemblé toutes mes affaires. Lorsque je suis montée en trébuchant dans la navette, où le reste de l'équipe attendait, j'ai été accueillie par de nombreux regards furieux.

Peter, qui n'avait aucune idée de la vie autodestructrice que je menais, m'a rendu visite à Inzell, en Allemagne, pendant le championnat du monde distance unique. J'ai gagné l'argent à l'épreuve de poursuite par équipes et le bronze au 5000 mètres, puis j'ai scandalisé mon mari, un homme modéré, lorsqu'il a vu combien de verres j'avais enfilés au bar.

Il m'a demandé : « Qu'est-ce que tu fais ? C'est stupide. » Il est parti pendant que je continuais à boire avec les Russes.

Je ne sais pas comment je suis retournée à notre chambre, j'imagine que quelqu'un m'a aidée. Je me sentais malade, alors j'ai vomi dans la douche et je me suis endormie sur le plancher de la salle de bain.

Peter est rentré au Canada le lendemain matin, après m'avoir clairement fait comprendre à quel point je l'avais déçu. J'avais réussi à me convaincre que j'avais beaucoup de plaisir dans ce parcours, mais lorsque quelqu'un que j'aimais me voyait comme une perdante malgré mes succès apparents, ça me forçait à considérer mon comportement d'un œil moins clément. Xiuli aussi en avait assez de mes agissements. Elle a exigé que je lui promette de ne pas me soûler jusqu'à ce que les Olympiques de Turin soient passés, puis elle m'a demandé de lui serrer la main pour conclure ce pacte. C'est une promesse que j'allais respecter.

J'étais contente de pouvoir blâmer la pression des courses pour mes agissements, mais, une fois de plus, j'apprenais que je ne pourrais jamais patiner ou pédaler assez fort pour me débarrasser des ténèbres lancinantes qui m'habitaient, peu importe combien de médailles je gagnais. Je n'étais toujours pas prête à affronter ma dépendance et toutes les émotions profondes qu'elle dissimulait. Je me tournais parfois vers l'alcool, parfois vers la nourriture. Lorsque j'avais une journée de congé d'entraînement, j'entendais la voix de Mirek dans ma tête qui me reprochait d'être paresseuse, ce qui me déprimait encore plus. Je mangeais ensuite à outrance, me transformant en échec ambulant, pétrie de culpabilité.

Au printemps 2005, je suis retournée à Glen Sutton. Plutôt que de travailler avec l'équipe en avril, je souhaitais garder la forme en faisant du vélo avec Peter. Xiuli a accepté, même si les entraîneurs restent généralement aux côtés de leurs athlètes pendant la saison morte, surtout si près des Jeux olympiques. Comme je m'entraînais et que je faisais de la compétition depuis tellement d'années, Xiuli savait qu'elle devait me laisser davantage de liberté. Elle reconnaissait aussi que, comme j'étais la seule athlète mariée de son équipe, j'avais besoin de passer du temps avec mon mari pour partager avec lui une activité qu'on aimait tous les deux. Elle avait confiance en ma capacité de me tenir en forme en entreprenant une aventure intense qui me rendrait forte.

Après avoir sorti un atlas, j'ai suggéré : « On pourrait l'ouvrir et, peu importe sur quelle page on tombe, c'est là qu'on va ? »

C'est ainsi qu'on s'est retrouvés au sud-ouest de l'Arizona, à rouler sur des routes de terre et des routes bétonnées, près de la frontière mexicaine, puis à l'est de l'État, en territoire navajo. La culture navajo et le paysage en perpétuelle évolution ont fait de ce voyage un périple incroyable ! Malheureusement, j'ai été gravement malade alors qu'on campait au Navajo National Monument. J'ai été prise de nausées sévères pendant quatorze heures d'affilée. J'avais l'impression d'avoir subi un empoisonnement, une possibilité probablement avérée, car j'avais bu de l'eau de source non testée. Tandis que j'étais couchée dans notre tente, les jambes sorties, un Navajo s'est arrêté pour demander : « Est-ce qu'elle est morte ? » J'avais vraiment l'air mal en point ; j'avais encore découvert un moyen peu traditionnel et certainement pas recommandé de retrouver mon poids de course.

Lorsque j'ai repris suffisamment de force, des gardiens du parc national ont été assez gentils pour nous conduire plus de 150 kilomètres plus loin, même s'ils n'allaient pas dans cette direction, parce qu'ils disaient que la région était trop dangereuse pour les auto-stoppeurs. On s'est arrêtés une nuit dans un terrain de camping attenant à une station-service, puis on a fait du pouce en tenant un morceau de carton qui indiquait : FLAGSTAFF. Un couple navajo nous a amenés jusqu'à Phoenix. Le conducteur, un vétéran du Vietnam, est passé par Sedona pour qu'on puisse admirer le désert qui miroitait comme de l'or dans la chaleur du soleil.

* * *

Après l'Arizona, je suis retournée au camp d'entraînement olympique. Comme j'avais gagné l'or et l'argent, ainsi que de nombreuses courses par équipes aux épreuves de la Coupe du monde, je m'étais déjà préqualifiée pour les Jeux de Turin. À présent, je me sentais réellement comme une patineuse de vitesse, je n'avais plus l'impression d'être une cycliste qui faisait semblant de patiner. Ça, c'était avant qu'une pneumonie me frappe, sept semaines avec les Jeux. J'étais tellement malade que, si je ne m'étais pas préqualifiée, je n'aurais jamais pu aller aux Olympiques.

Ça avait pris plusieurs années, mais je faisais maintenant confiance au Dr Smith, notre physiologiste. Malgré son recours constant aux chiffres et aux graphiques, il comprenait également l'esprit humain. Je m'entraînais avec Xiuli depuis six ans, et on commençait à se taper sur les nerfs. J'avais l'impression qu'elle ne me donnait pas toute l'attention dont j'avais besoin pour améliorer ma technique, et elle n'appréciait pas certains de mes comportements. C'était normal de s'énerver mutuellement après avoir travaillé aussi étroitement pendant autant d'années. Doc Smith, qui supervisait toutes les équipes nationales, et Scott Maw, qui agissait comme ses yeux sur le terrain, tenaient le rôle crucial de médiateurs entre Xiuli et moi.

Après que j'ai attrapé une pneumonie, mes tests de composition corporelle indiquaient que je gagnais parfois dix livres en deux semaines, et que je perdais parfois du poids. J'étais tellement déprimée et découragée par la maladie et la prise d'antibiotiques que je mangeais beaucoup trop pour tenter de me sentir mieux. Je me souviens d'avoir dévoré des cochonneries en regardant plusieurs épisodes d'affilée de la série télé *Alias*. Une athlète d'élite ne devrait pas agir ainsi, mais c'était la façon que j'avais trouvée de passer au travers de la journée. Doc Smith ne me sermonnait pas, mais il me disait la vérité. La veille de mon départ pour Turin, j'avais 23 % de graisse corporelle, le pire taux que j'avais jamais eu, parce que j'avais été incapable de m'entraîner pendant deux semaines et que je n'avais pas fait attention à mon alimentation.

En regardant mon corps grassouillet dans le miroir, je me suis rappelé les cyclistes masculins au Tour de France l'année précédente, qui se battaient, jour après jour, et qui semblaient de plus en plus décharnés, sous leur bronzage et leurs combinaisons d'élasthanne incroyablement brillantes. Cet air sous-alimenté signifiait qu'ils étaient suffisamment en forme pour s'élancer vers le sommet des montagnes. Devant mon reflet, je me suis dit : *Wow, c'est vraiment de la merde. Mais j'en suis là.* Cette constatation s'appliquait aussi à mes yeux de panda aux cernes noirs.

* * *

Turin, Italie, du 10 au 26 février
À ces Olympiques, 2508 athlètes qui représentaient quatre-vingts nations s'affrontaient dans quatre-vingt-quatre épreuves. *Que les Jeux commencent !*

Ouais, c'est ça. Sauf que je me sentais faible et en manque d'inspiration. J'aurais aimé aller à la cérémonie d'ouverture, dont le thème était *Les étincelles de la passion*. Je l'ai plutôt regardée à la télévision, parce que ma première course allait avoir lieu le deuxième jour des Jeux et que je ne me sentais vraiment pas bien.

Ce n'étaient pas seulement ma santé et mon absence de motivation qui me dérangeaient. Le jour de notre arrivée en Italie, le village olympique n'était qu'à moitié fini et l'anneau était assez banal. Mais surtout, notre superbe esprit de corps, qui avait enflammé l'équipe canadienne féminine pendant la saison 2002-2003, s'était dissipé. Avant les Olympiques, on avait participé à un camp de renforcement d'équipe, où on avait dû endurer un horaire ininterrompu d'ateliers, de conférences de motivation, de rafting en eaux vives, de canot et de sketchs sur les Jeux, et une version olympique de l'émission *The Amazing Race*. C'était censé nous aider à nous sentir plus unies, mais, comme le patinage de vitesse est un sport tellement individuel, ça n'avait pas fonctionné. Celles qui faisaient semblant d'avoir un esprit d'équipe hors pair étaient en réalité les plus égoïstes lorsqu'on revenait à la réalité de la course. Pendant que j'étais malade, aucune d'entre elles ne m'a appelée pour savoir comment j'allais. À mon retour, aucune de mes coéquipières ne m'a prêté attention : pas un seul signe d'inquiétude, pas un seul mot de réconfort. Ça m'a blessée.

Je me suis confiée à Xiuli et à Peter qui m'ont tous les deux dit la même chose : « Il faut que tu t'endurcisses. N'essaie pas d'aider les autres, parce que tu ne vas rien recevoir en retour. »

J'ai suivi ce conseil, même si ça me déplaisait.

Après une course d'entraînement préparatoire aux Jeux, alors que j'étais encore aux prises avec ma pneumonie, un entraîneur a ouvertement remis en question ma capacité de participer à la poursuite par équipes : « On doit s'assurer que Clara ne se retrouve pas à la traîne. » *Ah, oui, bien sûr. C'est tellement gentil d'y penser.* Finalement, on a gagné l'argent à Turin dans la poursuite par équipes. *Alors non. Clara ne s'est pas retrouvée à la traîne.*

Ce même entraîneur s'est arrangé pour que les entraînements de poursuite par équipes soient organisés en fonction des entrevues de sa patineuse, puis il a fait en sorte que l'athlète de remplacement de l'équipe patine avec elle. Lorsque j'ai pris l'initiative de lui dire que seuls les membres de l'équipe devraient patiner avec nous, la remplaçante a cessé de nous suivre, mais l'ambiance est demeurée tendue et notre moral, bas.

Avant le 3000 mètres, je patinais plutôt mal et je me disputais constamment avec Xiuli. Mon technicien en patin,

Alex Moritz, m'a emmenée voir l'entraînement de l'équipe chinoise de patinage sur courte piste pour me faire remarquer sa manière de prendre les virages. Les patineurs faisaient pression sur la glace avec chaque centimètre de leurs lames, de façon que leur force leur permette d'aller plus vite. J'ai essayé de saisir ce concept de la puissance détendue et du contrôle sans effort qui m'aiderait à me propulser vers l'avant, mais j'ai fini par patiner trop intensément pendant mon échauffement. Je faisais partie de la dernière paire. Le meilleur temps n'était pas très rapide, alors je croyais que j'allais assurément gagner. J'ai commencé la course lentement. Ensuite, peu importe ce que je faisais, je ne parvenais pas à aller plus vite, ni même plus lentement, comme si j'étais un robot qui tournait en rond sur la piste. Chaque tour que je patinais avait exactement la même durée que le précédent, et j'ai terminé avec une lamentable neuvième place.

Je n'étais pas la seule à me sentir triste. Avant la course de 3000 mètres, je n'avais pas pu voir Xiuli, en raison de tous les conflits avec l'autre entraîneur canadien. Lorsque je l'ai retrouvée, j'ai constaté qu'elle avait pleuré.

Pendant la première semaine des Jeux, j'errais dans un vortex d'énergie négative. Je voyais mes coéquipières gagner une médaille après l'autre, alors que tout ce que j'avais, c'était la médaille d'argent de notre poursuite par équipes, rangée au fond de mon tiroir. J'ai parlé à un skieur de Canada alpin, qui se plaignait de ses entraîneurs parce qu'ils l'avaient enfermé dans une cage olympique. Ils lui avaient ordonné de ne rien regarder, explorer ou expérimenter, pour rester absolument concentré. « J'ai participé à deux Olympiques, et ce sont les pires expériences que j'ai vécues de toute ma vie. »

Le conseil que le skieur avait reçu a eu l'effet inverse sur moi. Quelques jours avant le 5000 mètres, j'ai décidé de me laisser atteindre davantage par l'expérience olympique, par tout ce qui pouvait me distraire du fait que je me sentais si mal sur la glace. Cette décision m'a menée jusqu'au stand de Right To Play, un organisme torontois fondé par Johann Olav Koss, un ancien patineur de vitesse norvégien qui avait gagné quatre médailles d'or olympiques. Après avoir pris sa retraite du sport, Johann a suivi une formation en médecine, puis il a combiné ses compétences en médecine et en athlétisme, et utilisé le sport pour aider les jeunes dans des pays défavorisés. Ça m'a profondément touchée.

J'ai continué à être habitée par ce sentiment au cours de la soirée lorsque j'ai vu l'Américain Joey Cheek, qui venait de gagner le 500 mètres masculin, annoncer qu'il allait faire don de ses gains à l'organisme Right To Play pour aider les enfants au Darfour. Cette mise de fonds initiale, 25 000 dollars, allait finalement susciter d'autres dons, pour un total de 500 000 dollars.

J'étais en compagnie de Kristina Groves, et on s'est toutes les deux demandé si on était prêtes à faire la même chose. On n'en était pas certaines, ni l'une ni l'autre. En tant qu'athlètes canadiennes, on n'était pas dans la même situation que les patineurs des États-Unis et de nombreux autres pays, puisqu'on ne recevrait aucune récompense financière si on gagnait à Turin. Néanmoins, je savais que j'avais 10 000 dollars dans mon compte en banque. Je me suis demandé : *Si je gagne une médaille, est-ce que je pourrais utiliser le podium pour transformer mes 10 000 dollars en un don plus substantiel, comme Joey l'a fait ?*

Motivée par cette pensée, j'ai décidé de transformer mon expérience des Olympiques en passant de l'attitude *Je suis incapable de patiner* à l'attitude *Peut-être que c'est comme ça que je suis censée me sentir avant de gagner aux Jeux.* Ça avait fonctionné à Séoul, lorsque j'avais gagné l'or au 5000 mètres, alors pourquoi pas maintenant ? J'ai pris la petite étincelle que j'ai trouvée cachée au fond de mon être et j'ai travaillé à la faire scintiller chaque jour davantage.

La nuit avant la course de 5000 mètres, Xiuli est venue me voir dans ma chambre avec le résultat du tirage pour le jumelage. Elle m'a demandé : « Veux-tu vraiment le savoir ? »

Je me suis exclamé : « Oh non, pas Claudia Pechstein ! »

Elle a hoché la tête : « Oui, tu es avec Claudia. Dans le couloir extérieur. »

Pour moi, c'était le pire jumelage que j'aurais pu obtenir, parce que, chaque fois que j'avais patiné avec Claudia, elle avait eu le dessus sur moi. Elle avait fait des changements de couloir qui s'étaient révélés problématiques pour moi, ou avait accéléré de façon que je sois obligée de ralentir, ou augmenté sa vitesse au moment d'effectuer un virage. La première fois que j'avais été jumelée avec elle, à Heerenveen, j'avais obtenu la deuxième place et elle avait gagné la Coupe du monde. Son entraîneur, un vieil Allemand rusé, se tenait au milieu de mon couloir, là où j'étais censée patiner, avec en main le compteur de tours de Claudia. J'étais convaincue que j'allais lui foncer dessus jusqu'à ce qu'il saute à l'extérieur du couloir à la dernière seconde, mais seulement après m'avoir fait perdre le rythme.

Après la course, je lui ai dit : « Hé, connard, ne recommence plus jamais ça avec moi. » Puis j'ai lancé à Claudia : « Rappelle à ton entraîneur de ne pas me bloquer le chemin. Tu me prends pour une conne ? » Elle a plaidé l'ignorance. Je n'ai pas versé une seule larme, quelques années après Turin, lorsque Claudia a été suspendue en raison d'une suspicion de dopage sanguin, ce qui lui a valu de manquer les Jeux de Vancouver.

Pendant notre affrontement, un de mes entraîneurs, Gregor Jelonek, m'a emmenée à l'écart et m'a dit : « Clara, calme-toi, tu es à la télévision. Tu ne te rends pas compte que tu es en train de donner aux Allemands ce qu'ils veulent ? À partir de maintenant, ils vont t'embêter chaque fois, parce qu'ils savent comment t'atteindre. » J'étais encore hors de moi, alors je n'ai pas compris tout de suite que Gregor avait raison.

Commencer dans le couloir extérieur n'était pas une bonne nouvelle non plus. Lorsque tu commences dans le couloir extérieur, tu finis dans le couloir extérieur. Tu ne bénéficies pas de ce dernier effet d'accélération en revenant dans le couloir intérieur, qui peut te faire gagner la course. Lorsque je m'en suis plainte à Xiuli, elle était tellement tannée de m'entendre qu'elle m'a dit : « Clara, tu n'y peux rien. Tu devrais parler de ce que tu *peux* accomplir, au lieu de te concentrer sur ce que tu ne peux pas changer. »

Pendant que Xiuli et moi nous disputions, j'étais convaincue que Claudia et son entraîneur étaient en train de trouver une façon de me nuire pendant la course. Ils étaient heureux que Claudia soit jumelée avec moi.

J'ai dit à Xiuli : « OK. Si elle va vite, j'irai lentement. Si elle ralentit, je vais accélérer. Je vais faire le contraire de ce qu'elle veut. Et si son entraîneur me bloque le chemin, je vais lui passer dessus. »

Après avoir imaginé cette stratégie, j'ai décidé que d'être jumelée avec Claudia était peut-être la meilleure chose qui puisse m'arriver, parce que je savais ce qui m'attendait. Il n'y aurait pas de surprise.

Quand Xiuli est partie, je me sentais vide et seule, avec mes inquiétudes pour unique compagnie. Pour me distraire, j'ai allumé la télé. Une médaillée d'argent suisse exécutait une chorégraphie de patinage artistique sur une horrible chanson de James Blunt, mais elle créait des mouvements parmi les plus magnifiques qu'il m'ait été donné de voir. Elle était vêtue de noir et bougeait avec une liberté et une joie absolues, elle tournait et glissait, sautait et valsait sur la glace. J'étais tellement impressionnée que j'ai écrit *Joie* sur ma main, pour me rappeler que c'était ainsi que je voulais patiner le lendemain. Je me suis ensuite endormie, le sourire aux lèvres.

* * *

Le matin du 5000 mètres, j'ai bu un café et déjeuné, puis je suis allée faire un tour en patins à roues alignées. J'ai passé le temps comme d'habitude avant une course : sans penser, ni trop ni pas assez ; sans me reposer, ni trop ni pas assez ; et sans trop parler, en ayant seulement des conversations sans importance. J'avais une longue journée devant moi, car je ne patinais pas avant 18 heures, ce soir-là.

Lorsque j'ai allumé la télévision, CBC diffusait un documentaire de Right To Play en Ouganda, avec des athlètes olympiques canadiens : Steve Podborski, un skieur de descente, et Charmaine Crooks, une sprinteuse. Fascinée, j'ai regardé d'anciens enfants soldats, nés dans la guerre et la pauvreté, porteurs du VIH ou souffrant du sida, en train de jouer, comme s'ils n'avaient aucun souci. Ils vivaient dans la misère la plus totale et ils étaient tellement timides qu'ils lançaient de brefs coups d'œil à la caméra, avant de se retourner rapidement.

J'ai regardé le mot écrit sur ma main, puis les visages des enfants, et je me suis dit : *Tu vas gagner aux Olympiques et tu vas donner ton propre argent, les 10 000 dollars que tu as en banque, à Right To Play.*

Le mot «joie» est devenu mon mantra.

J'ai passé le reste de la journée comme dans un rêve. Je visualisais comment la course allait se dérouler, moi qui patinerais derrière, au début, puis qui pousserais pour rattraper l'autre coureuse pendant les deux derniers tours. Tout ce que j'avais à faire, c'était me rendre jusqu'à la ligne, puis ne pas perdre de vue ma mission, qui était bien plus importante qu'une simple victoire.

Lorsque je suis arrivée à l'anneau, Claudia est la première personne que j'ai vue. Elle m'a saluée chaleureusement : «Hé! Comment ça va?» J'ai pensé : *Tu penses que tu vas m'avoir, mais tu ne peux pas imaginer à quel point je suis au courant de ton manège.*

On était la dernière paire à courir. Je me suis échauffée sur la glace. C'était un simple rappel que je savais patiner. Je n'ai fait aucun effort particulier et je ne me suis sentie ni bonne ni mauvaise.

Je me souviens que je me tenais sur la ligne de départ et que j'entendais la voix qui me présentait à la foule compacte par mon nom, mon pays et mes anciennes réussites. Comme Claudia était la triple championne en titre, elle a eu droit à une immense ovation. Même si j'avais gagné la Coupe du monde et que j'avais été championne du monde deux ans plus tôt, mes réalisations pâlissaient devant celles de Claudia. Je voulais la détruire. L'annonceur anglais était Matt Jordan, l'entraîneur en force musculaire qui avait travaillé avec moi pour les compétitions les plus importantes, alors j'ai considéré cela comme un bon signe. Je tripotais mes lunettes en attendant le départ et je pensais: *Fais juste tirer le coup de feu.*

En levant les yeux vers la foule, j'ai remarqué une petite fille aux cheveux tressés qui tenait un drapeau canadien en papier et une pancarte qui indiquait, en grosses lettres rouges: *Forza Clara.* C'était Rebecca. La maison qu'on louait pour Peter appartenait à sa famille. Dans ses yeux se lisaient l'espoir et l'allégresse que j'avais vus dans ceux des enfants ougandais du documentaire, grâce à Right To Play. Je me suis dit: *Ne regarde plus en haut, parce que tu vas perdre ta concentration.* J'ai plutôt jeté un œil à ma main: *Joie.*

Le coup de feu a retenti.

Claudia et son entraîneur ont commencé presque immédiatement à essayer de me nuire. J'étais un peu derrière Claudia, mais on était toutes les deux en retard de sept secondes sur le temps réalisé par Cindy Klassen. J'avais dit à Xiuli: «Je ne veux pas savoir où je me situe par rapport au meilleur chrono, parce que je vais aller tellement vite à la fin de la course que je vais rattraper n'importe quel retard.»

J'étais détendue, puis je me suis raidie, et Xiuli m'a crié de me détendre à nouveau et de respirer. La foule était silencieuse. Les Néerlandaises avaient connu des courses désastreuses, et on était si loin derrière le chronomètre de Cindy que les spectateurs croyaient qu'ils assistaient à une épreuve sans intérêt. Au début, on ne percevait aucun enthousiasme alors que Matt faisait le décompte des tours restants, mais on se rapprochait peu à peu du temps réalisé par Cindy, et la foule s'est rendu compte qu'elle assistait potentiellement à la course pour la médaille d'or. Au moment où j'ai commencé à sentir la douleur dans mes muscles, les spectateurs criaient.

À environ trois tours de la fin, j'ai aperçu Claudia du coin de l'œil, et elle paraissait un peu fatiguée, pas aussi imposante qu'à son habitude. Je savais qu'elle était en train de craquer, et que c'est là que je devais attaquer. Au moment précis où j'ai eu l'impression que des couteaux transperçaient chacun de mes muscles, j'ai laissé la clameur de la foule résonner dans mes oreilles, comme si quelqu'un avait réactivé le son sur un téléviseur. J'ai canalisé cette énergie, l'ai absorbée, tout en me répétant: *Plus bas, plus fort, plus longtemps.* Et tout à coup, j'allais plus vite. Avec un seul tour à faire dans le couloir intérieur, j'étais à égalité avec Claudia. Je me suis exhortée à pousser aussi fort que possible, car Claudia profiterait de l'aspiration en me suivant pendant le dernier tour, ce qui lui permettrait de se propulser dans le couloir intérieur et de gagner. Je patinais comme si quelqu'un me courait après avec un couteau. Pendant la dernière ligne droite, je pouvais voir l'entraîneur de Claudia, mais ça ne me dérangeait pas. J'allais lui foncer dessus s'il me bloquait le chemin. Pendant mon dernier tour dans le couloir extérieur, ma douleur était fulgurante. Je ne pouvais plus voir Claudia derrière moi, alors je me suis concentrée sur la ligne d'arrivée: *Amène-moi jusque-là, c'est tout.*

Je me suis précipitée pour que ma lame franchisse cette ligne, sachant que j'avais battu Claudia, la triple championne olympique du 5000 mètres. C'est seulement à cet instant que j'ai regardé le chronomètre. Je venais de tomber sous la barre des sept minutes: *6:59:07!* J'ai hurlé de joie, la tête entre les mains. Je venais de gagner l'or aux Olympiques!

Mon corps a cédé et je me suis effondrée, étendue sur la glace, malade de douleur. Lorsque je me suis tournée, j'ai vu Xiuli. Elle m'a chuchoté: «Je sais que tu as mal, mais les gens te regardent. Tu es à la télévision. Tu devrais te lever.»

Après quelques encouragements amicaux, j'ai réussi non seulement à me lever, mais également à patiner un tour de plus en faisant voler le drapeau canadien au-dessus de ma tête, comme une aile gigantesque qui me permettait de ressentir un état de joie absolue. Moi aussi, je volais.

Alors que j'étais debout sur le podium avec ma coéquipière Cindy Klassen, qui avait gagné la médaille de bronze, j'ai entendu l'*Ô Canada* jouer. J'ai trouvé ma voix et j'ai su que c'était le moment de la faire entendre. J'ai fait monter Cindy à mes côtés, sur la marche la plus élevée du podium, pour qu'on puisse chanter ensemble. Elle avait gagné sa cinquième médaille des Jeux, et j'avais tenté l'impossible pour gagner le 5000 mètres.

Je me suis ensuite rendue à une conférence de presse où j'ai annoncé que j'allais donner 10 000 dollars à Right To Play, puis j'ai lancé le défi aux Canadiens de donner davantage. Le présentateur de la CBC Brian Williams m'a invitée à son émission, et, le lendemain soir, 100 000 dollars avaient été amassés. Quatre mois plus tard, on en était à 430 000 dollars.

Je suis allée rejoindre Peter et on s'est rendus dans un bar en face de l'anneau. Il m'a dit : « Tu sais, je n'arrive pas à croire que tu as réussi. Personne ne parlait de toi. Tout le monde pensait que Claudia gagnerait sans difficulté. Ou Cindy. Je n'ai pas du tout aimé regarder la course et, quand ça s'est terminé, je pensais que tu faisais une crise cardiaque. »

On s'est mis à rire, tous les deux, et on n'a pas arrêté pendant toute la nuit.

J'avais gagné une course que je n'aurais physiologiquement pas dû être capable de gagner.

Doc Smith pensait la même chose. Lorsque je suis retournée à Calgary, il m'a dit : « Tu as fait mentir tout ce en quoi je crois. Je n'ai jamais vu une telle concentration auparavant. Elle te permet d'arriver à accomplir tout ce que tu veux, peu importe ce dont il s'agit. »

C'était absolument génial de recevoir une telle reconnaissance, surtout de sa part.

Le droit de vivre et de jouer

J'avais appris une leçon, à Turin : pour que les médailles vaillent quelque chose, pour moi, elles devaient signifier davantage que le fait de franchir la ligne d'arrivée plus rapidement que les autres. Sinon elles n'étaient que des souvenirs que j'envoyais à ma mère, à Winnipeg, pour qu'elle puisse les montrer à la famille et à ses amis. Ce qui m'avait permis de gagner l'or, à Turin, ce n'étaient pas seulement mes milliers d'heures d'entraînement, mais surtout un sentiment d'engagement acharné envers Right To Play, à une période de ma vie où je n'étais pas du tout en état de gagner une médaille. Ma vie professionnelle et ma vie personnelle s'étaient croisées, et cette fusion m'avait appris à vivre.

C'était Johann Olav Koss qui avait eu l'idée de mettre sur pied Right To Play. Quelques mois avant les Olympiques d'hiver de Lillehammer, en 1994, Johann avait fait un voyage en Érythrée, dans la corne de l'Afrique, pour le compte de l'organisme Olympic Aid. En observant des enfants jouer parmi les tanks calcinés, dur héritage des décennies de guerre qu'avait connues le pays, Johann a remarqué un garçon qui semblait particulièrement populaire. Lorsqu'il a demandé au garçon quel était son secret, l'enfant lui a répondu: «J'ai des manches longues.» Il a enlevé son chandail et l'a roulé en boule en utilisant les manches pour le nouer en un ballon que les enfants pouvaient se lancer. Johann était stupéfait. Malgré la récente violence, ces enfants avaient tout de même envie de jouer.

Aux Olympiques de Lillehammer, Johann est passé à l'histoire en battant trois records mondiaux de patinage de vitesse et en gagnant trois médailles d'or. Il s'est engagé à remettre les bonis qu'il recevrait pour ses médailles d'or à Olympic Aid, puis a demandé aux Norvégiens de faire don de quelques dollars pour chaque médaille gagnée par leur équipe nationale. La Norvège a gagné vingt-six médailles, et Johann a récolté plus de 18 millions de dollars. Lorsqu'il s'est rendu dans une Érythrée frappée par la pauvreté à bord d'un avion rempli d'équipement sportif, les médias norvégiens le traitaient de fou.

Johann a présenté ses excuses au président de l'Érythrée : «Vous avez besoin de nourriture et j'ai apporté de l'équipement de sport.»

Le président était ravi : «Pour la première fois, on se fait traiter comme des êtres humains, pas seulement comme quelque chose qu'il faut maintenir en vie.»

En 2003, Johann a réaménagé Olympic Aid pour fonder Right To Play (RTP), guidé par les principes de l'inclusion, de la protection des enfants et de l'égalité des sexes. Aujourd'hui, son organisme, dont le siège se trouve à Toronto, utilise le sport et le jeu pour aider un million d'enfants défavorisés dans une vingtaine de pays à vaincre la pauvreté, les conflits, l'analphabétisme et les maladies. La clé du succès de RTP réside dans sa capacité à former des entraîneurs de l'endroit pour inciter les communautés à participer localement aux initiatives, tout en gagnant également l'appui des dirigeants politiques de chaque pays.

Pourquoi le jeu? C'est instinctif. Le slogan de RTP est « *Look After Yourself. Look After One Another*», c'est-à-dire : «Prenez soin de vous-même, prenez soin les uns des autres.»

Trois mois après les Jeux de 2006 à Turin, j'ai été invitée à faire partie des athlètes ambassadeurs de RTP, ce qui signifiait que je devrais utiliser mon histoire personnelle et mon expérience dans le domaine des sports pour inspirer les animateurs de l'organisme et les enfants sur le terrain, puis pour sensibiliser les gens aux programmes de RTP au Canada et pour recueillir des fonds.

J'étais enchantée.

À ce jour, j'ai voyagé pour le compte de RTP en Éthiopie, au Ghana, au Rwanda, au Liberia, en Ouganda, au Mali et en Cisjordanie, en partie grâce au financement offert par l'ACDI (l'Agence canadienne de développement international). J'agis à titre de bénévole pour le conseil d'administration international de RTP et je travaille également avec les employés de l'organisme à l'amélioration du programme des athlètes ambassadeurs.

Mon premier voyage m'a menée en Éthiopie, un pays situé au centre de la côte est de l'Afrique, avec six autres personnes. Notre autobus se frayait un chemin au travers des rues animées de la capitale, Addis-Abeba, avec ses monuments historiques et ses gratte-ciel contemporains. J'ai été frappée de plein fouet par la pauvreté endémique de la ville : de vieilles femmes courbées sous le poids de leurs lourds fardeaux, des enfants en haillons, des mendiants handicapés qui rampaient dans la rue, des bébés accroupis dans la boue pendant que leurs parents vendaient leurs maigres possessions. C'est l'ampleur du manque qui m'a le plus saisie, dans cette ville d'un peu plus de trois millions d'habitants, et pourtant tant de gens souriaient, voire riaient et dansaient.

Mon voyage express m'a laissé la tête pleine d'images aussi inspirantes que déchirantes que j'avais du mal à assimiler. RTP agissait dans des écoles pour aveugles, pour handicapés physiques et pour handicapés intellectuels. L'organisme recrutait comme entraîneurs des jeunes qui avaient perdu leurs bras ou leurs jambes sur des mines terrestres, brisant ainsi la stigmatisation qui forçait leurs parents à les garder à la maison. Grâce à une confiance accrue, les enfants qui suivaient les programmes de RTP réussissaient nettement mieux à l'école.

Même si en Éthiopie, en dehors de quelques programmes de course à pied, les filles étaient culturellement exclues du sport, RTP les faisait jouer dans des ligues et des tournois de soccer. Dans ces environnements sécuritaires et respectueux, les spectateurs pouvaient constater que les filles étaient réellement douées. Lors de certaines parties, les mères jouaient amicalement contre leurs filles, et toute la communauté venait assister au match pour partager leur plaisir de jouer. Je trouvais ces scènes puissantes et émouvantes.

Je me souviens du professionnalisme d'une des adolescentes entraîneuses de RTP, qui utilisait le symbolisme se rattachant aux anneaux olympiques pour enseigner la conscience de soi. Le rouge représentait l'esprit; le jaune, l'âme; le vert, la santé; le bleu, la paix; le noir, la forme physique. En tenant l'anneau rouge, elle expliquait aux enfants : «Notre esprit est un don particulier. Même dans les sports, il faut réfléchir à la façon dont on va gagner une partie, alors jouer améliore notre capacité de réflexion et notre créativité.»

L'Éthiopie constituait un apprentissage ardu, pour moi, mais ce qui me semblait le plus intéressant, c'était la capacité des animateurs de RTP à transmettre le courage et l'optimisme aux enfants. Ils ne pensaient pas à ce qu'ils n'avaient pas ou à ce qu'ils ne pouvaient pas faire. Ils s'arrangeaient pour que leur vie continue, enrichie par toutes les occasions extraordinaires qui se présentaient grâce à RTP. En tant que personne qui, devant l'effort pénible de l'entraînement, voyait souvent l'athlétisme comme une torture, j'étais heureuse de constater qu'à l'évidence le sport et le jeu pouvaient créer un monde plus en paix et en santé.

Même si je n'avais pas encore acquis suffisamment d'expérience pour mesurer l'effet de ma propre participation, j'ai pu établir un lien évident. L'Éthiopie était connue comme la Mecque de la course à pied, avec ses coureurs de fond et de demi-fond qui avaient établi de nombreux records du monde. À Addis-Abeba, j'ai commencé à faire du jogging matinal, parmi les centaines de gens du coin qui remplissaient les rues. Même si je me sentais aussi agile qu'un bœuf parmi ces Éthiopiens souples et rapides, ils m'acceptaient en me saluant et en me souriant, ce qui rendait mon expérience plus personnelle.

En 2007, lorsque j'ai été nommée membre de l'Ordre du Canada, et encore en 2010, quand je suis devenue officière, j'ai été décorée à la fois pour mes réalisations sportives et pour mon travail avec Right To Play. Je n'ai pas considéré cet honneur comme une récompense pour ce que j'avais fait, mais plutôt comme un signe que j'étais sur la bonne voie. À quoi bon être connue, si ce n'est pour utiliser sa célébrité comme tribune pour aider les autres ?

Je suis repartie en voyage avec Right To Play au printemps 2008, avec trois autres olympiens, cette fois au Ghana, où plus de 30 000 enfants étaient inscrits à des programmes de RTP dirigés par environ 700 entraîneurs.

Le Ghana, sur la côte atlantique, est la première nation africaine à avoir déclaré son indépendance envers la colonisation européenne, c'est-à-dire envers la Grande-Bretagne dans ce cas. On a atterri à Accra, la capitale bondée et tentaculaire, qui semblait contenir autant de chèvres que de personnes. Le lendemain, notre groupe a voyagé sur des routes de campagne cahoteuses et poussiéreuses jusqu'à une école primaire de Madina, où 4000 jeunes étaient inscrits au programme. Lorsque notre camion est entré dans la ville, les enfants nous ont souri et nous ont salués. Plus tard, lorsque je jouais avec eux, j'ai remarqué que des enfants me montraient du doigt en rigolant. Mon partenaire ghanéen a fini par trouver le courage de me dire ce qui se passait :

« Tes cheveux rebondissent.

— Pardon ?

— Tes cheveux RE-BON-DISSENT ! »

J'étais habituée aux enfants qui regardaient fixement mes cheveux roux et brillants, mais ça, c'était nouveau.

Lorsqu'il s'est mis à sauter pour me montrer ce qu'il voulait dire, toutes les filles autour de moi répétaient : « C'est ça, ils rebondissent ! » Puis elles ont fait la file pour toucher mes cheveux.

Autant là qu'à l'école suivante que nous avons visitée, nous, qui pratiquions des sports d'hiver, tentions d'expliquer notre discipline, ce qui commençait par une description de ce que sont la neige et la glace. Les enfants étaient polis et patients, ils savaient qu'on avait fait beaucoup de chemin pour venir les voir, et c'est ce qui les impressionnait.

La deuxième école où on s'est rendus accueillait seulement quelques centaines d'élèves et n'avait pas de toit ; le vent l'avait emporté l'année précédente, alors quand il pleuvait, les enfants étaient renvoyés à la maison. Compte tenu de la végétation abondante de la campagne environnante, ça devait arriver assez souvent. Comme les autres élèves, ces enfants venaient de milieux extrêmement pauvres. J'ai ressenti un mélange de tristesse et de joie en constatant à quel point RTP était important pour eux. Ce sentiment est devenu encore plus profond à Battor, où on a visité l'école pour handicapés intellectuels Three Kings School. Ces enfants étaient souvent négligés et victimes d'abus. L'établissement était sombre, avec ses salles de classe à aire ouverte et l'absence d'éclairage électrique, mais les enfants revenaient constamment vers nous pour nous serrer la main en riant, avant de nous montrer les jeux qu'ils avaient appris avec RTP.

À Tamale, la deuxième plus grande ville du Ghana, des huttes de boue avec des toits de végétation dominaient le paysage. Ici, dans le nord musulman, la vie était particulièrement plus difficile que dans le sud chrétien. J'ai été choquée de voir autant d'hommes se prélasser à l'ombre pendant que les femmes travaillaient à porter de lourds fardeaux et à laver des vêtements dans des rivières encombrées de déchets. Certains hommes avaient trois ou quatre femmes, avec lesquelles ils pouvaient avoir une douzaine d'enfants, souvent négligés. Ce sont des enfants comme ceux-là que RTP tente de protéger en leur offrant l'occasion de s'éduquer.

Dans les villes voisines, la pauvreté était encore plus accablante. Kakra Ankobiah, un des directeurs de programmes de Tamale, m'a parlé d'un garçon qu'il avait rencontré lorsqu'il travaillait pour un organisme œuvrant dans le domaine du VIH/sida. Le petit garçon était si courageux, alors même qu'il allait mourir du sida. Un jour, il a demandé à Kakra, un homme de six pieds et à la carrure d'un footballeur : « Est-ce que je vais devenir aussi grand et fort que toi, un jour ? » Kakra lui a répondu : « Tu es déjà plus grand et plus fort que je ne le serai jamais, mon ami. » Comme bien d'autres, Kakra avait commencé à travailler avec RTP pour prévenir le VIH/sida au moyen de l'éducation.

À Bolgatanga, dans la région sèche et poussiéreuse du nord du Ghana, les enfants jouaient à un jeu de RTP, le *mosquito clap*. Ça consistait à tuer des moustiques tout en mettant l'accent sur l'importance des moustiquaires. Dans un endroit où tellement de gens meurent de la malaria, c'était surprenant de penser qu'il s'agissait là d'une chose qu'on devait enseigner aux jeunes, mais les animateurs de RTP connaissent bien leurs communautés.

Parmi les 25 000 réfugiés qui vivaient dans un camp près du bidonville de Buduburam, certains avaient été déplacés près de vingt ans auparavant, pendant la guerre civile libérienne. Lorsque je parlais aux enfants, qui s'étaient forgé une solide carapace, je tentais de leur donner de l'espoir, mais je finissais par être découragée. Plus tard, un employé de RTP m'a raconté qu'il avait demandé à une petite fille ce qu'elle pensait de ma visite. La fille lui a répondu : « Ça m'a rendue heureuse. Un jour, je veux voir Clara, la dame qui a joué avec moi, à la télévision, pour pouvoir dire : "C'est mon amie." »

Après ma semaine au Ghana, j'ai rejoint Peter à Londres et on a pris l'avion jusqu'à Tel-Aviv. On allait rester avec Stephanie Jenzer, la productrice en chef de la CBC à Jérusalem, qui nous avait suivis en Éthiopie en tant que correspondante pour couvrir le travail de RTP. Même s'il s'agissait pour Peter et moi d'un voyage effectué à titre personnel, j'ai demandé à RTP de nous permettre de passer une journée avec leurs travailleurs en Cisjordanie.

On a fait un premier arrêt à Ramallah, le centre administratif de la Palestine. Dans une école pour aveugles, on a rencontré une enseignante bénévole de RTP, très forte et sévère, et pourtant préoccupée de savoir si elle avait réussi à adapter les programmes de RTP pour ses élèves malvoyants. Les programmes les encourageaient à sentir que, même s'ils étaient différents, ils n'étaient pas invalides pour autant. C'était merveilleux de les regarder jouer si naturellement.

On a également visité deux camps de réfugiés en Cisjordanie. Construits juste après la Seconde Guerre mondiale, ils étaient devenus des villes bétonnées pleines à craquer. Les familles étaient des réfugiés depuis plusieurs générations, et les enfants avaient un caractère purement sauvage. Les programmes de RTP étaient destinés à libérer d'une manière positive cette énergie agressive refoulée. Vers la fin de la journée, Peter et moi avions dû jouer au soccer et au basket-ball avec à peu près 300 enfants palestiniens, parfois sans filets et avec seulement un ballon qui se dégonflait lorsqu'on pilait dessus. Lorsqu'on est retournés à Jérusalem, on a appris aux nouvelles du soir que le conflit à Gaza avait entraîné la mort de cinq enfants qui vivaient dans des camps de réfugiés, exactement comme ceux avec qui on avait joué, cet après-midi-là. Ça m'a fait prendre conscience que pour ces enfants, pareils à ceux qu'on avait rencontrés en Cisjordanie, la frontière entre la vie et la mort était très fragile.

* * *

Même au Canada, la mention du Rwanda, en Afrique centrale, ravive des images horribles du génocide de 1994, entre les Tutsis et les Hutus, qui a probablement conduit à un million de morts, en plus de la fuite de deux millions de Hutus vers les pays voisins.

À l'été 2010, je suis allée au Rwanda avec Right To Play. Même si c'était une période de réconciliation nationale, les blessures du pays étaient encore profondes. Avant de me rendre sur le terrain, j'ai reçu une «formation de sensibilisation» pendant laquelle on m'a dit de ne poser aucune question aux Rwandais sur leur famille ni sur leur ville ou leur région natale, car ça pourrait raviver des souvenirs douloureux des êtres chers qu'ils ont perdus.

Le lendemain de mon arrivée, je suis allée faire du jogging à 6 heures du matin. Tout le monde m'avait assuré que c'était sécuritaire, mais j'étais tout de même nerveuse. C'était un dimanche, et les coureurs du coin étaient partout, des jeunes et des vieux, des hommes et des femmes, des sportifs et d'autres qui l'étaient moins. J'ai simplement suivi la vague, en courant en sens inverse des aiguilles d'une montre sur une boucle de un kilomètre. Un adolescent que j'avais suivi s'est arrêté pour faire quelques sauts arrière et quelques sauts carpés, montrant une incroyable puissance explosive et verticale.

Je l'ai dépassé lorsqu'il devait en être à son quinzième saut arrière, environ.

Peu de temps après, j'ai entendu des bruits de pas derrière moi, et je me suis rapidement retrouvée avec un partenaire de jogging. Puis un autre. À mesure que le rythme augmentait, j'ai remarqué que les gens me regardaient pour voir si j'avais mal. Je me suis efforcée de demeurer impassible, puis j'ai souri : « Ça va bien ? » Le garçon a hoché la tête et souri, puis on a continué, tour après tour. Le deuxième garçon a fait un tour de piste en marchant pour se reposer, pendant que mon compagnon de course restant et moi continuions à courir à un bon rythme. Chaque personne et chaque groupe qu'on dépassait applaudissaient et nous encourageaient : « Courage ! » « Bon courage à vous ! » J'étais l'*Umuzungu*, la petite Blanche, avec ma peau d'une pâleur maladive et mes cheveux orange. Même en tant qu'athlète professionnelle, je me sentais inférieure à ces enfants sans souliers qui affichaient une meilleure allure de course que la majorité des membres de mon équipe de patinage de vitesse, y compris moi.

Une heure plus tard, ruisselante de sueur, mes yeux piquaient et mes poumons étaient brûlés par la fumée et la pollution. J'étais prête à prendre une douche et à déjeuner. Mon partenaire de course et moi nous sommes tapé dans les mains. Encore une fois, j'avais eu la preuve que le sport peut faire tomber les barrières, et pas du tout de la manière dont je m'y serais attendue au Rwanda.

Jean-Philippe Marcoux, le directeur régional adjoint de RTP pour l'Afrique de l'Ouest et l'Afrique francophone, m'a emmenée visiter le mémorial du génocide, ce qui m'a fait changer d'humeur. Je devenais comme engourdie à mesure que j'écoutais les commentaires audio de l'une des nombreuses fosses communes, particulièrement pendant la dernière section, dédiée aux enfants. Elle était tapissée de belles photos, avec des écrits qui racontaient les goûts de chaque enfant, ses mets préférés, ses meilleurs amis, ses traits de personnalité («une fille adorable») et, finalement, la façon dont chacun avait été tué.

Au Rwanda, j'ai également eu la chance de voir comment les gens du coin étaient formés par le personnel de RTP, en utilisant son manuel *Live Safe, Play Safe* («Vivez prudemment, jouez prudemment»). Comme le patinage, ça semblait facile lorsque c'était bien fait, sans qu'on se rende compte de la quantité immense de préparation qui se déroulait dans les coulisses, comme la formation et l'évaluation minutieuses de chaque candidat. Un des directeurs m'a dit qu'il était autrefois un enfant de la rue qui fouillait les poubelles à la recherche de nourriture, avant que les programmes de RTP viennent à son secours.

Ces séances de formation rappelaient également l'importance des discussions après les jeux, lorsque les enfants parlaient de leurs sentiments à l'égard de l'échec ou de la victoire, ce qui leur permettait d'appliquer leur expérience sportive à leur quotidien.

La première fois que j'ai rencontré Massamba Gningue, le directeur national de RTP au Rwanda, il a refusé de me serrer la main. «Je ne veux pas serrer de mains, je veux serrer les gens dans mes bras.» C'est Massamba qui m'a poussée à aller plus loin lorsque je racontais mon histoire personnelle. J'hésitais, car je me demandais comment je pourrais établir un lien avec ces enfants traumatisés par la guerre en parlant d'un sport d'hiver qui avait peu de sens pour eux. Massamba m'a rassurée: «Tout ce qu'ils ont besoin de savoir, c'est que ça t'a pris des années d'entraînement pour devenir bonne dans ta discipline, que tu as dû passer au travers de frustrations et que tu n'as jamais abandonné. »

Je me suis souvenue qu'un enfant reste un enfant, peu importe où on est dans le monde, alors je leur ai raconté comment le sport m'avait sauvée d'un mode de vie autodestructeur, et les ai encouragés à trouver quelque chose qui leur donnerait envie de s'engager, voire quelque chose qui leur ferait vivre une passion.

Un enfant plus âgé m'a demandé : « Ès-tu une superstar ? Est-ce que tu as tout ce que tu veux ? »

J'ai répondu : « Comme je suis active et en santé, je me sens très riche, en effet. J'ai aussi l'impression que j'ai tout ce dont j'ai besoin pour accomplir ce qui m'importe le plus. »

Même si je faisais plus de deux fois leur taille, j'ai effectué des exercices d'étirement avec un groupe d'enfants d'âge préscolaire, dans le cadre d'un jeu appelé « sur la mer, sur la terre ». J'ai appris quelques mots de kinyarwanda, « mer » et « terre », et on a beaucoup ri. À l'évaluation de RTP, on m'a dit que quelques enfants vont toujours à l'école sans apporter de dîner, alors ils doivent aller dans une autre pièce pendant que les autres mangent.

Quelques garçons ont trouvé un rouleau de papier hygiénique vide, qu'ils ont utilisé pour jouer au soccer à deux. Ça m'a rappelé l'enfant aux manches longues de Johann. Les enfants trouvent toujours instinctivement un moyen de jouer.

Pendant un voyage de trente-cinq minutes de Kigali vers les montagnes, notre VUS se déplaçait sur d'étroites routes vallonnées, entre les pins et les eucalyptus. Une fois de plus, des femmes et des enfants très jeunes transportaient d'énormes chargements de fruits, de canne à sucre et d'eau, généralement sur leur tête. Des rangées de femmes sarclaient les champs, éventrant la terre pour cultiver du thé et du maïs.

Dans une école où certains enfants étaient atteints du VIH, on a fait un exercice qui consistait à cueillir des mangues imaginaires dans des arbres imaginaires ; on s'étirait bien haut, puis vers la gauche, vers la droite, et enfin tout en bas, pour déposer chaque mangue dans un panier imaginaire. On s'est ensuite séparés en deux groupes pour disputer une partie de handball. Bon, disons que c'était plutôt une version du handball. Le sol d'argile était dur comme de la roche et parsemé d'herbes, sans zones délimitées, buts ou filets. Le jeu a commencé, ce qui veut dire que tout le monde s'est mis à courir dans tous les sens, à faire des passes, à sauter et à se précipiter pour envoyer le ballon vers un gardien de but. Chaque joueur utilisait une poubelle, qu'il bougeait pour attraper le ballon. Les enfants faisaient en sorte que le jeu fonctionne parce qu'ils voulaient que ça fonctionne. On a ri et on s'est encouragés chaque fois que quelqu'un marquait un but.

Après la partie, les participants ont partagé leurs impressions sur la façon dont ils se sentaient lorsqu'ils se venaient en aide les uns les autres, et ont discuté de la manière dont ils pouvaient vivre ces émotions dans la vie de tous les jours. Une fois de plus, j'apprenais l'importance du jeu dans la formation du caractère. Ces discussions mettaient en évidence la raison pour laquelle les activités de RTP sont approuvées et intégrées au programme d'éducation physique et de santé du pays.

Par la suite, j'ai raconté mon histoire à des centaines d'enfants aux yeux brillants, assis à flanc de colline. J'espérais que chacun aurait une chance de se battre, non seulement pour survivre, mais également pour s'épanouir dans ce monde difficile. Ça m'a beaucoup touchée lorsqu'ils m'ont chanté en français : « Nous sommes heureux que tu sois venue, et nous te disons au revoir. »

Pour mon dernier arrêt au Rwanda, j'ai participé à un événement *Live Safe, Play Safe* dirigé par un prêtre canadien, qui était dans le pays depuis trente-huit ans. Les stagiaires de RTP ont abordé le sujet de la marginalisation, particulièrement par rapport au rejet lié au VIH et au sida, puis ils ont joué au jeu du chien sauvage, qui traite de l'exclusion et de l'inclusion. Un adolescent qui avait été abandonné par ses parents en raison d'un handicap jouait avec nous, désormais accepté dans le groupe. À la fin du jeu, au moment de nous dire au revoir, c'est lui qui nous a donné les accolades les plus chaleureuses.

Avant de partir, j'ai montré aux stagiaires de RTP une courte vidéo de moi en train de patiner, puis j'ai fait circuler une de mes médailles pour qu'ils puissent la toucher et la partager. C'était amusant de les observer me regarder, puis tourner leur regard vers la créature en combinaison moulante qui glissait sur la glace. Par la suite, j'ai procédé à une drôle de démonstration de patinage sans patins, avec l'un des stagiaires.

Mon histoire rwandaise avait un post-scriptum. Un an plus tard, alors que j'étais à Calgary dans un taxi en route vers l'aéroport, avec une surabondance d'équipement sportif, j'ai découvert que mon chauffeur venait du Rwanda. Me souvenant de ma formation de sensibilisation, je lui ai parlé des expériences positives que j'avais vécues dans son pays, plutôt que de lui poser des questions.

Enthousiasmé par la conversation, il m'a répondu : « C'est très bien. Avez-vous vu les gorilles dans le brouillard ? Ces créatures sont incroyables. Il y a toutes sortes de belles choses au Rwanda. Depuis le génocide, le pays a beaucoup changé et est devenu très sécuritaire. »

Sans que je dise quoi que ce soit pour l'encourager, il a poursuivi : « Le génocide a été vraiment difficile pour mon pays. J'ai perdu deux frères, deux sœurs et mon père. Ils ont été massacrés. J'ai été chanceux de pouvoir me sauver avec ma mère et trois de mes frères et sœurs. Et pourquoi ? Quand on regarde les gens au Rwanda, on est tous pareils. On est tous rwandais. À un moment donné, on a fait une différence entre les Hutus et les Tutsis. Moi, je suis un Tutsi. Est-ce que je déteste les Hutus ? Non. »

J'ai écouté, bien assise. Son humanité et sa capacité à pardonner étaient saisissantes. Je me suis demandé si je pourrais ressentir la même chose, dans des circonstances similaires, mais je n'arrivais même pas à imaginer me retrouver dans une telle situation.

Mon chauffeur a ajouté : « Il y aura toujours des Hutus et des Tutsis. On va tous vivre au Rwanda ensemble, ça ne changera pas. Alors on ne peut pas se détester. »

Il m'a dit que sa mère ne voulait pas quitter sa maison et sa culture, même si deux de ses enfants qui avaient survécu étaient au Canada. Mon chauffeur était un ingénieur électricien, instruit, comme de nombreux nouveaux Canadiens qui conduisent des taxis. Il ne se laissait même pas abattre par le fait d'avoir perdu sa carrière. Il a été très sympathique en sortant mes bagages de la voiture, mes deux bicyclettes, mon vélo stationnaire, mes valises et mon bagage à main. Il souriait sans arrêt et sa bonne humeur m'a fait chaud au cœur. Cette leçon en taxi un jour glacial d'hiver m'a montré le potentiel des êtres humains à transcender la haine, l'avarice et le génocide. Encore aujourd'hui, je m'émerveille devant la capacité de cet homme à arriver à une telle paix après avoir autant perdu.

* * *

À l'automne 2011, je suis encore partie avec RTP, cette fois au Mali, dans le nord-ouest de l'Afrique. Il s'agit d'une ancienne colonie française qui a obtenu son indépendance en 1960.

Le premier jour à Bamako, la capitale, a représenté un nouveau défi pour moi. Après des années à voyager partout dans le monde, j'ai réussi, je ne sais trop comment, à n'emporter aucun objet essentiel dans mon bagage à main. Ainsi, lorsque je me suis retrouvée avec une seule de mes deux valises, je me suis rendu compte que j'avais mes réserves de café, ma bouilloire, mes accessoires d'entraînement (mes bandeaux, ma planche d'équilibre, etc.), mais aucun vêtement à l'exception des bottes, des jeans, du t-shirt et de la veste en jeans que je portais dans l'avion. Avec les températures du Mali, qui pouvaient atteindre 34 degrés Celsius, ces vêtements étaient inutiles. J'étais reconnaissante envers Sarah, une employée canadienne de RTP, et Jackie, une photojournaliste qui nous accompagnait, qui m'ont prêté des vêtements. Le Canadien Adam van Koeverden, un médaillé d'or en kayak, m'a fourni des sandales de plage un peu petites pour chausser mes pieds de pointure 12.

Toute cette agitation autour de ce que j'allais porter est devenue bien futile après qu'on m'a fait le résumé de ce que RTP avait accompli ici en une décennie. Il n'y a rien comme une bonne dose de réalité africaine pour mesurer la tranquillité et le confort de sa propre existence.

Lorsque les programmes de RTP ont commencé, le ministre de l'Éducation du Mali ne croyait pas à l'efficacité du sport et du jeu pour instruire et motiver les jeunes. C'est à ce moment-là que les employés de RTP se sont mis à inviter des éducateurs du coin sur le terrain pour qu'ils puissent se rendre compte par eux-mêmes des changements chez les enfants. Non seulement les absences scolaires avaient diminué, mais les enfants faisaient également preuve de davantage de respect envers leurs enseignants, transformant ceux qu'ils considéraient autrefois comme des ennemis en adultes qui avaient quelque chose de positif à partager. Les enseignants apprenaient aussi à mieux communiquer.

L'un des objectifs principaux de RTP est l'engagement des femmes. Au Mali, un pays où les filles font rarement du sport, elles jouaient au basket-ball et au volley-ball sur un terrain bétonné financé par RTP, au centre de la ville. C'était comme une oasis au sein de cette région densément peuplée.

« Ne vous fiez pas à vos yeux » était un jeu d'illusion qui visait à sensibiliser au VIH/sida au moyen de questions posées aux élèves qui n'avaient pas réussi à trouver l'endroit où un ballon était caché. Ce jeu, qui traitait aussi du sujet de l'égalité hommes-femmes, s'est révélé étonnamment amusant.

Le deuxième jour, on a observé les enfants qui jouaient sur le terrain « miracle », créé lorsqu'ils parvenaient à faire bouger une montagne. Ou du moins lorsqu'ils arrivaient à la pousser un peu.

À Banconi, non loin de la capitale, un espace plat et ouvert en argile compactée flottait comme un mirage au milieu des rochers environnants, avec des poteaux de but chambranlants pour en délimiter chaque extrémité. Cet espace avait été créé en 1996 grâce à la volonté des enfants de la communauté d'avoir un endroit où jouer. Après avoir nettoyé le ruisseau rempli de déchets, ils avaient apporté des pioches et des pelles pour s'attaquer à la montagne elle-même. Petit à petit, ils avaient mis le terrain à niveau. Petit à petit, leur rêve avait pris forme. Petit à petit, ils avaient créé un espace pour eux et pour les générations à venir.

Je regardais tout en bas, depuis la cour d'école, et j'imaginais ces enfants tenant des pelles dans leurs mains nues, soulevant la terre et le gravier, transportant une montagne, simplement parce que c'était quelque chose qu'ils pouvaient accomplir pour eux-mêmes.

Comme je l'ai dit souvent, je suis envahie d'un grand calme dès que je quitte la ville pour me rendre à la campagne, et c'était la même chose en Afrique. Un matin, on est partis tôt en VUS pour se rendre dans la campagne malienne. La qualité des infrastructures routières était bonne, avec une chaussée convenable entre Bamako et le district de Bougouni. Par la suite, on a dû se contenter d'un tracé cahoteux et sablonneux passablement dégagé de la végétation environnante, et il a fallu s'arrêter plusieurs fois pour manœuvrer à travers les terres érodées. Finalement, on a aperçu des huttes en adobe avec des toits de chaume. Un cortège d'enfants scandait en riant et en se tapant dans les mains : « Right To Play ! Right To Play ! » Lorsque je suis sortie du véhicule, une nuée de petites mains se sont tendues vers moi, et une multitude de visages souriants m'ont encerclée. Les enfants étaient trop jeunes pour savoir qui on était, mais ils étaient vraiment excités d'avoir des visiteurs. À chaque village, l'accueil était toujours aussi enthousiaste. Comme de nombreux aînés nous l'ont dit : « Le fait que vous soyez venus nous voir montre que vous vous préoccupez de nous. »

Pour les enfants, on était seulement des *toubabou*, c'est-à-dire des Blancs. Les sports qu'Adam et moi pratiquions ne signifiaient rien pour eux. Il n'y avait pas de glace, pas de course à vélo, pas de kayak. Un chef de village, qui avait perdu l'usage d'un œil, a lancé ses souliers et a dansé avec l'énergie d'un jeune enfant. Ses mouvements étaient communicatifs et, bientôt, on tapait tous des mains en riant et en l'encourageant.

« C'est comme ça qu'on s'échauffe ! » a-t-il dit.

Right To Play fournissait une motocyclette au médecin de la région pour qu'il puisse voyager de village en village pour vacciner les enfants. Par la même occasion, ils apprenaient aux mères des enfants à faire une bouillie à partir de farine de maïs, de lait en poudre, de jus de lime frais et de sucre, cuite vingt-cinq minutes dans un grand chaudron sur un feu de bois. C'était bien meilleur pour la santé que la bouillie typique de la région, faite seulement avec de la farine de maïs ou de millet et de l'eau. Le taux de mortalité infantile du Mali était parmi les plus élevés au monde. Tous ces aliments étaient disponibles, mais, dans leur culture, on ne les mélangeait pas. Je suis toujours impressionnée par la manière dont RTP parvient à s'adapter aux besoins de chaque communauté, tout en conservant ses principes de base.

Plus tard, j'étais contente de pouvoir passer du temps avec les élèves de l'initiative jeunesse, que je finance. Alors qu'ils se faisaient enseigner des compétences de leadership, j'ai appris que plusieurs d'entre eux ne savaient ni lire ni écrire. Un jeune homme m'a dit qu'il n'avait jamais écrit une seule lettre de toute sa vie et, par là, il voulait dire qu'il n'avait jamais écrit une seule lettre de l'alphabet. Un élément d'alphabétisation a été ajouté au programme. Et une ligue de soccer.

De retour à Bamako, j'étais entourée de gaz d'échappement. Et de chèvres. Les chèvres remplissaient tous les espaces libres de la ville, en vue de la fête du Mouton, le 6 novembre. Les gens du coin les appelaient des « moutons », même s'ils ressemblaient assurément plus à des chèvres, à mon avis. C'était le jour le plus important de l'année, lors duquel chaque famille sacrifiait un mouton ou une chèvre pour rendre grâce à Dieu. Ou à Allah, puisque 90 % de la population du Mali est musulmane. On s'est demandé comment ça pouvait être considéré comme une célébration de ces animaux, puisqu'ils étaient sacrifiés et mangés. Ce n'était pas une belle journée pour eux, je dirais. Mais n'entretenons-nous pas le même genre de relation avec les dindes, le jour de l'Action de grâce ? On est tellement détachés de la nourriture qu'on consomme que, lorsqu'on se rend à l'épicerie, on choisit le plus gros oiseau du congélateur, on le décongèle, puis on le fait cuire. Imaginez si des dindes s'attroupaient à tous les coins de rue du Canada le jour de l'Action de grâce, en attendant leur sort. C'est comme ça, au Mali. L'ensemble du processus est public, et je n'ai aimé ni le fait d'en être témoin ni le souvenir que ça m'a laissé.

Lors de notre dernier jour là-bas, on a visité un centre de détention pour mineurs. Je croyais que ce serait peut-être difficile pour RTP de travailler avec de jeunes hommes endurcis, mais, très rapidement, on s'est tous retrouvés en train de se tenir par la main, de jouer au handball, de chanter et de frapper des mains. Ces jeunes avaient commis des erreurs, mais RTP était présent chaque semaine pour alléger leur fardeau, dans l'espoir de les aider à améliorer leur avenir.

Ce soir-là, le dernier avant notre départ, on a célébré avec toute l'équipe de RTP à Bamako, en mangeant, en jouant de la musique et en dansant. En dansant! Avez-vous déjà mis les pieds sur une piste de danse en Afrique, avec de la musique *live* et un chanteur qui scande votre nom?

Je suis bien meilleure en sport qu'en danse, mais mon ami olympien, Adam, n'était pas en reste. Même les danseurs professionnels du groupe étaient impressionnés. Il a gardé le rythme tout au long de la progression frénétique du tempo, pendant que les pros accentuaient de plus en plus la complexité des mouvements. Il a même ajouté ses propres mouvements pour mettre les danseurs au défi! Grâce à Adam, le Canada est resté dans la partie.

Une fois de plus, RTP m'avait offert la possibilité de voir le monde différemment. Une fois de plus, j'ai pu sentir l'effet de l'engagement passionné des employés et des bénévoles. Ils croyaient qu'ils pouvaient changer des vies grâce au jeu et, chaque fois que je serrais la main de quelqu'un, chaque fois que je souriais et qu'on me souriait en retour, chaque fois qu'une personne m'a parlé de son rêve, j'y ai cru, moi aussi.

UN NOUVEAU CYCLE 2010-2012

La boucle est bouclée

Après Turin, je n'étais pas certaine d'avoir envie de continuer la compétition. Ces Jeux avaient signifié quelque chose de tellement grandiose pour moi, un triomphe de l'esprit sur la matière qui m'avait mené à l'or olympique. Les athlètes ne doivent-ils pas arrêter lorsqu'ils ont atteint le sommet ? Évidemment, avec Vancouver, l'envie de concourir dans mon propre pays était bien présente, mais, en 2010, j'aurais trente-sept ans et je ne savais tout simplement pas si je voulais continuer à m'entraîner/faire des compétitions/ m'entraîner/faire des compétitions et ainsi de suite pendant encore quatre ans. En réalité, je ne savais même pas si je voulais terminer la saison 2006.

Lorsque j'en ai parlé à Xiuli, elle m'a dit : « Tu n'es pas obligée de faire quoi que ce soit dont tu n'as pas envie. » En fin de compte, je suis allée en Europe, en Chine et au Japon, avec des résultats parfois bon, parfois mauvais, parfois neutres. Je ne me sentais certainement pas comme une championne qui venait défendre son titre en me rendant aux Jeux olympiques de Vancouver.

Pendant que je me battais pour tenter de retrouver ma technique, Xiuli a demandé conseil à Johann Olav Koss, mon idole de Right To Play. Il m'a dit : « Tu te bats contre toi-même. Tu peux régler ton problème en dirigeant tes épaules vers la droite dans les virages, comme si tu patinais de côté. Regarde vers la droite et tes épaules vont suivre. »

Lorsque je l'ai fait, ça m'a semblé bizarre, mais Johann avait visé juste, et ça m'a aidée à me qualifier pour Vancouver.

Ma dernière épreuve de la Coupe du monde de la saison 2006-2007 se tenait en Allemagne. Avant la course, j'ai reçu un appel de Peter : son père était mort le 14 février. Toute la famille avait été prise par surprise. Elías avait quatre-vingts ans. Il avait vécu avec le diabète pendant environ trente-cinq ans, mais il était incroyablement actif et en santé. Malgré le fait qu'il était insulinodépendant, il jardinait et chassait, et il oubliait parfois de manger. À plusieurs reprises, son taux de sucre avait baissé de façon si dramatique qu'il avait dû se précipiter à l'hôpital. Peter et moi avions eu peur, l'année précédente, lorsque Michael, le frère de Peter, avait appelé pour dire : « Si tu veux voir papa en vie, viens tout de suite. » Même si Elías avait été très malade à ce moment-là, il s'en était sorti, ce qui nous avait donné la fausse impression qu'il allait toujours s'en sortir.

Cette fois-ci, il ne s'en était pas sorti.

Peter avait toujours fait preuve de tellement d'égards envers ma carrière que ce n'est qu'à regret qu'il a téléphoné à mon hôtel, à Erfurt. Il ne savait pas s'il devait m'annoncer cette nouvelle dérangeante avant ma dernière course de qualification pour le championnat du monde. Bien entendu, il a eu raison de le faire, et c'est en pleurant que j'ai dit à Xiuli : « Je dois retourner à la maison. Il faut que je sois avec Peter. »

Elle était d'accord : « La famille, c'est ce qu'il y a de plus important. On va faire modifier ton billet. On va s'arranger pour que tout se passe bien. »

Moins de douze heures plus tard, j'étais à bord d'un avion bondé en direction de Calgary. Je m'embarquais pour un vol de dix heures, mais je comptais déjà les minutes avant de pouvoir retrouver Peter et sa famille – *ma* famille – pour qu'on puisse vivre notre chagrin ensemble.

J'ai pris un deuxième vol vers le petit aéroport d'Eugene, en Oregon. Les champs verdoyants baignaient dans la douce lumière du coucher de soleil, ce qui contrastait avec les rues et les champs couverts de neige de l'Alberta.

Aussitôt que j'ai vu Peter à l'aéroport, j'ai su que j'avais pris la bonne décision en quittant l'Allemagne, c'était la seule décision que j'aurais pu prendre.

La mère de Peter m'a serrée dans ses bras en ouvrant la porte. Je pouvais difficilement imaginer sa peine. Elías et elle avaient célébré leur cinquantième anniversaire de mariage en décembre, et ils avaient renouvelé leurs vœux à l'église, devant leur famille et leurs amis.

Il y avait tellement de gens chez les Guzmán, incluant toute la famille élargie qui était venue du Mexique pour être avec Mica et pour réciter des prières pour Elías et pour elle. J'ai jeté un coup d'œil à Mica. Elle paraissait si petite – elle mesurait à peine cinq pieds –, alors qu'elle se balançait sur un pied et sur l'autre, elle semblait si seule que je me suis approchée pour passer mon bras autour de ses épaules.

La photo d'Elías à côté de l'urne de bois qui contenait ses cendres semblait irréelle. Je ne cessais de penser qu'il allait entrer dans la pièce. Même devant l'évidence du fait accompli, sa mort ne paraissait pas réelle. Je ne voulais pas qu'elle le soit.

Chaque fois qu'Elías et moi parlions au téléphone, nous avions le même petit rituel.

« Comment ça va, Elías ? lui demandais-je.

— Eh bien, je pète toujours le feu ! Je ne suis pas encore mort », me répondait-il.

Il nous invitait ensuite, Peter et moi, à manger un bon gros steak pour lui. Même si on promettait toujours qu'on le ferait, on mangeait rarement le steak qu'on lui avait promis.

Ce qui m'a le plus marquée, chez Elías, c'est sa générosité. Il adorait jardiner. Pas pour son propre plaisir, mais pour avoir des légumes à donner. Il décortiquait les centaines de noix qui tombaient chaque année de son arbre, réussissant je ne sais trop comment à les séparer en deux petites moitiés parfaites. Je n'ai jamais aimé les noix avant de goûter celles de son noyer, c'étaient les meilleures ! Il faisait également sécher les fruits abondants qui poussaient dans ses arbres pour les offrir à quelques chanceux, dont Peter et moi.

Aux funérailles d'Elías, on a vu à quel point il avait touché la vie de beaucoup de gens, grâce à sa générosité et à son humour. Tout le monde avait une histoire particulière à raconter, et c'était un vrai cadeau d'entendre parler de l'homme tel que chacun l'avait connu. Comme je ne suis pas croyante, ça me paraissait étrange de me retrouver à l'église. Je pleurais toutes les larmes de mon corps tout en essayant de les retenir, car je ne voulais pas attirer l'attention à la place de Mica, de Peter, de son frère Michael et de sa sœur Vivian.

J'ai eu de la difficulté à quitter Peter pour retourner patiner. Il a fallu que je me rappelle à quel point Elías était fier de ce que je faisais. J'ai pris conscience d'autre chose : Peter m'avait toujours soutenue, mais c'était la première fois qu'entre Peter et le sport c'était lui que je choisissais. Je me suis rendu compte à quel point le sport m'encourageait à être égocentrique.

* * *

J'ai finalement participé aux Jeux olympiques de Vancouver en 2010.

J'ai finalement porté le drapeau lors de la cérémonie d'ouverture.

J'ai finalement gagné la médaille de bronze au 5000 mètres, après une des meilleures courses de ma vie.

Lorsque le skieur Kwame Nkrumah Acheampong, surnommé « le léopard des neiges », est devenu le premier Ghanéen à participer aux Olympiques d'hiver, je ne pouvais qu'imaginer l'excitation des enfants à qui j'avais essayé d'expliquer ce qu'est la neige, au Ghana, de le voir à la télévision. Kwame a terminé cinquante-troisième au slalom, parmi 102 participants, mais au moins il a terminé la course, alors que quarante-huit autres n'en ont pas fait autant. Il a prouvé aux enfants du Ghana que tout est possible pour ceux qui se battent et qui rêvent, comme Gaétan Boucher me l'avait montré auparavant.

Après la course où j'ai gagné la médaille de bronze, Peter et moi sommes devenus des touristes des Olympiques ou, du moins, on a essayé. Je n'avais jamais atteint auparavant un seuil de reconnaissance tel que celui que j'ai obtenu à Vancouver, et je ne voulais plus jamais que ça m'arrive. On me prenait d'assaut dans la rue. Pendant la finale de hockey féminin, les gens venaient me demander un autographe ou me photographier. Pendant un certain temps, j'ai trouvé ça amusant, puis je me suis résolue à me déguiser lorsque je sortais.

La partie qui a mérité aux hommes la médaille d'or était chargée d'électricité, au point de devenir explosive. Pendant la cérémonie de clôture, pendant que Neil Young chantait *Long May You Run*, j'ai été saisie en réalisant qu'une énorme partie de ma vie venait de se terminer, et j'ai ressenti un mélange de mélancolie et de soulagement.

Comme ça avait été le cas pour les autres Olympiques, je voulais donner quelque chose en retour. Avant les Jeux, j'ai pris un virage et je me suis retrouvée, comme n'importe qui aurait pu le faire, sur la rue East Hastings, dans le quartier Downtown Eastside, perdue dans un désert humain de gens soûls et drogués qui avancent comme des zombies. Le contraste entre East Hastings et la grandeur monumentale des Jeux olympiques m'a frappée. Comment est-ce que ça pouvait se passer dans la même ville? Comme les médaillés canadiens recevaient désormais un boni, en 2010, j'ai donné les 10 000 dollars que j'ai reçus au programme Take a Hike, une initiative d'apprentissage basée sur les activités en plein air pour venir en aide aux jeunes à risque. J'avais rencontré certains participants à ce programme pendant les Jeux, et ils étaient extraordinaires.

J'étais également contente d'avoir pu établir un lien avec Joé Juneau, le chef de mission adjoint d'Équipe Canada, dont les vibrants discours d'encouragement en préparation des Jeux avaient fourni une raison d'être à notre équipe nationale, au moment où on a fait notre entrée dans le stade BC Place. En tant qu'ancien joueur de la LNH, Joé avait recruté de jeunes Inuits au Nunavik, dans le nord du Québec, pour former des équipes de hockey dans le cadre du Programme de développement des jeunes. J'avais vu ses élèves à la télé. Ils patinaient avec l'énergie, la fluidité et l'endurance de guerriers, malgré leurs vies assombries par l'alcoolisme et la pauvreté.

Quelques semaines après les Olympiques, je suis allée au Nunavik, où Joé m'a incitée à partager mon histoire avec les élèves inuits du village de Kuujjuaq. J'ai fait le tour de plusieurs salles de classe pour raconter aux jeunes comment le sport m'avait sauvée de ma propre confusion, lorsque j'avais leur âge. Je voyais en eux le même potentiel que d'autres avaient vu en moi. J'ai ensuite pris l'avion jusqu'à Kangiqsualujjuaq, une communauté encore plus petite dans la baie d'Ungava. Notre avion ne transportait qu'une douzaine de passagers, mais le hall de l'aéroport de Kangiqsualujjuaq était bondé de gens de tous les âges. Des bébés sortaient la tête des capuchons bordés de fourrure de leurs mères, tendant les mains vers moi. Chaque étreinte, aussi sincère qu'intense, était accompagnée d'un contact visuel direct, comme s'ils m'accueillaient chaleureusement dans leur cœur. Les fenêtres du hall de l'aéroport aussi étaient pleines de visages d'enfants, tous collés les uns aux autres, souriants.

Après cette célébration de bienvenue à l'aéroport, Andrea, une charmante jeune joueuse de hockey, m'a escortée jusqu'au traîneau à chiens qui nous attendait. « Tiens-toi bien ! » m'a-t-elle recommandé.

Bien vite, on glissait à travers les sombres montagnes de l'Arctique canadien. Entre deux ordres lancés aux chiens, Andrea me posait des questions sur les Olympiques. En criant pour couvrir les jappements, je lui ai dit : « Il n'y a rien de tel que le moment incroyable que je suis en train de vivre, ici, maintenant. » Je suis devenue silencieuse pour tenter d'absorber la beauté spectaculaire de la nature qui m'entourait.

À la patinoire, avec Joé Juneau, j'ai emprunté des patins et un bâton, puis je suis allée sur la glace avec un groupe de jeunes d'âges variés. À chaque coup de sifflet, on s'échangeait la rondelle à tour de rôle et on la lançait vers le but. Je n'avais pas enfilé de patins de hockey depuis vingt ans et ça paraissait, mais ça n'avait aucune importance. J'ai encore une fois pu constater que le sport faisait tomber les barrières. Dans le Nord canadien tout comme en Afrique et à Gaza.

Le jour suivant, on m'a accompagnée à l'école du village, où je me suis adressée à trois groupes d'élèves pour leur parler de mon expérience sportive des dernières décennies. Ils ont ri lorsqu'une de leurs camarades de classe a eu le courage d'essayer ma combinaison et mes lunettes de course. Ils ont examiné attentivement mes patins de vitesse et ont fait circuler la médaille de bronze que j'avais gagnée à Vancouver. J'ai été frappée par la façon dont ils la manipulaient, qui différait de la manière dont le faisaient les autres enfants. Ils la palpaient, prenaient le temps de sentir son poids et sa texture, frottaient le disque comme pour le polir. J'avais toujours eu l'intuition que mes médailles devaient être partagées, et j'ai su que celle-là était devenue encore plus importante après être passée entre ces jeunes mains inuites.

Chez les fillettes, mes cheveux roux ont reçu presque autant d'attention que ma médaille. Elles m'ont demandé si elles pouvaient glisser leurs doigts dans mes cheveux, alors que les élèves plus âgés s'étaient contentés de poignées de main, de photos et d'accolades.

J'ai également parlé à ces enfants des difficultés que j'avais connues dans ma jeunesse. Je leur ai raconté que j'avais bu dans des cages d'escalier, que j'avais séché des cours et que je ne m'étais parfois préoccupée de rien d'autre que de passer au travers de la journée. J'ai eu plus de mal à parler de ma famille immédiate, de l'alcoolisme de mon père et de la vie tragique et dangereuse de ma sœur. J'aurais préféré oublier ces souvenirs, mais je savais que cette confession était la seule manière de rejoindre ces enfants aux yeux grands ouverts devant moi. Je leur ai rappelé à quel point la vie est précieuse et les ai encouragés à s'élever au-dessus des épreuves et du désespoir pour accomplir quelque chose qui en valait la peine. Je leur ai dit que ça ne changeait rien d'être loin des ressources urbaines du sud du Canada lorsqu'il s'agissait de s'efforcer d'atteindre ses objectifs. Ce qu'ils avaient et qui ils étaient les rendaient tous uniques.

Un peu plus tard, nous sommes retournés à la patinoire avec les enfants pour jouer au hockey. On a disputé une partie, en occupant à tour de rôle le banc et la glace, on se faisait des passes, on tirait, on manquait le but et, parfois, on marquait. Après une période sur la glace très intense, j'ai déposé mon bâton sur mes genoux, puis j'ai regardé un garçon qui mesurait moins de la moitié de ma taille. Il avait déposé son bâton exactement comme je l'avais fait.

Il a souri.

J'ai repris mon souffle, puis je l'ai mis au défi : «Es-tu prêt?»

Il était prêt. On a continué à jouer.

Ces enfants avides de hockey incarnaient le véritable esprit olympien ou, du moins, la version de Joé. Et ils ne semblaient jamais se fatiguer de jouer.

J'ai passé une nuit dans un campement inuit traditionnel, où je me suis rendue en pleine tempête de neige. Sur le sol de la tente en toile étaient étalées des branches d'épinette et des peaux de caribou. Un poêle à bois réchauffait l'air, pendant que je me régalais de lagopède et d'omble de l'Arctique avec mes nouveaux amis.

Le lendemain matin, j'ai assisté au début d'un tournoi de hockey de trois jours auquel participaient des joueurs en provenance de douze villages. L'aréna était rempli de spectateurs passionnés, qui débordaient d'énergie et d'enthousiasme. Chaque joueur avait obtenu le privilège de participer à cette compétition grâce à ses notes scolaires et à son bon comportement, pas seulement en raison de son talent au hockey. J'ai pu constater l'efficacité de cette méthode de sélection le premier soir du tournoi, en soupant avec Nancy Etok, la directrice adjointe, et Mark Brazeau, le directeur de l'école. À 20 heures, un jeune est venu porter un devoir en retard qui l'avait empêché de jouer ce jour-là. Après avoir regardé ses amis patiner sans lui, il s'est dépêché de le terminer pour pouvoir participer au match de 22 h 45.

Lorsque je suis rentrée à la maison, mes bagages étaient remplis de cadeaux qu'on m'avait offerts tout au long de la semaine : une paire de kamik, des bottes traditionnelles fabriquées à la main par une aînée, Christina ; des gravures inuites et des affiches que m'avaient données les enfants ; un collier qui symbolisait la force ; des mitaines en peau de caribou, et bien d'autres choses. Toutefois, c'étaient les cadeaux intangibles qui étaient les plus beaux et les plus durables : la gentillesse et la générosité sincère du peuple inuit qui m'avait accueillie.

* * *

De retour du Nunavik, je suis entrée à fond dans le circuit des conférences ; j'ai donné une cinquantaine de discours inauguraux en onze mois. Le seul inconvénient, c'étaient tous les déplacements que je devais effectuer, alors que je voyageais d'hôtel en hôtel, d'aéroport en aéroport : Moncton, Mississauga, Montréal, London, Ottawa, Calgary, Red Deer, Vancouver et ainsi de suite. Dès que j'en avais le temps, j'allais courir de 20 à 30 kilomètres pour rester saine d'esprit.

Depuis 2006, Bell Canada faisait partie de mes commanditaires, et après les Jeux de Vancouver, Bell Canada Enterprises m'avait invitée à prendre la route avec le PDG George Cope pour partager mon histoire olympique avec ses employés, dans les grands centres. Lorsque George a mentionné que Bell inaugurait également une initiative en matière de santé mentale, j'ai dit : « J'aimerais m'impliquer. » Lorsqu'il m'a demandé pourquoi, je lui ai parlé de mon père et de ma sœur, ainsi que de mes propres expériences avec la dépression. « Je veux aider à changer le système. »

Ça a éveillé son intérêt.

À l'été 2010, George et sa femme Tami m'ont invitée dans leur maison, à Toronto, où ils m'ont dit : « On aimerait que tu sois l'ambassadrice de notre initiative, si tu es sûre que ça ne créera pas une situation désagréable avec ta famille. »

J'ai répondu : « Je peux parler de mes propres problèmes, si c'est suffisant. »

Ils étaient d'accord.

Je n'avais aucune idée de la portée de mon engagement et, honnêtement, si je l'avais su, je ne suis pas sûre que j'aurais accepté. En même temps, je me sentais obligée de travailler sur la campagne «Cause pour la cause» de Bell, parce que, pour d'autres personnes aux prises avec des problèmes de santé mentale, ce serait utile de savoir ce qui se cachait derrière mon sourire public. La plupart des gens n'auraient pu imaginer à quel point j'étais différente de mon personnage public, et cette coupure entre qui j'étais et l'image que je projetais s'appliquait parfois également à ma propre perception de moi-même. Je n'avais jamais fait le lien entre tous les éléments de mon histoire personnelle, je m'étais contentée de la gérer un petit bout à la fois lorsque je me retrouvais devant une urgence. Expliquer ma vie aux autres me permettrait d'en découvrir plus sur moi-même.

Après m'être engagée à être la porte-parole de l'initiative de Bell en matière de santé mentale, j'ai pris congé pour le reste de l'été pour aller faire du kayak avec Peter. On s'est rendus en avion jusqu'à Yellowknife et, même si je n'avais jamais fait de kayak auparavant, j'ai eu le culot de penser que j'apprendrais rapidement. Nous avions avancé de moins de soixante mètres dans la baie de Yellowknife, et l'eau était si agitée que j'étais sûre que j'allais me noyer. En pagayant aussi fort que je pouvais, j'ai crié à Peter : «Comment as-tu pu m'envoyer ici ? J'ai peur ! » Il a crié à son tour : « Si tu trouves que, ça, c'est difficile, tu ne devrais pas être ici. »

Peter avait passé des mois à préparer nos affaires pour ce voyage, en plus d'avoir vendu notre condo à Calgary et d'avoir déménagé nos effets dans une nouvelle maison en Utah, alors il en avait déjà assez de m'entendre me plaindre.

Lorsqu'on est arrivés à une petite île rocheuse sur le Grand lac des Esclaves, j'étais tellement stressée, pas seulement par rapport à ce voyage, mais aussi en raison de tous mes engagements en tant que conférencière, que j'ai fondu en larmes.

Peter s'est énervé. Même lui a ses limites. «OK, ce voyage se termine maintenant. Ça ne fonctionne pas. »

Je me suis endormie sur le rocher et, lorsque je me suis réveillée, j'avais eu le temps de me calmer.

Peter aussi. Il m'a demandé ce que je voulais faire. Je lui ai répondu : « On retourne sur l'eau. »

Il nous a fallu trois semaines pour atteindre Lutsel K'e, appelée à la fois par son nom original en langue déné chipewyan et par son nom anglais, Snowdrift. Après avoir mis fin à notre voyage en kayak dans ce village qui n'est autrement accessible que par avion, sur la rive sud du Grand lac des Esclaves, on a été invités au rassemblement spirituel annuel déné chipewyan. Il se tiendrait à Fort Reliance, près de Lady of the Falls, un lieu sacré auquel on prête des pouvoirs de guérison, comme Lourdes pour les catholiques.

Peter et moi avons passé cinq jours à nous réunir autour de feux de camp, à écouter la danse du tambour et à participer à des jeux de mains. Peter a aidé à couper du bois pour la hutte de sudation et à ramasser des roches qui seraient chauffées toute la journée. Il faisait une chaleur étouffante dans la hutte de sudation. Je me suis accroupie, appuyée sur mes mains et mes genoux, dans le noir, en restant près du sol pour pouvoir respirer. La hutte résonnait au son des gémissements, des tambours, des chants et des hochets faits à la main. La femme assise à mes côtés a été secouée de haut-le-cœur pendant un temps qui m'a semblé durer des heures, se purgeant complètement. Cette souffrance collective est la seule expérience que j'aie vécue qui se rapproche de la souffrance ressentie lors des compétitions. Même si notre culture nous enseigne à éviter la douleur à tout prix, j'étais reconnaissante de tout ce qu'on a pu partager au rassemblement.

C'est après ce voyage en kayak que j'ai décidé d'aller de l'avant avec un plan qui se dessinait dans ma tête depuis 2008. Je voulais participer aux Jeux olympiques d'été de Londres de 2012 en tant que cycliste.

Les Jeux olympiques de Londres 2012

J'ai surpris bien des gens en prenant la décision de participer aux Olympiques de Londres. Après avoir reçu l'Ordre du Manitoba et l'Ordre du Canada, j'avais maintenant une étoile sur l'Allée des célébrités canadiennes, en plus d'avoir été intronisée au Temple de la renommée des sports du Canada. Ça n'aurait pas dû me suffire?

En septembre 2006, j'avais été invitée à CBC Sports comme commentatrice pour le championnat du monde de cyclisme, qui se tenait à Salzbourg, en Autriche. Lorsque j'ai demandé à Xiuli la permission de manquer certains entraînements sur la glace, elle m'a répondu en souriant: «Clara, c'est excellent pour ton avenir. Tu devrais accepter.»

C'est ainsi que je me suis retrouvée au championnat du monde 2006 avec pour seul équipement une paire de chaussures de course et un programme d'entraînement musculaire de quatre jours. La télévision s'est avérée une expérience d'apprentissage plutôt éprouvante, mais je n'ai jamais eu autant de plaisir lors d'un championnat du monde. J'en voulais plus.

J'ai eu la chance de recommencer deux ans plus tard, aux Olympiques d'été de Pékin. CBC m'avait encore une fois invitée à parler de cyclisme. Ces deux étés, passés à refaire le plein de toute cette excitation qui va de pair avec le cyclisme, m'ont aidée à me motiver pour les Jeux de Londres en 2012. J'avais le sentiment persistant que je n'avais jamais été aussi bonne que j'aurais pu l'être en vélo, et je voulais réessayer, après avoir créé un environnement d'entraînement plus positif.

* * *

Après les Jeux de Vancouver, Peter et moi avions quitté Calgary pour déménager dans une magnifique maison à Mount Aire Canyon, en Utah, où je pourrais vivre et m'entraîner en haute altitude. Une étroite route de montagne de cinq kilomètres à une seule voie menait de l'autoroute à notre maison, située à 2200 mètres d'altitude. La maison n'était accessible qu'en motoneige pendant l'hiver. La vue était imprenable, et la région avait une faune abondante : des orignaux, des élans, des ours, des chevreuils, des lynx et des couguars. C'était un endroit isolé, tout en étant à trente-cinq minutes de route d'un aéroport international. L'avantage majeur, pour moi, était qu'aux États-Unis personne ne me connaissait.

Comme j'avais reçu une invitation permanente à participer au camp national de cyclisme du Canada, je me suis rendue à celui qui avait lieu à Los Angeles à l'été 2011. Et ce, malgré le fait que j'avais engraissé de quinze livres en mangeant de la bannique autour de feux de camp. Lorsque j'ai demandé à Chris Rozdilsky s'il voulait travailler avec moi, il m'a écrit une proposition de neuf pages qui décrivait ce qu'il jugeait nécessaire que je fasse pour reprendre le sport. Chris était membre du groupe B2ten, qui offrait aux athlètes du financement grâce à des dons. B2ten avait décidé que je n'étais pas assez en forme pour faire partie de son bassin d'athlètes, mais Chris m'a dit : « Clara, on va leur montrer. »

Pour ce qui est du financement, j'avais la chance de recevoir le soutien d'un donateur anonyme, l'un des premiers à avoir égalé mon don de 10 000 dollars à RTP, en 2006. Lorsque je l'ai rencontré, quatre ans plus tard, dans le hall de l'aéroport de Toronto, avant mon départ au Rwanda avec RTP, il a m'a offert son soutien pour tout ce que je choisirais d'entreprendre. «Fais-moi simplement savoir comment je peux aider. » Je l'ai contacté pour lui faire part de mes intentions par rapport aux Olympiques d'été de Londres, en lui fournissant un budget pour les déplacements, les courses, l'encadrement et l'équipement. Il m'a généreusement accordé 90 000 dollars par année pendant deux ans, juste pour me permettre de donner le meilleur de moi-même. Tout ce qu'il m'a demandé en retour est que je continue à montrer l'exemple aux jeunes Canadiens.

Ma relation avec mon entraîneur Chris Rozdilsky s'est avérée positive. Chris était un entraîneur très méthodique et organisé, ce qui ressemblait sur tous les plans à mon expérience de patinage avec Xiuli. Pendant ce temps, je donnais également des conférences. Ma première année d'entraînement a aussi été bien remplie en raison de la campagne « Cause pour la cause » de Bell. Lorsque je prenais une chambre d'hôtel pour respecter ces engagements, j'apportais mes rouleaux d'entraînement.

Un soir, je roulais sur l'autoroute, au Québec, et j'ai vu mon visage sur un immense panneau publicitaire, puis un autre, et encore un autre. À mon studio d'entraînement, tout le monde avait vu les panneaux. Maintenant que les sphères publique et privée de ma vie s'étaient croisées, j'étais déconcertée par les questions qu'on me posait: «Comment une personne connue pour sa force et sa joie peut-elle avoir été dépressive ? »

Je continuais à raconter les deux côtés de mon histoire, mais ça a fini par me peser. Cette aventure était beaucoup plus prenante que ce à quoi je m'attendais.

* * *

Trois mois après le camp d'entraînement de Los Angeles, j'étais de retour sur la ligne de départ. Je participais aux compétitions à titre individuel, mais j'avais tout de même été retenue pour la poursuite par équipes, puis j'avais concouru au championnat du monde de cyclisme sur piste qui se tenait en Hollande. C'est à ce moment-là que j'ai décidé que le cyclisme sur piste ne me convenait pas. J'étais tannée de pédaler en tournant en rond. J'ai choisi de me concentrer sur la raison qui m'avait poussée à reprendre le vélo, soit ce que je voulais vraiment faire : le contre-la-montre.

Pendant cette première année, alors que je faisais un entraînement de vitesse, une entraîneuse m'a dépassée en mobylette. On roulait à 60 kilomètres à l'heure lorsque j'ai heurté une bosse sur la route. J'ai été projetée vers l'avant et j'ai dérapé sur la chaussée rigide. Ma tête a rebondi sur la chaussée et mon casque s'est fendu. Resté dans ma poche, mon Black-Berry m'a évité de m'écorcher la moitié du dos sur la route, mais il a été enterré sous la poussière par la force de l'impact.

En 2011, au championnat du monde qui se déroulait au Danemark, j'ai fait une échappée solitaire qui a duré pendant toute la seconde moitié de la course sur route, mais j'ai été rattrapée par le peloton deux kilomètres avant la ligne d'arrivée. Quelques instants plus tard, je me suis retrouvée empêtrée dans une pile de corps et de vélos, ce qui m'a rappelé à quel point ce sport peut facilement être destructeur pour un coureur. Un instant, tu es pratiquement la championne du monde et, l'instant d'après, tu es étalée sur le dos sous une autre cycliste aux os brisés.

Pendant la deuxième année de mon retour au cyclisme, j'ai signé un contrat avec l'équipe Specialized-lululemon. On devait faire une course à la Flèche Wallonne Femmes, en Belgique, reconnue pour son impitoyable montée en trois étapes, dont le mur de Huy est l'ultime couronnement. Le mur de Huy est une colline très escarpée dont les portions verticales provoquent des crises de panique. J'avais fait la Flèche en 1998, alors que j'avais treize ans de moins. Lorsque ma coéquipière Sue Palmer me l'avait décrite, je me rappelle avoir pensé : *Ça ne peut pas être si pire que ça.* Mais ça l'était. L'horrible difficulté de ce parcours dépassait tout entendement. Cette course te coupait en plein cœur, frottait ta blessure avec du sel et se moquait de toi pendant que tu agonisais de douleur.

Lors d'une rencontre préparatoire, Ronny Lauke, notre directeur sportif, s'est adressé à Trixi Worrack, Evie Stevens, Amber Neben, Ally Stacher, Emilia Fahlin et moi pour nous faire part de nos missions respectives. La mienne était difficile à croire :

1. Grimpe le foutu mur, que ce soit avec le groupe de tête ou en le suivant de près.

2. Rejoins les meneuses sans gaspiller ton énergie, parce que le vrai travail va bientôt commencer.

3. ATTAQUE !

Comme Trixi me l'a expliqué : « Contente-toi de monter le mur sans pousser. N'essaie pas de prendre les devants ou de faire une échappée. Tu pédales et tu laisses les autres faire le travail. Tu gardes ton énergie et, quand ton instinct te dit que c'est le temps, tu attaques. »

C'est tout ? Attaquer, quand mon corps tout entier me dit que je serais chanceuse d'arriver au sommet du mur en même temps que les retardataires ?

J'étais sur la ligne de départ, avec plus de 150 autres cyclistes. Des vents violents, des averses de pluie, des accidents et l'anéantissement d'un peloton par une motocyclette. Des péripéties, des revirements de situation, des collines, des villages, des forêts, de grandes et de petites routes, des bosses et du gravier. Nous, les cyclistes, folles furieuses, un chaos tonitruant, qui faisions notre chemin en hurlant dans la campagne belge.

Le fait d'avoir commencé l'ascension du mur à l'avant du groupe m'a aidée. Je laissais les autres coureuses me dépasser, puis je zigzaguais pour rattraper le groupe de femmes qui passaient et repassaient en accélérant jusqu'à l'épuisement. J'avais l'impression d'être dans un jeu vidéo, sauf que j'avais le contrôle total de la stratégie que je choisirais. J'ai réussi à grimper le mur comme mes coéquipières l'avaient prédit, environ vingt secondes derrière les meneuses, en force et prête à attaquer.

J'ai attendu en laissant les autres tenter des échappées, car j'avais trois coéquipières en avance dans ce groupe de vingt-cinq coureuses. Trois coéquipières, Trixi, Evie et Amber, qui attendaient que j'accomplisse ma tâche pour que notre course commence. Mes deux autres coéquipières, Ally et Emilia, avaient déjà fait un superbe travail, nous plaçant en bonne position au bas du mur. C'était à mon tour, à présent, la troisième mission. Un paquet de coureuses anticipaient mon attaque, alors je devais attendre. Me laisser flotter sans pousser. J'ai senti que c'était le moment, et je suis partie.

Je me souviendrai toujours des trente derniers kilomètres de cette course. Alors que je pédalais à fond pour garder la tête, les trois machines de la montée qu'étaient mes coéquipières suivaient le peloton sans pousser. Puis, approximativement six kilomètres avant la fin, la superstar néerlandaise Marianne Vos a comblé l'écart qui nous séparait jusqu'à ce qu'elle se retrouve environ une quinzaine de mètres derrière moi. Je pouvais voir Evie accrochée à sa roue. Le style d'Evie est unique. Elle roule comme si elle dansait sur sa musique préférée. Je savais que le moment crucial approchait. J'étais fatiguée, avec le vent qui soufflait de partout, mais j'ai avalé deux gels énergisants GU que je gardais dans ma poche, j'ai pris une grande gorgée de Coke que j'avais attrapé au poste de ravitaillement qui se trouvait juste en haut du mur, puis je me suis dit : *Maintenant, fonce !*

Je n'ai pas dit un seul mot à Evie. On n'avait pas besoin de mots pour se comprendre. J'ai simplement pédalé aussi fort que j'ai pu pendant les 5,4 kilomètres suivants, Marianne Vos campée juste derrière moi, et en fond sonore mes propres rugissements de souffrance. Tout ce que je savais, c'est que je devais amener Evie au mur pour qu'elle puisse gagner, qu'*on* puisse gagner !

À mi-chemin de la deuxième montée du mur, Evie m'a regardée, en attente d'un signe.

Je lui ai crié : « Sois intelligente ! »

Evie a souri, a hoché la tête et a continué à rouler.

J'étais fière de ne pas être tombée de mon vélo. J'ai grogné, en utilisant chaque muscle de mon corps pour continuer à faire tourner les pédales.

Evie a gagné de façon spectaculaire. J'ai tenu bon, et je suis arrivée en huitième place, sachant qu'on avait gagné en équipe. On a hurlé de joie comme des fillettes surexcitées.

La Flèche Wallonne Femmes était un des points culminants de ma renaissance cycliste de l'année 2012. J'étais encore plus emballée, car j'allais donner tout l'argent gagné cette année-là à RTP pour financer l'initiative jeunesse au Mali, qui enseignait des compétences de leadership aux jeunes.

* * *

La route vers les Olympiques 2012, qui auraient lieu à Londres du 25 juillet au 12 août, était semée d'autres embûches.

Après avoir gagné le contre-la-montre au Grand Prix Cycliste Gatineau, j'ai eu un accident durant la course sur route, le lendemain. Une jeune triathlète qui tentait d'être admise dans l'équipe olympique avait une mauvaise technique et ne faisait pas preuve d'une grande intelligence à cet égard. J'ai eu la stupidité de m'accrocher à sa roue pendant un virage serré et, lorsqu'elle est tombée, je suis tombée avec elle. Mon vélo s'est abattu sur mon dos, et mon guidon s'est écrasé directement sur ma colonne.

J'ai refusé d'accepter les excuses de cette jeune femme. Encore furieuse, j'ai ramassé son vélo et le lui ai lancé. Je ne suis pas fière d'avoir agi comme ça, mais c'est arrivé. Heureusement, j'ai raté mon coup, mais son vélo a rebondi sur la route et est passé à deux doigts de renverser quelques-unes de mes coéquipières qui se trouvaient dans le peloton. Encore enragée, j'ai crié : « Dégage avant que je fasse quelque chose que je vais regretter. »

Les responsables de la course ne m'ont pas vue, mais je méritais d'être disqualifiée. Tout ce à quoi je pouvais penser, c'était : *Cette fille m'a bousillé le dos. Et elle ne m'a pas manqué.* Et c'était déjà la fin de mai, soit deux mois avant le début des Jeux.

Je suis remontée sur mon vélo, puis j'ai réussi à me rendre à l'avant du peloton, où j'ai essayé d'aider Ina-Yoko Teutenberg, ma coéquipière de l'équipe Specialized-lululemon, à gagner, mais j'avais trop mal. Étendue sur le dos à l'arrière de notre camionnette, je ne parvenais pas à croire ce qui s'était passé. Même si j'ai honte d'avoir fait ça, aujourd'hui, je me sens toujours incapable de demander pardon à cette triathlète. Elle n'aurait pas dû avoir le droit de participer à cette course, mais bon, le cyclisme féminin permet ce genre de choses.

Gatineau est un autre endroit où mes deux vies, ma vie de cycliste et ma vie de porte-parole pour la santé mentale, s'entrecroisaient.

J'ai rencontré Luke Richardson, un ancien joueur de la LNH, et sa femme Steph pour la première fois le jour où j'ai fait le lancer de la rondelle à une partie des Sénateurs d'Ottawa dédiée à la sensibilisation à la santé mentale chez les jeunes. La fille athlétique et pleine d'énergie des Richardson, Daron, s'était enlevé la vie à quatorze ans. La peine que leur avait causée cette perte indescriptible ainsi que l'élan de douleur des amis de Daron ont mené à un puissant désir de *faire* quelque chose. Cette volonté s'est soldée par un programme de sensibilisation à la santé mentale chez les jeunes, appelé « Do It For Daron » (DIFD), pour lequel Steph et Luke avaient amassé des millions de dollars.

J'étais fière d'avoir porté le bracelet mauve de DIFD l'année précédente lors du Grand Prix cycliste Gatineau, lorsque j'avais gagné le contre-la-montre et perdu la course sur route, ainsi qu'en 2012 lorsque j'avais également gagné le contre-la-montre et que j'étais tombée pendant la course sur route.

J'étais chez les Richardson lorsque j'ai reçu un appel pour un test de dopage aléatoire, et Steph a proposé de m'y conduire. Même si j'avais obtenu des résultats positifs en Sicile en 1994 pour des raisons que je ne m'explique toujours pas, j'avais dû passer tellement de tests depuis que j'étais désormais capable de voir le côté humoristique de la situation.

Alors que je m'entraînais à Calgary pour les Olympiques de Vancouver, deux femmes très polies du CCES (le Centre canadien pour l'éthique dans le sport) étaient arrivées à mon condo à 19 h 55, m'avaient lu mes droits et l'avis de test, puis m'avaient fait remplir les formulaires appropriés. Je possède, soit dit en passant, un paquet de serviettes, de t-shirts et de chandails à l'effigie du CCES qui affichent fièrement leur volonté de rendre le sport exempt de drogues.

J'ai bu quelques bouteilles d'eau d'un trait, leur ai dit que j'étais prête et suis entrée dans la salle de bain avec l'une d'entre elles. En tant qu'athlète, je vois la tâche qui consiste à uriner dans un contenant de la même façon que je vois tout ce que je fais : comme une compétition. J'avais donc prévu terminer cette «visite de courtoisie» aussi rapidement que possible. Mon record pour l'ensemble du processus, soit remplir les formulaires, uriner, embouteiller l'urine et signer, était de sept minutes, un exploit personnel dont je suis très fière.

Juste au moment où je m'apprêtais à uriner, bien placée à la vue de mon chaperon, dont le travail consistait à «observer le jet d'urine quitter le corps pour remplir le contenant», elle a décidé de bavarder, probablement pour dissimuler sa propre gêne, qu'en tant que pro je ne partageais pas : «Alors il ne reste plus qu'un an !

— Un an avant quoi? ai-je demandé.

— Les Olympiques, bien sûr. Vous devez être excitée!»

Mais ce n'était pas exactement de l'excitation que je ressentais, à cet instant. J'ai répondu : «Je n'y pense pas trop», ce qui m'a suffisamment distraite de ma tâche pour que je rate le contenant, gaspillant le précieux contenu. J'ai dû attendre encore dix minutes avant d'arriver à en produire, en essayant vraiment très, très fort, une autre demi-once.

Mais ce qui est fait et fait et, aujourd'hui, je suis heureuse de dire qu'au test de dopage de Gatineau ma performance s'est révélée parfaite.

* * *

Le lendemain de mon accident au Grand Prix cycliste Gatineau, j'ai pris l'avion en direction de l'Idaho pour concourir dans une course par étapes avec mon équipe professionnelle, Specialized-lululemon, mais je n'arrivais même pas à enfiler mes bas. Je n'arrivais pas à enfiler ma combinaison, ni à descendre de vélo. À mesure que les jours passaient, il devenait impossible que j'utilise ma main droite pour me brosser les dents ou pour manipuler une fourchette. Puis, quelques heures avant la course en Idaho, j'ai eu un autre accident, ce qui m'a valu un traumatisme cervical en plus de mes blessures au dos non diagnostiquées.

Après être retournée chez moi, en Utah, j'ai téléphoné à mon mentor, Hubert Lacroix, dont le frère Vincent était chirurgien orthopédique et médecin en chef des Canadiens de Montréal. Après avoir obtenu un rendez-vous avec le Dr Lacroix, j'ai pris l'avion en direction de Montréal.

Une IRM a confirmé son diagnostic initial : l'apophyse épineuse s'était détachée de ma septième vertèbre thoracique, parfois appelée « T7 ». L'apophyse épineuse est la pointe osseuse soudée à chaque vertèbre, sur laquelle sont attachés les muscles et les ligaments. Bref, je m'étais cassé le dos.

Le Dr Lacroix m'a assurée que la fracture était superficielle et que la course ne me causerait pas de dommages supplémentaires. Par contre, ça n'expliquait toujours pas la source de mes douleurs atroces.

J'ai appelé mon ostéopathe en France : Benoît Nave, le thérapeute le plus extraordinaire au monde. Il m'a dit de me coucher sur le ventre pour que Peter puisse examiner mon dos. Il a demandé à Peter de compter mes vertèbres jusqu'à la fracture, à la septième. Puis il lui a demandé : « Est-ce qu'elle a l'air tordue ? »

Elle semblait effectivement tordue.

Benoît m'a dit : « Ta T6 a bloqué pour protéger la zone de l'impact. À moins que quelqu'un ne la débloque, tu vas continuer à avoir mal. »

Avant que je puisse faire quoi que ce soit pour arranger ça, je devais participer aux essais olympiques, que j'ai gagnés. J'ai ensuite pris l'avion jusqu'en France pour que Benoît puisse travailler sur mon dos. En un seul ajustement, ma douleur avait disparu. Benoît m'a traitée de nouveau en France, en Italie, puis à Londres, simplement pour s'assurer que ma T6 demeure débloquée.

Pendant tout ce temps, je n'étais pas seulement troublée par ma blessure. Après avoir passé dix ans hors du monde du cyclisme de compétition, j'avais maintenant peur de rouler sous la pluie. J'imaginais que mes roues glissaient sous moi, et ça me troublait chaque fois que je voyais des nuages s'amonceler dans le ciel ou qu'un bulletin météo annonçait du mauvais temps. Une voix intérieure ne cessait de me mettre en garde : *Tu te souviens de Nicole ? Tu pourrais en mourir, tu sais.*

Le fait que les Olympiques 2012 se tiendraient dans une ville connue pour la pluie ne m'aidait pas à me sentir mieux.

* * *

La devise de la trentième Olympiade était *Inspirer une génération,* et 10 568 athlètes en provenance de 204 pays participaient à 302 épreuves de 26 disciplines sportives. En tant que chef d'État du pays hôte, la reine Élisabeth II présidait la cérémonie d'ouverture des Jeux.

Bien entendu, le ciel s'est assombri le jour de ma course sur route. La course commençait et se terminait sur The Mall, la rue qui passe devant le palais de Buckingham, et elle faisait une boucle autour de Surrey. J'étais en tête dès le début et j'y suis restée, jusqu'à ce que la route détrempée ne ravive mon sentiment d'appréhension et que mon énergie ne soit gaspillée. Lorsque l'échappée victorieuse a quitté le peloton, j'étais là, mais je n'avais pas la force de la suivre. J'ai fini avec une lamentable trente-deuxième place.

Pendant le contre-la-montre, je sentais que ça allait bien, mais pas extraordinairement bien, et je suis arrivée en cinquième place. Lorsque mon entraîneur et moi avons mesuré ma puissance énergétique à partir du SRM du vélo, un appareil qui enregistre la puissance de chaque once d'énergie dépensée à chaque coup de pédale, j'ai découvert que je venais de faire ma meilleure course à vie. Mais mon excellente performance ne suffisait pas. Quatre cyclistes avaient été meilleures.

Par la suite, lorsque les médias m'ont interrogée, je n'ai pas tenté de m'excuser. J'ai dit : « Oui, elles m'ont battue, mais je n'aurais pas pu offrir une meilleure performance. » J'ai aussi ajouté : « C'est tout. Maintenant, j'ai fini. »

Plus tard, j'ai dit à Peter : « Je pense qu'avant ce moment-là je n'avais jamais pris conscience de la difficulté que ça représente réellement de gagner une médaille olympique. »

Ce qui comptait pour moi, c'était d'avoir perdu la tête haute. Le fait de perdre et de se sentir bien par rapport à la course était encore nouveau pour moi, une expérience que je perçois comme une métaphore de la vie. Notre culture accorde énormément d'importance à la victoire, mais les récompenses qu'on pense vouloir obtenir ne sont pas nécessairement celles dont on a besoin. J'ai aussi pris conscience pour la toute première fois que, peu importe mes résultats – que je gagne ou que je perde une course –, ça n'avait aucun effet réel sur la culpabilité, la peur et la haine de moi-même que je traînais avec moi depuis l'enfance. Soudainement, tout est devenu très clair : ce serait une guerre que je devrais mener ouvertement.

Après le contre-la-montre, Peter et moi sommes restés à Londres quelques jours. On a vu le nageur américain Michael Phelps remporter sa quatrième médaille d'or, ce qui faisait de lui l'athlète olympique le plus décoré de tous les temps, avec un total de vingt-deux médailles.

À ce moment-là, Peter et moi en avions assez.

On a pris l'avion jusqu'à Genève, on a loué une voiture, puis on s'est arrêtés dans un village pour manger une pizza et boire du vin. Comme un festival se déroulait à cet endroit, on n'arrivait pas à trouver de chambre, alors on s'est simplement garés en bordure de la route principale. Pour dormir, on était passés d'un hôtel cinq étoiles de Londres à une petite voiture de location. Lorsque je me suis réveillée, j'ai eu la surprise de constater que mes pieds avaient enflé comme des ballons. C'était encore une fois le résultat de deux extrêmes. Après mon régime d'entraînement très strict, j'avais immédiatement commencé à manger du beurre, du gras et du sel. Cette constatation ne m'a toutefois pas empêchée de me régaler de croissants, ce matin-là.

Peter et moi nous sommes rendus à Argentière, un pittoresque village d'alpinisme dans la région du mont Blanc. On a fait une randonnée, cueilli des myrtilles et cherché des chanterelles. Puis, le 12 août, le jour de la cérémonie de clôture des Jeux de Londres, on s'est retrouvés dans une petite pizzeria du village. Après avoir rencontré le propriétaire et sa femme, on leur a demandé si ça les dérangerait de syntoniser la chaîne de télévision où les Jeux étaient diffusés. Pendant que j'étais partie à la salle de bain, Peter leur a dit pourquoi. Je ne passais plus incognito, mais c'était correct, parce qu'ils étaient excités de nous accueillir.

À notre retour en Amérique du Nord, Peter et moi avons fait une randonnée sur le sentier John Muir, en Californie. J'ai fait beaucoup de course à pied en sentier, 100 kilomètres par semaine. J'ai également voyagé dans le village ougandais qui apparaissait dans le documentaire de Right To Play que j'avais vu aux Olympiques de Turin. Ça m'a permis de remercier les entraîneurs et les employés ougandais de RTP de m'avoir aidée à gagner une médaille d'or, que je leur ai montrée. Je leur ai dit qu'ils avaient inspiré quelqu'un, de l'autre côté de l'océan, et que je n'aurais jamais pu gagner sans eux. Le plus important, c'est que j'ai aussi pu rencontrer des enfants comme ceux que j'avais vus le matin de ma course, qui avaient transformé la période pénible que je traversais pendant ces Olympiques en moment de joie.

De retour à la maison, j'ai été très occupée par les engagements que j'avais pris auprès de Bell pour la campagne « Cause pour la cause ». Puis l'hiver est arrivé.

UNE PERPÉTUELLE
SAISON MORTE

Ce sourire qu'on voit sur
les panneaux publicitaires

C'était donc terminé. Vraiment terminé.

Après les Olympiques de Londres, je croyais que tout serait plus facile. Ce dernier tour de piste avait presque ressemblé davantage à une exploration intérieure qu'à une course, une étape dans la découverte de ma personnalité intime qui m'avait appris ce qui importait réellement. À présent, je pouvais être une personne « normale », mener une existence équilibrée, sans la pression inhérente à la course. Pourquoi pas ? J'avais de l'argent à la banque, un mari qui me soutenait et une brillante carrière qui m'avait rendue suffisamment célèbre pour que je puisse me bâtir un avenir. Pendant deux mois, peut-être même trois, tout ça avait un sens. Puis la question *Qu'est-ce que je fais, maintenant ?* a commencé à me hanter.

Je me suis mise à sentir ces ténèbres qui m'étaient si familières monter comme un brouillard suffocant, qui s'étaient jusque-là tapies dans un recoin désespéré de mon être. Sans objectifs identifiables, mes vieux modèles de pensée négatifs sont devenus encore plus fort, des façons de penser culpabilisantes, qui prenaient toujours plus de place chaque fois que je me retrouvais seule avec moi-même trop longtemps. Cette violence lancinante me suivait aussi lorsque je passais du temps avec les autres, ce qui jetait une ombre de malheur partout où j'allais. Ce sourire qu'on voyait sur les panneaux publicitaires n'arrivait plus à me convaincre. Il ne convainquait plus personne, d'ailleurs.

Bien que j'aie souvent eu l'occasion d'entrevoir avec effroi la vérité profonde qui m'habitait, je persistais à croire que la cruauté de ma petite voix intérieure venait du fait que je me battais pour m'améliorer dans un domaine difficile. Ce domaine était le sport, qui m'avait consumée pendant plus de deux décennies, mais je ne pouvais plus rejeter la faute là-dessus, désormais. Je ne faisais plus face à la pression de l'entraînement et de la compétition. Je n'avais plus besoin d'être rapide, bonne et forte. Je n'avais plus d'objectifs quotidiens à part ma satisfaction personnelle, s'il en est. Ironiquement, si j'avais autrefois accusé ces exigences d'être la cause de mon insatisfaction, j'accusais maintenant leur absence d'être la cause de ma dépression. Je ne pouvais pas revenir en arrière, et je ne le souhaitais pas non plus. La partie de moi qui avait ressenti un apaisement, une satisfaction, un sens grâce à la compétition était dorénavant exténuée. Tout ce que je voulais, c'était trouver un certain plaisir dans chaque journée, profiter du cadeau que continuait à m'offrir la vie en me dotant d'un corps fort et en santé, et apprécier les beautés de la nature et la compagnie de Peter. Ce que je n'avais pas pris en compte, c'était la seule constante dans ma vie avant et après le sport: moi. Sans la distraction d'une activité effrénée, je ne pouvais plus m'éviter moi-même.

Une voisine, qui était une ancienne athlète, décrivait la retraite comme une perpétuelle saison morte. C'était exactement comme ça que je me sentais. Pour un athlète, la sédentarité demande de la créativité et de la discipline. Lorsque je participais encore à des courses, ça ne me posait pas de problème, après des mois d'entraînement intensif, d'occuper mes périodes d'arrêt en faisant du ménage, en pelletant, en lisant ou en me détendant devant un feu avec une tasse d'espresso bien frais. Pendant quelques jours. Puis je commençais à sentir une démangeaison sous ma peau, je n'aspirais qu'à retrouver une forme de structure, je désespérais à l'idée de revenir à la monotonie, d'avoir quelque chose à faire… n'importe quoi, mais quelque chose. C'est à ce moment-là que je me mettais généralement à faire des « améliorations » sur la maison, ce qui entraînait un lot de frustrations, surtout pour Peter qui finissait par terminer mes projets.

Lorsqu'on vivait au Québec, j'ai essayé le yoga avec un groupe à Sutton, à vingt kilomètres de chez moi. Je trouvais ça difficile à endurer. J'avais du mal à me détendre et à m'étirer. J'ai finalement réussi à avoir des moments de concentration, par intermittence. C'est alors que les psalmodies commençaient, et les participantes aux yeux brillants se balançaient d'avant en arrière dans diverses versions créatives de la position du lotus. Je ne suivais plus. Tout ce que je pouvais faire, c'était m'asseoir et m'étirer le cou, intriguée par ces femmes enivrées qui scandaient des mots dans une langue étrangère, haut et fort. J'étais contente pour elles, bien sûr, mais, moi, je n'avais pas besoin de tout ça. J'avais le sport… la plupart du temps.

Je retournais couper du bois et je trouvais la paix dans la monotonie de la destruction des bûches, l'une après l'autre, en me concentrant pour frapper à l'emplacement idéal où le bois craque naturellement. *Coupe, coupe, coupe. Le calme.*

Ainsi, lorsque je m'exerçais pour ma « retraite » pendant les saisons mortes qui l'avaient précédée, je n'étais pas très douée. Je passais au travers, par contre, car je savais que ma « vraie » vie recommencerait bientôt. Sur mon vélo. Sur mes patins. À présent, par contre, je serais pour toujours sur la touche. Les jours, les semaines et les mois s'étiraient devant moi et, pendant ce temps, je restais beaucoup trop à l'intérieur. C'est à ce moment-là que les questions sans réponses m'ont le plus frappée : *Qu'est-ce que ça change si tu ne remontes jamais sur ton vélo ou si tu ne remets jamais tes patins ? Tout le monde s'en fout.* S'ensuivaient les accusations, qui s'installaient en moi : *Pourquoi es-tu si fatiguée alors que tu ne fais absolument rien ? Pourquoi n'es-tu pas sur ton vélo, sur tes patins, en train de grimper une montagne, de faire une randonnée ? Ce sont des activités que tu es censée aimer, non ?*

Si je répondais : *J'ai pris ma retraite.* La réponse méprisante était : *Alors maintenant, quel est le sens de ta vie ?* Ou : *À quoi servent les médailles que tu as gagnées ?*

Ce genre de questions s'infiltrait comme du sable dans le fragile tissu de mon esprit, ce qui empêchait toute transformation, et même la moindre parcelle de plaisir. Je croyais avoir fait face à certains de ces problèmes au cours des dernières années, mais maintenant que j'avais tout mon temps, chaque jour, pour être vulnérable, mes solutions à la pièce ne me fournissaient pas une armure assez solide pour me protéger de ces démons intérieurs. La rafale incessante d'autocritiques, en guerre contre les semences de paix qui tentaient de s'enraciner en moi, s'est finalement fondue en un seul message dévastateur : *Clara, tu n'es pas assez bonne. Tu n'as jamais été assez bonne, et rien de ce que tu as fait dans ta vie n'y a changé quoi que ce soit.*

Cette idée a commencé à me ronger de l'intérieur. *Pas assez bonne.* C'était terrifiant. Jusqu'à ce que je puisse trouver une manière d'y réagir de façon significative, plus rien n'avait d'importance, désormais.

À certains égards, un ancien athlète, c'est comme un drogué. Après la retraite, c'est facile de se rappeler uniquement les grandes victoires et d'oublier la torture. Comme l'alcoolique ou le *junkie*, on s'attarde sur les *high* et on refoule les pensées qui apparaissent le lendemain matin. On n'attend que le prochain succès, ce qui se solde par une mélancolie lorsqu'on s'aperçoit que cette autre vie est terminée.

En y réfléchissant, je crois que ma vie de famille dysfonctionnelle m'a aidée à réussir aux Olympiques. J'ai été capable de canaliser ma tolérance pour les extrêmes dans le sport, me poussant jusqu'à des endroits où je n'aurais pas dû être capable de me rendre. Ça a nourri mon désir de vaincre et de ne jamais me satisfaire de mon dernier *high*. Je ne pouvais pas prendre une seule journée de congé sans me flageller à cause de ma culpabilité et, lorsque je ne faisais pas de course, j'attendais compulsivement ma prochaine dose.

La douleur physique excessive que j'étais capable de supporter agissait comme une distraction sur ma douleur psychologique. J'étais comme une personne traumatisée qui s'ouvrait les veines avec un rasoir pour laisser le désespoir, la culpabilité et la colère refoulée se répandre. C'est comme si je me coupais jusqu'à l'os et que je tournais le fer dans la plaie avant d'abandonner. C'est pour ça que Mirek, avec son style d'entraînement agressif, était si bien adapté à ma propre personnalité. C'est seulement après avoir gagné deux médailles de bronze aux Olympiques d'Atlanta que je me suis soudainement rendu compte que les médailles ne me fourniraient peut-être pas l'estime de soi qui me manquait. C'est alors que la dépression est revenue, ainsi que l'autodestruction, que ce soit par l'alcool ou la nourriture. Même les médailles d'argent et d'or ne m'avaient pas aidée.

Pendant les décennies où j'étais une athlète professionnelle, une foule de mentors et d'admirateurs avaient apporté un soulagement temporaire de mon chaos intérieur. Tous mes entraîneurs, Peter Williamson, Mirek Mazur, Eric Van den Eynde, Xiuli Wang et Chris Rozdilsky, avaient été des figures d'autorité pour moi. Tous, à l'exception de Mirek, m'avaient offert un certain soutien par rapport à mon enfance difficile.

En 1997, le médecin de notre équipe nationale avait osé prononcer le mot « dépression » devant moi. Même si j'ai ensuite fait preuve de déni total à cet égard, elle avait entrouvert une porte derrière laquelle se cachait quelque chose que je redoutais. Je savais qu'un jour je n'aurais d'autre choix que de l'ouvrir complètement.

Lorsque j'ai recommencé à patiner, j'ai reçu le soutien de Cal Botterill, un psychologue sportif à qui j'avais parlé pour la première fois de ma difficulté à trouver la paix pendant la saison morte. Dans les années où je me développais en tant qu'athlète, il m'avait aidée à comprendre que la pensée selon laquelle je ne valais rien n'était pas ancrée dans la réalité. Toutefois, comme je faisais encore de la compétition, à l'époque, ma « solution » résidait dans le fait de m'entraîner davantage : *Sois meilleure, sois plus forte.*

Terry Orlick, un autre psychologue sportif, m'a poussée à prendre conscience du procédé que j'utilisais pour canaliser mon énergie avant les courses les plus importantes. Avant Terry, j'avais peur de tremper dans ces eaux-là, parce que c'était simplement « quelque chose qui arrivait ». Puis j'ai commencé à me demander : *Et si ce n'était pas seulement « quelque chose qui arrivait » ?*

Terry m'a envoyé la liste de tout ce que je lui avais dit, au cours de nos quelques discussions, clairement organisée en abrégé, me montrant efficacement la façon dont mon esprit fonctionnait. J'ai été surprise lorsque je l'ai lue : *C'est moi, ça ? C'est cool !* La liste était presque un mantra :

Si tu ne te concentres pas sur l'instant présent, tu ne réaliseras pas tes objectifs et tes rêves. Mais à un moment donné, les objectifs de rêve et les objectifs réalistes peuvent converger.

Transforme ta peur en concentration.

Tes doutes en concentration.

Tes déceptions, tes échecs en concentration.

De quel genre de concentration as-tu besoin, en ce moment ?

Tous les jours, pose-toi la question suivante : « Qu'est-ce que je vais faire, aujourd'hui, pour faire un pas en direction de mes objectifs et de mes rêves ? »

Tu ne peux vivre cette journée qu'une seule fois, tu ne peux saisir cette occasion qu'en ce moment. Lorsque c'est parti, ça ne reviendra pas. Saisis cette occasion.

Sois reconnaissante pour ce que tu as déjà accompli :

> *tes propres qualités ;*
> *tes victoires personnelles ;*
> *les qualités de tes coéquipières ;*
> *les qualités de tes entraîneurs et du personnel de soutien ;*
> *ta famille/les gens qui comptent pour toi ;*
> *les personnes qui s'intéressent à toi ;*
> *les personnes qui t'ont aidée à te rendre jusque-là ;*
> *les personnes qui t'aident à devenir meilleure ;*

les beaux endroits où tu t'es entraînée, où tu as fait des courses,
où tu as voyagé ;
les occasions qui se présentent à toi.

Lorsque j'ai relu cette liste, je savais que ses applications s'étendaient beaucoup plus loin que la course, mais je n'étais pas prête à la transformer en mantra pour apporter du renouveau à ma vie dans cette perpétuelle saison morte.

Une psychologue sportive avait réellement cru qu'il serait possible de m'aider en arrivant au mauvais moment devant ma porte pour me tendre un ourson en peluche. À l'époque, je vivais dans le condo que j'avais acheté à Calgary avec Peter. J'ai entendu cogner à la porte, qui donnait sur un balcon extérieur. Je ne voulais pas laisser entrer la personne qui s'y trouvait, mais il faisait très froid dehors. Lorsque j'ai ouvert, on m'a lancé : « Clara, je voulais seulement m'assurer que tu allais bien, et je t'ai apporté un cadeau. »

J'appréciais l'intention, mais je déteste les gestes stupides et inutiles. Il me semblait peu sincère d'écouter parler d'un événement avec telle et telle vedettes alors que j'étais en train d'étrangler le maudit ourson en peluche. Cette personne affectée à notre équipe de soutien n'avait aucune idée de ce que je vivais intérieurement, mais elle faisait son travail. Plutôt que de ressentir l'appui dont j'avais besoin, je devais gaspiller de l'énergie pour éviter cette personne.

Le Dr David Smith, mon physiologiste sportif, décrivait ce phénomène comme le « syndrome de la justification obsessionnelle du travail », qui s'appliquait au personnel qui ressentait le besoin d'être vu pendant leur travail avec les athlètes. Doc Smith était toujours quelque part dans les gradins, invisible à moins qu'on ait besoin de lui. Puis, tout à coup, il était juste à côté de nous. Même s'il m'a aidée à renforcer ma confiance en moi, son travail pour Équipe Canada, tout comme celui de tous les physiologistes sportives, était de faire de moi une meilleure machine à gagner des courses, surtout une fois tous les quatre ans, aux Olympiques.

Les points de vue les plus justes sur ma situation venaient de gens qui ne faisaient pas partie du système. En 2000, j'ai envoyé Peter à Winnipeg pour qu'il rencontre ma famille et pour qu'il regarde les Olympiques de Sydney avec elle. Je ne lui avais pas expliqué la dynamique des Hughes parce que... qu'est-ce que j'aurais pu expliquer ? On était une famille normale, non ?

Il a rencontré mes parents dans la maison familiale, à Elmwood, où il a été témoin de la méchanceté avec laquelle mon père traitait ma mère. Il a ensuite regardé ma première course avec mon père. Mon père était soûl et a passé son temps à dénigrer ma sœur. Malgré les problèmes de Dodie, Peter croyait qu'elle faisait de son mieux, mais mon père continuait de la rabaisser sans relâche.

Peter est allé camper dans un parc provincial pour fuir ma famille, puis il est parti quelques jours plus tard pour aller regarder le reste des Olympiques avec des amis, à Kenora. Quand je suis revenue, il m'a demandé : « Pourquoi m'as-tu suggéré d'aller chez tes parents ? Ne me fais plus jamais ça.

— Qu'est-ce que tu veux dire ? »

Il a décrit ce qui s'était passé, puis il a ajouté : « Ta sœur est vraiment une championne. »

Je n'étais pas prête à entendre quoi que ce soit de ce que Peter venait de me dire, alors je me suis fâchée contre lui. Il m'avait néanmoins donné un indicateur réaliste à partir duquel je pourrais juger ce qui était « normal », et auquel je finirais par faire confiance : *Ma famille est « dysfonctionnelle » ? Alors voilà ce que veut dire ce mot-là !*

Lorsque j'ai reçu l'Ordre du Manitoba, en 2006, j'ai reçu quelques indicateurs supplémentaires. Ma mère avait emmené mon père au grand banquet d'honneur à l'Assemblée législative du Manitoba, même s'ils étaient divorcés. Comme d'habitude, mon père s'est soûlé et est devenu désobligeant envers elle. Lorsque les autres invités ont commencé à échanger des regards entendus, autour de la table, je me suis sentie mortifiée d'avoir placé ma mère dans une position aussi humiliante. Toutefois, ce n'est que lorsque mon père a piqué une crise dans le stationnement que je me suis aperçue de ce qui se passait réellement : *Ma mère se fait maltraiter. Ce n'est pas un comportement « normal ».*

Mon massothérapeute, Shayne Hutchins, qui s'intéressait à la médecine douce, m'a fait un gros cadeau lorsqu'il m'a dit, un jour de 2007 : « Tu sais, je travaille avec un guérisseur énergétique à Calgary. Tu devrais aller le voir. Il est aussi médecin. C'est un drôle de personnage : soit tu vas l'adorer, soit tu ne voudras plus jamais retourner le voir. »

J'ai donc pris rendez-vous avec le Dr Owen Schwartz, qui avait son cabinet dans un affreux bâtiment de la Seizième Avenue. Il m'a accueillie dans sa salle d'attente, entièrement décorée en mauve avec des cristaux : « Clara, je suis heureux de te rencontrer. » Il avait les cheveux en bataille et les yeux croches. De toute évidence, c'était un hippie halluciné. De toute évidence, il était vraiment bizarre. Mais n'était-ce pas la raison pour laquelle j'étais venue le voir ?

J'ai suivi le Dr Schwartz dans son bureau, où j'ai soudainement commencé à parler de choses que je n'avais jamais partagées avec qui que ce soit auparavant, du fait que je me sentais nulle intérieurement, de mes problèmes avec la nourriture, de mon impression d'être entourée de gens égoïstes qui profitaient de moi, de l'environnement malsain du monde du sport, de mon père et de ses problèmes d'alcool, de la maladie de ma sœur, de ma mère et de la vie pénible qu'elle avait menée.

Lorsque Owen en est venu à comprendre qui j'étais, il m'a dit : « Clara, le don que tu as pour les autres, c'est ta présence, tout simplement. Tu es un exemple de concentration, de dévouement, d'intensité. Tu n'as pas besoin de donner quoi que ce soit d'autre. Si tu choisis d'aider quelqu'un, demande-toi si cette personne va transmettre ce cadeau à son tour. Si c'est le cas, ça vaut peut-être la peine. Si ce n'est pas le cas, contente-toi d'être là, d'être toi, et prends conscience que c'est suffisant. »

Ses mots venaient appuyer ce que Xiuli me disait depuis des années. « Clara, il faut que tu sois prudente avant d'ouvrir ton cœur à une nouvelle personne, parce que certaines personnes n'ont pas leur place dans ton cœur et d'autres y ont leur place, et tu dois être capable de faire la différence. »

Owen était la première personne à me dire qu'être «moi» suffisait. C'était une prise de conscience si grandiose que ça m'a permis de continuer à m'entraîner, jour après jour, pendant la période difficile que j'ai vécue, entre Turin et Vancouver.

Après quelques séances, Owen m'a conseillé d'essayer une thérapie de régression pour faire face au profond sentiment de culpabilité que je ressentais par rapport à la tristesse vécue par ma famille. «Je ne vais pas t'hypnotiser, mais je vais te guider vers ton passé. C'est différent pour chaque personne, mais je crois que ça vaut la peine d'essayer, si ça t'intéresse.»

J'ai accepté. Je me souviens que j'étais couchée sur la table d'examen d'Owen, en train de fermer les yeux, et que j'entendais sa voix apaisante: «Remonte dans le temps, lorsque Clara était une jeune athlète, une adolescente. Maintenant, je veux que tu retournes au premier endroit où tu t'es sentie impuissante, à cet endroit très réel où tu ne pouvais rien contrôler.»

J'ai commencé à avoir l'impression d'être réellement ailleurs.

«Est-ce que tu te vois?

— Oui, je suis une petite fille.

— Sais-tu où tu es?

— Je suis dans la maison familiale. Je suis debout, dans l'espace derrière la cuisine.

— Entends-tu quelque chose?

— J'entends mes parents.

— On est à quel moment de la journée?

— C'est le soir, et mon père vient de rentrer. Ma mère lui a servi à souper, et il est en train de lui dire qu'elle n'a rien fait comme il faut. Il lui crie après. Il est soûl. Ma mère est là, debout, et elle ne dit rien.

— Qu'est-ce que tu fais?

— Je suis assise, ou peut-être debout.

— Comment te sens-tu?

— Je veux arrêter d'entendre les sons de la colère. Je veux que mon père arrête de crier après ma mère, mais je ne peux pas l'en empêcher!

— Est-ce qu'il y a quelqu'un d'autre avec toi, à ce moment-là ?

— Je suis toute seule.

— Regarde autour de toi. Vois-tu quelque chose ? N'importe quoi ? »

Je me suis mise à regarder mon doigt. « Je vois un oiseau. Il est perché sur mon doigt. » Je sentais réellement le poids de l'oiseau. C'était tellement étrange.

« Qu'est-ce que l'oiseau est en train de faire ?

— Il me regarde.

— Comment est-ce qu'il te regarde ?

— Avec des yeux pleins d'amour.

— Comment te sens-tu lorsque tu regardes cet oiseau ?

— Je ressens un soulagement, parce qu'il me dit avec ses yeux que tout va bien et que je vais être correcte.

— Et maintenant, qu'est-ce qui se passe ?

— Je souris à l'oiseau.

— Je veux que tu regardes ta mère et que tu lui dises que tu l'aimes, mais que tu ne peux pas la sauver et que tu ne peux pas arranger ce qui se passe entre elle et ton père. »

J'ai regardé ma mère et je lui ai dit ces choses-là. Elle ne m'a pas regardée, mais elle a entendu les mots que je lui ai dits.

Owen a continué : « Je veux que tu regardes ton père et que tu lui dises la même chose. »

J'ai fait ce qu'Owen m'a demandé de faire. J'ai dit à mon père que je l'aimais, mais que je ne pouvais pas le guérir ou le sauver de ses problèmes.

« Regarde encore l'oiseau. Qu'est-ce qui se passe, maintenant ?

— L'oiseau me sourit. »

À ce moment-là, je commençais à sortir de mon état de transe, ou peu importe ce que c'était, et je me souviens de m'être sentie comme si j'étais soudainement présente physiquement avec Owen, après avoir été seule dans cet autre espace.

Owen m'a dit : « Clara, prends tout le temps dont tu as besoin pour revenir dans cette réalité. S'il y a quoi que ce soit que tu as envie de dire, tu peux le dire maintenant, ou tu peux rester paisiblement en toi. »

Je suis partie à rire. « J'ai l'impression que mon cœur est immense. Je me sens possédée par ce cœur gigantesque et je me sens tellement libre, et je me sens tellement bien. »

J'ai ouvert les yeux. « Wow, c'était vraiment bizarre. »

Owen a confirmé : « Tu es revenue en arrière et tu as été capable d'être cette enfant qui vivait une situation difficile. Maintenant, je veux que tu prennes les mots que tu as dits à ta mère et à ton père, et que je veux que tu les vives. Tu ne peux pas les sauver, ni l'un ni l'autre. Ils sont qui ils sont et, maintenant, tu es libre d'être qui tu es. »

Le traitement par régression est l'une des expériences les plus puissantes que j'aie jamais vécues, et ça m'a donné de meilleurs outils pour retourner chez moi, à Winnipeg. C'est à ce moment-là que j'ai mis fin à la folie des réunions de famille où tout devenait infernal. Je disais plutôt à ma mère, à ma grand-mère, à mon père et à ma sœur : « Bon, j'ai deux jours, et je veux tous vous voir, mais pas tous en même temps. »

De cette façon, je pouvais aimer chacun d'entre eux, m'occuper de chacun d'entre eux et quitter chacun d'entre eux. J'ai établi sur mes visites un contrôle que je n'avais pas quand j'étais enfant. Je me suis aussi aperçue que, comme j'étais la seule qui s'était échappée de cet environnement, mon retour à la maison aggravait souvent la situation. Ma culpabilité n'avait pas complètement disparu, mais, au moins, je pouvais la gérer.

En ce qui concerne ce petit oiseau messager… il m'a rappelé la grive des bois au chant flûté qui s'était cachée de Peter et moi jusqu'au jour où on avait décidé de se marier : l'oiseau de notre mariage, qui évoquait pour moi la paix de Glen Sutton.

Je ne m'y attendais pas, mais ça m'a aussi rappelé une œuvre d'art très puissante de l'artiste ojibway Jackson Beardy. C'était un pic-bois aux couleurs vives avec une énorme tête et des yeux si grands qu'ils semblaient prêts à exploser. Son bec perçait la terre pour en aspirer la vie, comme le cycle perpétuel de la naissance et de la mort. Je savais qu'une guérison majeure avait eu lieu ce jour-là, mais je suis tout de suite redevenue distraite. Je continuais à faire de la compétition.

Laisse couler tes belles larmes

Peu de temps après ma retraite, Peter et moi regardions un documentaire au sujet d'un vidéaste qui s'était fait tuer en Libye. Je sentais les larmes qui montaient et qui voulaient sortir, mais j'ai fermé les yeux très forts, car je ne voulais pas pleurer. J'étais là, assise dans mon propre salon. J'étais là, avec mon propre mari. J'étais là, à écouter le récit de la mort d'une personne qu'on aimait tous les deux et, pourtant, je retenais mes larmes.

Après toutes ces années, j'étais encore l'enfant cachée dans la garde-robe, trop effrayée pour pleurer pour quelque chose que je ne pouvais pas contrôler.

Soudainement, je me suis rappelé la cérémonie de purification de Tewanee Joseph, avant les Olympiques de Vancouver. Je me suis souvenue de sa fille de treize qui s'était levée devant nous et qui avait pleuré toutes les larmes de son corps sans complexe. Je me suis rappelé l'aîné qui avait dit : « Merci de partager tes belles larmes avec nous. Laisse-les couler. »

À cet instant, j'ai compris que, pour sauver la partie de moi qui était encore enfermée dans cette garde-robe, je devrais reconnaître ma propre vulnérabilité. Je devrais laisser mes belles larmes couler. J'ai aussi senti que j'aurais besoin d'aide.

J'ai commencé à me renseigner. J'ai appris que l'Institut canadien du sport, à Calgary, offrait du financement aux athlètes jusqu'à cinq ans après leur retraite pour les aider à faire la transition entre le sport et leur nouvelle vie. C'est comme ça que j'ai rencontré le psychologue clinicien Hap Davis. Non seulement Hap était un spécialiste de la dépression et de l'anxiété chez les athlètes, mais il travaillait également auprès de gens de la rue, de toxicomanes, de femmes victimes d'agressions et de réfugiés.

Lors de ma première rencontre avec Hap, je me suis assise dans son bureau et j'ai pleuré. Ensuite, tout a été dit: mes problèmes alimentaires, mon sentiment d'échec, ma culpabilité par rapport à mes réussites et ainsi de suite. Cette rencontre régulière avec Hap, lors de laquelle je pouvais parler sans être jugée et recevoir des conseils concrets, m'a offert un exutoire libérateur.

La campagne «Cause pour la cause» de Bell m'avait également mise en contact avec David, un psychiatre et conseiller médical principal au Centre de toxicomanie et de santé mentale de Toronto. Hap et David m'ont tous les deux offert un soutien professionnel inconditionnel. Aucun d'entre eux n'était là pour me rendre plus rapide ou meilleure. Tout ce qui importait, c'était comment je me sentais.

L'un des cadeaux que j'ai reçus de la part des deux hommes est leur compréhension, bien plus profonde que la mienne, du traumatisme que j'avais subi dans mon enfance. J'en parlais assez ouvertement à David, et j'étais soulagée qu'il reconnaisse que j'avais réellement vécu des situations difficiles.

Hap l'a confirmé à sa façon pseudo-farceuse: «Tu es déprimée? Sans blague! Quelle surprise!»

J'ai accepté pour la première fois que j'avais souffert, lorsque j'étais enfant, de situations très pénibles et douloureuses qui n'étaient pas arrivées par ma faute et qui laissaient des relents puissants contre lesquels j'avais dû me battre tout au long de ma vie adulte. J'ai compris que je portais encore tout un océan de peine en moi, que j'avais retenu pendant si longtemps que je n'en connaissais parfois plus la cause. Mon côté guerrier m'avait bien servi pendant que je patinais. À présent, je devais avoir le courage de reconnaître la partie de moi qui avait été blessée.

Je devais aussi admettre mes problèmes de colère et les affronter. Enfant, je me sentais plus en sécurité lorsque j'étais en colère comme mon père que soumise et vulnérable comme ma mère. Ma colère m'a permis de survivre. Adulte, elle m'a également permis de faire face à certaines injustices inhérentes au monde du sport de compétition, d'être moi-même et de suivre mon propre chemin. Mais à l'extérieur de la patinoire, cette colère avait représenté un lourd fardeau pour moi et pour les autres, en particulier pour Peter. Je me transformais sans raison valable en personne déchaînée et explosive qui avait besoin d'une cible, peu importe qui ou quoi, pour libérer la lave de mon volcan intérieur. Même aujourd'hui, j'apprends encore comment gérer ces éruptions de colère. Maintenant, par contre, lorsque je sens la rage monter, je suis plus à même de m'arrêter en me rappelant : *Tu n'es plus une enfant en danger. Ne sois pas ce monstre incontrôlable. Ne deviens pas le côté violent de ton père. Tous les problèmes ne sont pas un cas de survie.*

Lorsque ma mauvaise humeur est déclenchée par une situation avec Peter, je sais en mon for intérieur qu'il est quelqu'un d'incroyablement gentil qui fait sans cesse de son mieux, même si ce n'est pas exactement ce que je veux. Et qu'est-ce que je veux, exactement ? Je ne le sais pas toujours. Je n'ai pas nécessairement tort ou raison, et lui non plus. Nos points de vue sont peut-être tout simplement différents.

Je prends conscience, aussi souvent qu'il le faut, que ma colère démesurée est seulement le résultat de plusieurs années de méfiance et d'injustice subies dans l'enfance, contre lesquelles je ne pouvais rien, et qui se dévoilent maintenant à moi graduellement. À présent, en tant qu'adulte, j'ai le choix : je peux continuer de laisser cette colère me pousser vers un côté désagréable de ma personnalité ou je peux prendre un peu de recul pour élargir ma perspective sur la situation. Je peux décider, à la place, d'accueillir la beauté et l'amour qui m'entourent. C'est ironique à quel point il est plus facile d'être charmante, amusante et attentionnée avec des étrangers, d'être cette personne souriante qu'on voit sur les panneaux publicitaires, que d'être positive et tolérante envers ceux qui ont toujours été là pour moi et qui m'aiment vraiment. C'est une tout autre façon d'être, et c'est cette attitude-là que j'adopte le plus souvent, aujourd'hui.

La retraite m'apprend également à mener une vie plus équilibrée. Ça signifie que je laisse aller les choses en me précipitant moins souvent dans les excès, et que j'évite de faire basculer mes émotions dans une intensité exagérément élevée qui finit par me faire chuter très bas. J'ai aussi atteint un point dans ma vie où je peux apprécier les moments où il ne se passe rien, et même les rechercher. Lorsque j'étais dans ma phase d'hyperactivité, je me suis effondrée, parce qu'être occupée tout le temps est intenable. Ma version de « ne rien faire » peut vouloir dire que je pars pour une randonnée de 500 kilomètres, que j'escalade une montagne ou que je me promène simplement dans le bois, mais j'arrive maintenant à aimer toutes ces activités pour leur valeur intrinsèque. Ça n'a rien à voir avec le fait de me distraire de mes émotions négatives ou de m'entraîner en vue de réalisations futures. La plupart de mes objectifs, aujourd'hui, sont modestes et invisibles aux yeux des autres. Ils peuvent se traduire par le fait de changer les mots qui occupent mon esprit pour exprimer des pensées plus heureuses. Ou par le fait d'identifier un nouvel oiseau ou de découvrir un nouveau livre passionnant. Ou par le fait de rester sur place, plutôt que de foncer comme un train de marchandises dans les moments les plus merveilleux de la vie, en oubliant d'apprécier ce qui les rend si merveilleux.

J'ai encore parfois des périodes où je suis prise d'un fort sentiment de dégoût envers moi-même, particulièrement lorsque le froid de l'hiver me transperce jusqu'aux os. Je commence alors à me détester. Je déteste tout ce que je suis et tout ce que je fais. Je me sens laide, horrible et stupide, un gros tas nul et inutile.

L'expression «gros tas», reliée au mot «inutile», montre bien que je persiste à avoir des problèmes avec la nourriture et avec mon image corporelle. Lorsque j'étais enfant, un garçon m'avait dit: «Un jour, tu seras grosse.» C'est comme s'il m'avait injecté un venin qui m'avait empoisonnée pendant les décennies à venir. Ce n'est pas quelque chose de particulier à ma vie. Nombreuses sont les femmes qui ont eu des expériences similaires, grâce à une culture qui valorise la minceur à l'extrême.

Les troubles alimentaires sont particulièrement répandus chez les femmes qui pratiquent des sports de puissance. Non seulement sommes-nous exposées au public, mais l'obligation de développer nos muscles peut parfois ébranler notre féminité. C'est même plus compliqué que ça. Dans les sports de compétition, la maîtrise s'inscrit dans tout ce qu'on fait. On commence par croire que c'est une bonne chose de manipuler notre corps par des restrictions alimentaires. *Je contrôle ma machine.* En même temps, le conflit entre la légèreté nécessaire à la vitesse et les muscles essentiels à la puissance crée un problème insoluble. En compétition, je me sentais bien dans ma peau lorsque je mangeais très peu, pas plus de 800 calories par jour, et de préférence rien du tout. Lorsque j'étais incapable d'atteindre ce but, j'avais l'impression d'être une ratée, et ça me donnait envie de manger davantage, ce qui me causait encore plus de culpabilité. Et cette bataille était renforcée par mes coéquipières, qui étaient en quête des mêmes objectifs erronés et dangereux.

J'ai toujours du mal à savoir à quoi je ressemble, et ce problème d'image ne se limite pas aux femmes dans le sport. Lorsque je vois des photos de moi, je pense: *Est-ce bien moi?* Si je semble grosse, je m'en veux, et si j'ai l'air mince, j'ai du mal à reconnaître cette réalité, en raison de l'immense fardeau émotif que je porte. Si une amie me dit «Regarde tes jambes, elles sont magnifiques!», je vais répondre: «Vraiment?», parce que je n'arrive pas à comprendre ce qui a pu l'impressionner. J'ai encore du mal à accepter ce que je vois dans le miroir. Parfois, je suis complètement en paix avec moi-même et je me sens belle, mais, trop souvent, ce n'est pas le cas.

Contrairement à l'alcool, aux drogues et aux autres substances qui créent une dépendance, la nourriture est quelque chose qu'on ne peut pas simplement arrêter de consommer, même si j'ai certainement essayé. J'adorais cuisiner avec mon père. Maintenant, j'adore cuisiner avec Peter. Cuisiner agit comme un fil conducteur positif dans ma vie. J'envie les gens qui sont indifférents à la nourriture, ainsi que ceux qui sont capables de cesser de manger quand ils ont le ventre plein. Certaines personnes parviennent même à sauter un repas parce qu'ils ont oublié de manger. Peter et moi adorons manger. Bien qu'on puisse facilement exagérer, Peter ne connaît pas les mêmes difficultés que moi. Je ne peux pas me fier à mon impression de satiété pour m'arrêter. Je peux continuer à manger tant qu'il y a de la nourriture. Ce n'est pas ce qu'on appelle «s'alimenter», c'est une dépendance. J'essaie de m'entraîner à quitter la table lorsque j'ai encore un peu faim. J'essaie de percevoir la nourriture comme un cadeau qui transmet la vie. J'essaie également de résister à l'envie de m'entraîner davantage simplement pour pouvoir manger plus.

Hap me répète tout le temps: «Tu sais que ce n'est pas vraiment la nourriture, le problème. Le vrai problème est beaucoup plus profond. Si on le règle directement à la source, tout va s'arranger naturellement.»

Je n'ai pas le choix d'être d'accord avec lui, parce que, lorsque je suis honnête et ouverte par rapport à ce que je vaux, la nourriture cesse de poser problème. À ce moment-là, j'aime vraiment manger et je sais quand m'arrêter. Cette énergie positive dure un certain temps, jusqu'à ce que les pensées négatives s'insinuent en moi. La différence, maintenant, c'est que je suis capable de reconnaître quand j'ai besoin d'aide, quand j'ai besoin de parler, de m'exprimer. C'est lorsque je garde cette petite voix méchante à l'intérieur, lorsque je la laisse prendre le dessus que les problèmes surgissent.

Lorsque je considère les antécédents d'alcoolisme et les autres problèmes émotionnels qui minent ma famille depuis plusieurs générations, il me paraît logique de supposer que je suis génétiquement prédisposée à la dépendance et au déséquilibre chimique. C'est une raison suffisante pour que je me surveille, mais ce n'est pas un prétexte pour ne pas y arriver. Je n'ai jamais voulu prendre de médicaments pour gérer mes émotions, même si je ne juge pas ceux qui le font. Je ne suis pas médecin, bien sûr, mais, de mon point de vue, les problèmes de santé mentale ont des degrés de complexité si divers que les médicaments risquent surtout de masquer les problèmes, plutôt que de les régler. Je préfère faire appel à la sagesse des autres combinée à ma propre force intérieure pour trouver des solutions à chaque problème. J'ai trop souvent vu les dommages que peuvent causer les drogues et l'alcool, autant dans le sport que dans la vie, pour être attirée vers l'idée qu'une substance, quelle qu'elle soit, puisse constituer une solution par rapport aux problèmes de santé mentale. Même si j'aime encore prendre un verre entre amis à l'occasion, je suis heureuse de pouvoir dire que j'ai maintenant exorcisé cette part de mon père (et de mes deux grands-pères) qui le poussait à s'échapper de la réalité avec l'alcool.

J'aime partager ce que j'apprends avec Peter, parce que je trouve toutes ces choses fascinantes et que j'aime qu'il me donne son point de vue. Il a un excellent détecteur à conneries et il perçoit tout de suite plus facilement que moi lorsque quelqu'un veut m'aider ou essaie de profiter de moi. Notre relation m'aide à faire en sorte que mes actions soient en phase avec mes progrès par rapport à mon équilibre mental. C'est facile de dire : « Oh, j'ai appris ceci », puis d'être complètement stupide en ne mettant jamais cet apprentissage en application.

Depuis que j'ai quitté le monde du sport, Peter et moi nous sommes rapprochés l'un de l'autre, en partie parce qu'on passe plus de temps ensemble. Autrefois, on partageait des moments et des expériences incroyables, mais on était si souvent séparés qu'on ne se connaissait pas réellement. Bien des amis nous disaient à la blague que, lorsqu'on finirait par vivre ensemble, on ne s'aimerait peut-être pas, mais c'est tout le contraire qui s'est produit. À présent, chaque jour, quand je le regarde, j'arrive à peine à croire que c'est avec cette personne magnifique que je vais passer le reste de ma vie. J'apprends toujours de nouvelles choses sur lui et sur les expériences extraordinaires qu'il a vécues. Il me montre toujours de nouvelles façons de penser, en me présentant des livres et des articles qui deviennent importants pour moi aussi. Aujourd'hui, lorsqu'on est ensemble, on est réellement ensemble, sans qu'aucune obligation de compétition vienne planer au-dessus de ma tête. Peter a su garder l'esprit du débutant. Il a encore une capacité remarquable à s'émerveiller, et j'apprends à m'en imprégner. Notre relation est un *work in progress* qui dure depuis dix-huit ans. Je lui suis tellement reconnaissante d'avoir eu la patience de rester avec moi.

Peter m'a enseigné que le jour viendrait où je n'aurais plus la passion de la course. Il avait raison. Lorsque c'est parti, c'est parti pour toujours. J'étais contente que quelqu'un m'ait avertie, d'une manière positive, que ma capacité à atteindre de hauts degrés de concentration me quitterait, parce que c'est ce qui s'est produit.

Quand j'étais une athlète professionnelle, tout avait toujours tourné autour de moi, de mon entraînement, de ma performance, de mes accidents, de ma guérison. Le narcissisme était défini comme un « engagement ». C'était devenu une cape invisible qu'on m'encourageait à porter. C'est difficile de se débarrasser de l'égocentrisme, même lorsqu'il n'y a plus aucune excuse pour s'en prévaloir. L'absence de but peut mener à une autre sorte de narcissisme : *Personne ne souffre autant que moi, personne n'a jamais connu un désespoir si grand, personne n'a jamais eu aussi peu de raisons de se lever le matin.*

Il y a quelques mois, j'ai vu des gens effectuer des intervalles en ski à roulettes sur la colline escarpée qui borde le condo que Peter et moi louons à Canmore, en Alberta. Ils s'entraînaient même s'il n'y avait pas de neige. Je regardais leurs entraîneurs les filmer, et j'étais tellement contente que ce ne soit pas moi qui me trouvais sur cette colline. Ce dont ces skieurs ne se rendaient pas compte, c'était que cet entraînement monotone et épuisant était en réalité la partie la plus amusante de leur sport. La souffrance de la course monte à un autre niveau. Viennent ensuite les Olympiques, à un niveau encore plus élevé, où on doit essayer de faire des miracles. C'est tellement difficile.

Je suis heureuse d'avoir enfin trouvé le moyen de pratiquer un sport sans que ce soit uniquement dans le but de gagner : j'ai passé du temps avec Joé Juneau pendant qu'il enseignait le hockey aux jeunes Inuits, j'ai voyagé à travers le monde avec Right To Play, j'ai participé à la campagne «Cause pour la cause» de Bell. Ce que je veux avant tout, maintenant, c'est me rendre utile. Je veux m'améliorer pour pouvoir partager ces améliorations avec les autres. C'est ce que je veux, chaque jour du reste de ma vie.

C'est ça, pour moi, la vie en saison morte.

L'arrêt complet

À l'été 2013, alors que Peter et moi étions partis faire du cyclotourisme dans le vaste réseau de sentiers qui s'étendent autour de la petite ville de montagne de Rossland, en Colombie-Britannique, ma mère m'a téléphoné : « C'est au sujet de ton père. »

Il recevait maintenant des soins particuliers.

« Il a une mauvaise toux, m'a dit ma mère. Il a arrêté de manger et il a perdu beaucoup de poids. Je n'ai aucune idée de ce qui va se produire dans les heures, les jours ou les semaines à venir. »

Je savais que mon père souffrait de démence, et je me suis mise à paniquer à l'idée que j'étais si loin alors qu'il était peut-être en train de mourir.

Après que j'en ai informé Peter, il a suggéré qu'on loue une voiture pour aller jusqu'à Calgary, puis qu'on prenne l'avion jusqu'à Winnipeg.

Lorsque j'ai téléphoné à ma mère pour lui demander conseil, elle m'a répondu : « Ton père est dans un état si lamentable, tu devrais peut-être simplement conserver l'image que tu as eue de lui la dernière fois que tu l'as vu. »

Ma mère m'a également informée que mon père avait une ordonnance de réanimation inscrite à son dossier. On savait toutes les deux qu'il ne voudrait pas vivre s'il perdait l'usage de son corps ou de son esprit. J'ai accepté qu'on la change pour une ordonnance de non-réanimation si son cœur ou sa respiration s'arrêtaient. Même si ça me faisait mal de savoir que cette décision mettrait fin à sa vie, j'étais heureuse de pouvoir l'aider à échapper à son existence misérable.

Après avoir raccroché, je me suis demandé ce que ma mère voulait dire par « l'état lamentable » de mon père. Lorsque j'avais visité ce dernier, trois semaines plus tôt, ma mère m'avait déjà avertie que Kenneth Hughes, qui avait déjà été un homme robuste de six pieds quatre, n'était plus que l'ombre de lui-même.

Dès que je l'ai vu assis sur son lit d'hôpital, ce jour-là, je me suis mise à pleurer. Il m'a souri lorsque j'ai pris son corps frêle dans mes bras, en luttant pour retenir mes larmes.

Lorsque j'ai quitté son étreinte, mon père a attrapé mon bras. « Forte », m'a-t-il dit, en continuant à sourire. J'ai recommencé à pleurer, contente de voir qu'il semblait me reconnaître.

Le silence qui régnait dans la chambre de mon père a été rompu par des cris, des jurons et des gémissements, d'un bout à l'autre du pavillon. *Comment mon père a-t-il pu se retrouver ici ?* Je connaissais la réponse à cette question, bien sûr. Il avait été agressif avec les travailleurs de soins à domicile qui lui rendaient régulièrement visite. C'était tragique, mais il était maintenant avec les siens : d'autres gens qui se sentaient frustrés, en colère et enfermés dans des corps et des esprits qui leur faisaient défaut.

En marchant avec mon père dans la petite boucle du pavillon où il vivait, il a montré une porte fermée à clé et une affiche qui rappelait aux patients : « Connaissez vos droits. » Même atteint de démence, mon père continuait à être un rebelle. Il savait que cette porte verrouillée menait à la liberté, et il croyait que cette affiche lui donnait le droit de s'enfuir. Une autre fois, il a indiqué un arrêt d'autobus de l'autre côté de la fenêtre. Je pouvais voir dans son sourire espiègle qu'il s'agissait de la deuxième phase de son plan d'évasion.

Mon père n'avait jamais été facile. En grandissant, j'avais commencé à lui dire « Je t'aime, papa », et il se contentait de répondre : « Oui oui, oui oui. » Il n'avait jamais été capable de répondre : « Moi aussi, je t'aime, Clara. »

À un moment donné, au cours de cette visite, il m'a dit : « Je pensais que je t'avais perdue. »

Il a ensuite demandé à ma mère : « Et l'autre, elle est où ? » Il faisait référence à ma sœur, qu'il refusait d'appeler par son nom en raison de ses problèmes.

On lui a dit que Dodie, qui avait reçu le droit de s'absenter pendant une journée de son centre de soins de longue durée, arriverait un peu plus tard. Il a répondu : « Alors peut-être qu'on pourrait tous vivre ici, comme une vraie famille. »

C'était bon d'entendre ça, et ça m'a donné envie de rire et pleurer en même temps. Je me suis retenue de dire : « C'est juste qu'il est un peu tard pour ça, papa. »

Le lendemain, il avait oublié notre visite de la veille. Une semaine plus tard, il était attaché à son lit. Il avait oublié qui il était et il était devenu violent.

Après que j'ai parlé avec ma mère, Peter et moi avons continué notre voyage en Colombie-Britannique, comme elle me l'avait suggéré. Quelques jours plus tard, j'ai reçu un autre appel, et j'ai dû m'immobiliser au bord de la route, dans la chaleur d'un soir d'été.

Mon père venait de mourir. C'était le 23 juillet 2013.

Il avait fait le geste ultime d'arrêter de manger, choisissant lui-même le moment où il allait nous quitter. Même atteint de démence, mon père avait fait le dernier geste autonome dont il était capable : il s'était engagé dans une grève de la faim.

J'ai laissé tomber mon vélo, puis je me suis assise sur le gazon. Lorsque Peter a vu mes larmes, il savait ce que j'allais lui dire : « Mon père est parti. »

Je me sentais vidée et confuse, incapable de démêler mes émotions.

On est remontés sur nos vélos et on a pédalé les vingt derniers kilomètres en direction de Nelson, en Colombie-Britannique. Ce mouvement vers l'avant m'a libérée. J'ai ressenti une impression de soulagement à l'idée que mon père s'était échappé de son lit d'hôpital, qu'il avait franchi cette porte close, qu'il était entré dans l'autobus qui l'attendait à l'arrêt pour l'emporter là où il devait se rendre. J'ai également été envahie d'un immense sentiment de paix en pensant à la façon dont mon père m'avait soutenue dans tout ce que j'avais fait en sport, et comment il m'avait encouragée dans ma relation avec Peter. Alors que les autres nous jugeaient pour notre mode de vie spontané et non conventionnel, mon père avait su nous apprécier à notre juste valeur, surtout Peter le prince. Je ne le remercierai jamais assez pour ça.

Il m'arrive encore de me sentir triste à l'idée qu'il n'est plus là. En quatre-vingts années de vie, il a influencé tellement de gens. D'anciens étudiants de mon père m'ont dit qu'il avait changé leur vie. Ils me disaient des trucs comme : « Ton père est le seul professeur qui m'a vraiment appris quelque chose qui en valait la peine. » Certains sont devenus des politiciens, des professeurs, et d'autres, des spécialistes. Les artistes sans le sou que mon père avait soutenus en achetant leurs œuvres étaient particulièrement reconnaissants. Ils me disaient : « J'étais vraiment dans une mauvaise passe quand ton père a commandé une de mes pièces. Il l'a fait uniquement pour me venir en aide. »

Plutôt que de leur donner l'aumône, mon père avait encouragé leur créativité. Il comprenait l'intensité de la démarche artistique et, comme il n'avait pas de talent, il voulait soutenir ceux qui en avaient.

Je crois que mon père a connu certains moments qu'il a aimés, dans sa vie, et j'en suis heureuse. Je dois aussi admettre que je suis soulagée qu'il ne soit plus là. Je l'ai vraiment aimé – et je l'aime encore –, mais certains de ses comportements m'ont vraiment fâchée, en raison de la façon dont il a malmené ma mère et dont il nous a blessées, ma sœur et moi. Si seulement il avait pu être la personne merveilleuse qu'il était parfois capable d'être, avec ceux qui l'aimaient.

Je sais que la meilleure manière d'honorer la mémoire de Kenneth Hughes est d'encourager des enfants dans l'Arctique ou dans d'autres régions défavorisées à découvrir leurs rêves et à poursuivre leurs buts, comme mon père l'a fait pour moi. Malgré ses défauts, mon père a réussi à me transmettre sa conviction selon laquelle on est tous égaux et que tout est possible. Si je lui avais dit : « Papa, je vais aller sur la lune », il m'aurait répondu : « Bien sûr que tu vas y aller. » Il a éveillé en moi le désir de devenir tout ce que je pouvais être, et c'est grâce à ça que j'ai maintenant quelque chose à partager avec les autres. C'est là l'héritage de mon père, et je vais le chérir jusqu'à la fin de mes jours.

Les faits saillants

JEUX OLYMPIQUES
6 participations (1996, 2000, 2002, 2006, 2010, 2012)
2010 médaille de bronze au 5000 mètres (en patinage de vitesse)
2006 médaille d'or au 5000 mètres (en patinage de vitesse)
2006 médaille d'argent à la poursuite par équipes
    (en patinage de vitesse)
2002 médaille de bronze au 5000 mètres (en patinage de vitesse)
1996 médaille de bronze à la course sur route individuelle
    (en cyclisme)
1996 médaille de bronze au contre-la-montre individuel
    (en cyclisme)

CHAMPIONNATS DU MONDE
2009 médaille d'argent au 5000 mètres (en patinage de vitesse)
2008 médaille d'argent au 5000 mètres (en patinage de vitesse)
2005 médaille de bronze au 5000 mètres (en patinage de vitesse)
2005 médaille d'argent à la poursuite par équipes
    (en patinage de vitesse)
2004 médaille d'or au 5000 mètres (en patinage de vitesse)

2003 médaille d'argent au 5000 mètres
   (en patinage de vitesse)
1995 médaille d'argent au contre-la-montre
   (en cyclisme)

JEUX DU COMMONWEALTH (EN CYCLISME)
2002 médaille d'or au contre-la-montre individuel
2002 médaille de bronze à la course aux points
1994 médaille d'argent au contre-la-montre par équipes

JEUX PANAMÉRICAINS (EN CYCLISME)
2003 médaille d'or à la course aux points
2003 médaille de bronze à la poursuite individuelle
2003 médaille d'argent au contre-la-montre individuel
1995 médaille d'argent à la course sur route individuelle
1995 médaille de bronze au contre-la-montre individuel
1991 médaille de bronze au contre-la-montre par équipes
1991 médaille d'argent à la poursuite individuelle

CHAMPIONNATS PANAMÉRICAINS (EN CYCLISME)
2011 championne de course sur route
2011 championne au contre-la-montre individuel

COUPES DU MONDE
(EN PATINAGE DE VITESSE 2003-2010)
13 médailles de la Coupe du monde (au 3000 mètres,
   au 5000 mètres et à la poursuite par équipes)

AUTRES RÉALISATIONS IMPORTANTES
35 fois championne nationale canadienne en cyclisme
   sur route et sur piste, et en patinage de vitesse
2011 victoire au classement général au Tour of the Gila
   (2 victoires d'étape)

2011 première au contre-la-montre
au Grand Prix Cycliste Gatineau
2011 deuxième au classement général au Mt. Hood
Cycling Classic (1 victoire d'étape)
2011 troisième au classement général au Cascade
Cycling Classic (1 victoire d'étape)
1998 victoire au classement général au Sea Otter Classic
1997 victoire au classement général au Tour of Texas
1996 deuxième au classement général au Hewlett-Packard
International Women's Challenge (2 victoires d'étape)
1995 première place au Liberty Classic Philadelphia
1994 deuxième au Tour de l'Aude Cycliste Féminin, prologue
1994 victoire au classement général au PowerBar
International Women's Challenge (1 victoire d'étape)

PRIX ET DISTINCTIONS

Témoin à titre honorifique, Commission de vérité
et réconciliation du Canada, 2015
Panthéon des Sports du Québec
(Temple de la renommée des sports du Québec), 2014
Temple de la renommée des sports du Manitoba, 2012
Liste des femmes les plus influentes
(Association canadienne pour l'avancement
des femmes, du sport et de l'activité physique), 2011
Allée des célébrités canadiennes, octobre 2010
Officière de l'Ordre du Canada, 2010
Porte-drapeau, équipe olympique canadienne, Vancouver 2010
Temple de la renommée des sports du Canada, 2010
Membre de l'Ordre du Canada, 2007
Membre de l'Ordre du Manitoba, 2006
Personnalité de l'année dans le domaine des sports, 2006
(*La Presse*)
Sport and Community Award (« Prix Sport et communauté »),
Comité international olympique, 2006
Doctorat honorifique en droit
(Universités du Manitoba, de la Colombie-Britannique,
de l'Alberta, de York et de Thompson Rivers)

Doctorat honorifique ès lettres
   (Université du Nouveau-Brunswick)
No. 1 Sports Hero du journaliste Jack Todd (*Montreal Gazette*)

ENGAGEMENT COMMUNAUTAIRE

Campagne « Cause pour la cause » de Bell
Right To Play International
Clara's Big Ride
Programme Take a Hike
Going Off, Growing Strong
Programme de développement des jeunes du Nunavik
Programme étudiant kangidluasuk
Fondation Rideau Hall
The Randy Starkman Charitable Foundation
Proposition de réserve de parc national Thaidene Nene

Remerciements

Très franchement, il y a trop d'individus que je devrais remercier ici. Si je devais passer en revue la liste des personnes qui ont révélé tout ce qui est raconté en ces pages, il nous faudrait un autre livre. Je peux dire en toute certitude que j'ai remercié chaque personne à travers les années. Plusieurs ont été présentées aux lecteurs ; d'autres demeurent en marge de mon expérience vécue. À tous ceux qui ont rendu possible cette expérience : vous vous connaissez. Encore une fois, merci.

Il me faut absolument souligner l'appui des associations provinciales de patinage de vitesse et de cyclisme du Manitoba, du Québec et de l'Ontario. Je dois ajouter le Comité olympique canadien, Sport Canada, À nous le podium, B2ten, Fondation de l'athlète d'excellence du Québec, les Instituts canadiens du sport à Calgary, à Winnipeg et à Montréal, et les Jeux du Commonwealth Canada. Ces associations permettent aux athlètes de poursuivre leur objectif de compétitionner sur la scène sportive mondiale. Elles m'ont certainement aidée à atteindre mes objectifs à moi.

À tous les journalistes qui accordent de l'attention aux sports olympiques tous les deux ans, ou tous les quatre ans, fabriquant à partir des histoires de sportifs moins connus des récits pouvant inspirer des Canadiens d'un océan à l'autre, et à l'autre, merci. Il serait bien négligent de ma part de ne pas souligner une force dans ce domaine : Randy Starkman. Sans Randy, l'odyssée de ce livre n'aurait jamais débuté. Mon ami, jamais on ne t'oubliera. La CBC, CBC/Radio-Canada, la radio et la télévision, CTV, et les autres réseaux de diffusion olympique, merci pour votre passion de raconter des histoires, laquelle a inspiré maintes fois notre pays.

J'aimerais remercier Simon & Schuster Canada d'avoir cru en ce livre et d'avoir gardé le projet vivant. Sans la touche apportée par Sylvia Fraser, ce livre n'aurait jamais vu le jour.

Rien ne se fait seul. Je suis devenue celle que je suis grâce à l'amour, aux encouragements et au soutien inconditionnel que j'ai reçus de ma famille, quelles que soient nos dysfonctions passées et actuelles. Maman, papa et Dodie, je vous aime si fort. À mon mari et mon meilleur ami, Peter, *te amo mucho.* À ma famille élargie, les Guzmán : *muchas, muchas gracias.*

Et enfin, aux gens, à la foule d'hommes et de femmes, de jeunes et de vieux, ayant tous des parcours de vie différents, qui vivent des moments difficiles en raison de problèmes de santé mentale : sachez que je vous remercie de votre courage, de votre courage à partager, de votre compassion et de votre appui. Vous formez le groupe de personnes le plus formidable qui soit et, dans mon esprit, le plus fort de tous. Je voudrais vous dire merci car c'est vous qui m'avez inspirée de ne jamais abandonner le combat pour éduquer et éclairer ceux qui n'en comprennent pas la réalité.